中国の時局を読む

話題の背後にある中国のロジック

人民日報海外版「侠客島」著
崎本宗瑞　村上隆一　訳

グローバル科学文化出版

目次

第二部　改革編……82

第三部　反腐敗編……172

第四部　社会編

第五部　香港・台湾編

まえがき

人民日報社　社長　李宝善

とどまることなく走り続けなければいけない時代である。

メディア業界は情報伝達形態の大変革を経験した。二十年前、一部の新聞、雑誌は売れ行きがよかったが、現在では、ウィーチャット[1]（WeChat）上の記事やショートムービーが数百万、数千万、数億のアクセス数、再生回数を超え、勢いはとどまることがない。マス・メディアでもインターネットの力を借りてさらに大きな影響力を及ぼすことができる。インターネットの普及により、一般人でもメディアを通して発言する機会が与えられた。個人メディアのの台頭により、従来の伝統的メディアの「一統天下」構造に沖撃を与えた。一般人の声は更に大きくなり、観点がより多様で、情報の受け手もより分散している。ここ数年で、伝統メディアは危機を感じている。

どうすればいいのか。変革しかない。

はやくも二〇一四年に、中共中央は伝統メディアと新興メディアの融合発展戦略を打ち出した。習近平は「現在、メディアの構造、世論の生態、情報の受け手、伝達技術すべてが大きく変化している。特にイ

（1）中国の大手ＩＴ企業テンセントが開発したインスタントメッセンジャーアプリ。

ンターネットはメディアの中でも前例のない変化を起こしている」と指摘している。どこかに読者がいれば、そこに報道の着力点と着地点を置かなければならない。

数年間、多くの伝統メディアは次々と「インターネット＋」の流れに乗って、情報伝達形態の転換などを積極的に探究し、この変革で主導権を握り、優位に立ち、未来を勝ち取ることを望んでいる。インターネット技術の情報伝達形態への衝撃は多方面で、またグローバル的であり、融合発展は中国メディアの挑戦だけでなく、世界のメディアが直面する難題でもある。この方面で、中国メディアの融合探索は前駆的な意味がある。

近年、人民日報は積極的にメディアの融合を探索し、優秀なニューメディア編集者・記者や話題のニュース、看板コラムを輩出している。「侠客島」もその中で誕生し、大きく躍進した。

「侠客島」は時局の解説を得意とした。古代には「侠」は正義の代表を意味し、現実への関心が強く、「侠客島」創立当初は、新鮮な政党情報を担っていた。時局というイデオロギーの核心を突くような敏感な話題を選び、人民日報の最も核心的な競争力を継承、強化した。同時に、簡単な言葉で分かりやすく中央の政策を解説し、話題のニュースを読み解き、世論を導き、時局報道の文体・風格に対して有益な探索を行った。

「侠客島」は時局を正確に把握するため、習近平総書記の重要な発言や中共中央・中国政府の政策を学び続け、調査研究で大量の知識を積み重ねた。これは中国で時局の報道を成功させる基礎であり、引き続き堅持すべきだ。

「流れに逆らって舟を進める如く進まなければ押し流されてしまう」。誰もがマイクを持っていた時代には、発言権の掌握は「一度苦労しておけば後は末永く楽ができる」というわけではない。言論界の軽騎兵として、「侠客島」は常に活気や鋭気を保ち、内外の世論を導く重要な力になるべきだ。

現在、中国はまさに歴史的機会期を迎え、大いになすべきことがある。しかし、改革開放が進むにつれ、中国もより多元的な国内改革の要求と復雑な国際情勢に直面している。「上下の欲を同じうする者は勝つ」中国がこの関門を突破するには、メディアは問題に立ち向かう勇気をもつ必要があり、直指人心（人の心を直に指差す）の力で中国の改革発展のために疑念を解き、この偉大な時代の記録者になるだけでなく、中国発展の思考者、社会進歩の鼓動者にもなる。これは我々メディア関係者の使命と役割であり、「侠客島」というニューメディアへの期待でもある。

第一部　上層編

中共中央はなぜこのタイミングで文芸座談会を開いたのか

二〇一四年十月十五日
東郭栽樹

習近平は忙しい。しかし、中共の大衆路線教育実践活動は、締めくくりでも終わりではない。二〇一四年に巡視組[1]が第一ラウンド整頓・改革の結果を公表した。反腐敗の戦場での「ハエたたき」[2]のニュースが飛び込み、中共十八期四中全会で「法に基づいて国を治める」という大課題が間もなく幕を上げる今日、多忙な習近平総書記は突然、異常に「活発」な文芸座談会に出席した。

この座談会の活発な雰囲気は、ＣＣＴＶ（中央テレビ）の「新聞聯播」[3]からも分かるようになり、ＣＣＴＶは習近平と文芸界代表のインタラクティブな場面をめったに映した。座談会では、習近平は自分の青年時代の「文青（文芸青年）」の風姿を思い出しただけでなく、上映中であった映画『黄金時代』の言葉を借り、「五四運動」後の中国に現れた巨匠たちと、残されたより抜きの文芸作品について語った。

（1）中共中央から派遣され、政府内の各省庁や国有企業、地方政府を不定期に巡視するチーム。
（2）特権を利用して大きな腐敗を行う指導幹部の「トラ」と庶民の周囲で小さな腐敗を行う「ハエ」を取り締まる「トラ退治とハエ駆除を同時に行う腐敗撲滅運動。
（3）中国の国営放送である中央電視台が、毎日十九時から放送しているニュース番組。

細部よりも筆者が気になるのは、なぜこの時点で、習近平は文芸座談会に参加し、重要なスピーチをしたのかということだ。

当然、最も単純な理由として、習近平は文芸という分野を非常に重視しているといえる。例えば、彼は「文芸は前進への合図であり、時代を代表するもので、時代の風潮を導くことができる。〝二つの百年〟(1)の奮闘目標を実現し、中華民族の偉大な復興という〝中国の夢〟(2)を実現するには、文芸の役割はかけがえのないもので、文芸従事者にとってやりがいがある」と強調した。

さらに一歩踏み込んでみると、習近平は文芸分野に存在する問題点についてかなり認識していることが分かる。例えば、彼は以下のように指摘している。

「文芸創作の面でも、量があって質がなく、〝高原〟があって〝ピーク〟がない現象があり、パクリや模倣、千篇一律の問題があり、機械化した生産、ファストフード的な消費の問題がある」

「文芸は市場経済の流れで方向性を見失ってはならず、だれのための問題に偏差が発生してはいけない。そうでなければ文芸は生命力を失ってしまう」

「低俗は通俗ではない。欲望は希望を代表するものではなく、単なる娯楽感覚は精神快楽とはイコー

(1) 中国共産党結党百周年(二〇二一年)」、「中華人民共和国建国百周年(二〇四九年)を指す。二〇二〇年の「小康社会」全面的完成を基礎として、二〇三五年までに「社会主義現代化」を実現し、今世紀中頃を目途に中国を「富強・民主・文明・調和の美しい社会主義現代化強国」に築き上げる。

(2) 二〇一二年に習近平(中国共産党総書記)が発表した中華人民共和国の思想であり、中国共産党第十八回全国代表大会以来、第五世代中央指導グループの執政理念でもある。

ルではない」

さらに、習近平は上記の問題に対して独自の処方箋を出したこともうかがえる。彼はこう話した。

「社会主義文芸は本質的には国民の文芸である」

「文芸はよい国民の声を反映し、国民や社会主義に奉仕するという根本的な方針を固守しなければならない。これは、党から文芸戦線に提示する基本的な要求であり、わが国の文芸事業の今後の前途と運命を握る鍵でもある。国民の精神文化需要を満たすことを文芸と文芸活動の出発点と着地点とし、国民を文芸表現の主体とし、国民を文芸審美の鑑賞者と審査者とし、国民に奉仕することを文芸工作者の天職としなければならない」

何年も前に、毛沢東が延安文芸座談会でのスピーチで、「私たちの問題の中心は何か。私たちの問題は基本的には大衆のための問題と、どうやって大衆のためにするかという問題だと考える」と述べた。これに対し、作家の簫軍は、「毛沢東はこの問題を深刻にとらえ、文芸界の多くの問題をとらえたのだ」と評価した。

ここまでで、「習近平総書記はなぜこのタイミングで文芸座談会に参加したのか」という問題を振り返ってみる。延安文芸座談会は、文芸界の座談会だけでなく、延安整風運動の有機的構成要素でもあるように、今日の文芸座談会は、もっと大きな歴史背景から理解すべきだ。

筆者からみれば、今期の中共指導部の憂患意識は非常に強く、問題を政権合法性の高み（次元）に引き上げられたのだ。中共指導者の演説の中で、「亡党亡国」という言葉がよく出てくる。このような憂患意識は、彼らに「大衆路線」を新政権始動の初仕事にするようにさせた原因であり、あらゆる活動において大衆路線を堅持している理由でもある。大衆路線教育実践活動はすでに総括大会を終え、効果は良好だったが、「締めくくりでも終わりではない」という余韻は相変わらずで、中共指導部は、これまで得た成果を一気に吹き飛ばして濡れたばかりの土地をまた乾かすつもりはない。

「中国の夢」「二つの百年」という大きな目標を実現するには、中共が与党として、一連の「革故鼎新」(1)手段を通して、党の意志を国民の意思に変えて進まなければいけない。二〇一三年の中共十八期三中全会は改革の合図を出し、二〇一四年に開かれた中共十八期四中全会では「法に基づいて国を治める」をメインテーマとした。政治分野の改革という点で、中共十八期四中全会は中共十八期三中全会に劣らず、大衆路線教育実践活動と更に深い論理的な繋がりがある。

今回の文芸座談会の開催時期は、大衆路線教育実践活動総括大会の直後、中共十八期四中全会で「法に基づいて国を治める」の幕を開く前であるため、絶対に重視するに値する。

延安整風運動は、何を整えるのか。主観主義、宗派主義、党八股(2)。どのような方針なのか。過去の失敗を戒めとして今後過ちを繰り返さないようにし、人の欠点・過ちを批判して立ち直らせる。何のためなのか。毛沢東は「わが党のやり方が完全に正派すれば、全国の人民はわが党に従うだろう。党外に悪い気風のある人は、彼らが善良である限り、われわれに学び、彼らの過ちを正すことになり、全民族に影響を及ぼす

(1) 古い習慣や制度などを新しいものに改正すること。
(2) 党幹部の空疎な形式主義的な文章。

ことになる。われわれ共産党の隊列が整然とし、足並みが一致している限り、兵士が精兵で、武器が良い武器であれば、いかなる強大な敵もわれわれが倒すことができる」と指摘した。その要点を突き詰めてみると、党内は思想的・政治的統一と行動的一致を形成しなければならない。党外で政治的アイデンティティを形成しなければならない。延安文芸座談会の後、多くの作家が農村、部隊に行って、「手は黒く、足元には牛のふんがある」という工農兵（工人、農民、兵士）大衆と組んで、『小二黒結婚』、『白毛女』、『兄妹開荒』などの文芸作品を手掛けた。中国共産党のバイタリティーは大衆文化領域で共感と帰属感を生み、団結力や求心力の文芸表現を形成した。

現在、利益がより多様的で複雑になり、利益が固化する傾向がより危険になり、文化の指導権に対する要求も突きつけられている。文芸作品が人々の心を鼓舞し、人の心を結束させる役割を果たすことができるか、人々を感動し、人々を団結させて国家と民族の事業のために奮闘することができるか、春風化雨の中でカリスマ性のある人物像を通じて現代中国の共通認識を形成することができるか。これはもちろん、イデオロギーの世界でも政治の世界でも、きわめて重要なことだ。

中共十八期四中全会前夜、「法治」の議題をめぐる論争が静かに熱を帯びている。明らかに、中共の上層部は、無意味な論争が既存の共通認識を引き裂くことを望んでいない。習近平の再三の発言を見ると、中国の問題を解決するには、中国の大地で国情に合った道と方法を探るしかない。人類文明のすべての優秀な成果を学習・参考にしなければならない。しかし、他国の政治理念や制度モデルをそのまま取り入れることはできない。ご容赦ください。

したがって、中国の文芸関係者も、官僚、学者、あるいはその他各界の人士も、習近平総書記と彼の同僚たちとともに「創造的な前進する」という覚悟を持つべきだ。

県委書記のあるべき姿

二〇一五年一月十二日
東郭栽樹

二〇一五年一月十二日、習近平はある座談会を開いた。今回は、党外人士や文芸家ではなく、中共中央党校[1]「第一期県党委員会書記研修班」の学員とのものだった。総書記直々に県委書記に対し授業を行ったのだ。関係者によると、この授業は習近平が「県委書記たちの強い要求」に答えたものだったという。一方で、中共中央党校は、三年間をかけて全国の県委員会書記を集めて順番に訓練するつもりだ。規格が高く、範囲も広い。なぜ単に県委員会書記という集団なのか。なぜなら、中国の政治構図では、県委員会書記はとても重要視されているからだ。

どれほど重要視されているのか

一九九〇年、福建省に勤務していた習近平主席は『政治に関する雑談』(『貧困からの脱出』に収録され

(1) 中国共産党の中高級指導幹部とマルクス主義理論幹部に対する研修・訓練を行う最高学府。

ている）という本を書いた。同書の中にで県レベルの主要幹部の重要性についてかなりイメージ的な描写がある。

「もし国を一つの網に例えると、全国三千以上の県（度重なる調整後、現在は二千八百余りの県、市、区、旗を有する）はネット上の〝結び目〟のようになる。〝結び目〟が緩いと、国家の政局は不安定になり、〝結び目〟が固いと、国家の政局は安定する。国の政令・法令は、県によって具体的に貫徹される。したがって、全体と部分の関係から見ると、県レベルの仕事の良し悪しは、国の盛衰・安危にかかわる」

今日、すでに中共中央総書記となった習近平はこう言った。

「私は県レベルの職能、運転と県委員会書記の役割につい自ら悟りがあり、先ほど六人の同志の発言を聞いてとても感じたことがあり、絶えず私が県委書記であった時期を思い出し、まるで三十年余り前に戻ったようだ。……我が党の組織と国家政権の構造において、県レベルは上級機関から下級機関へ引継ぎする重要な一環にあり、経済を発展させ、国民生活を保障し、国家の長期的な安定を促進する重要な基盤となっている」

河北省正定県で県委書記を務めた習近平は、自らの政務実践から次第に形成された治国理政（国政運営）思想体系の中で、県委員会書記という位置の重要性をかなり際立たせていると言える。

新常態（ニューノーマル）

二千八百余りの県には、二千八百余りの県委書記がいる。職級が正処（長）級で、個別の地方省では副庁（長）級になるかもしれない。全体的に、職級は高くなくとも、権力は大きい。

権力に付随するものは何か。まずは責任だ。なに？それは腐敗か。まあ、先にこの腐敗の件について話しておこう。

「絶対的な権力が絶対的な腐敗をもたらす」という話には、絶対的な道理があると思っている。だから、権力を制度のかごの中に閉じ込めなければならない。しかも現段階では、腐敗に対抗する高圧的な態勢を維持しなければならない。腐敗のチャンスがあり、腐敗の考えがあるやつらに「腐敗しない」ようにさせ、この高圧的な態勢を政治生態の中で常態化させる。

県委書記の権力が大きいだけに、規律委員会は県委員会書記たちに対しても厳重に監督し、腐敗があれば必ず摘発する。二〇一四年には、在職しているあるいはかつて在職していた県委員会書記を多く摘発した。このため、一部の人は、これらの県委員会書記、市委員会書記などの役人は、職級が高くなく、「トラ」とは言えないが、「ハエ」というと、やはり「悔しい」ような気がする。地元の「父母官」（地方を治める役人）だから、「トラハエ」と呼んでもいいだろう、と皮肉を言った。

山西省を例に取ると、二〇一四年に摘発された「トラハエ」式の幹部のうち、不完全な統計によると十七人が県委書記または県委書記を務めたことがある。そのため、二〇一五年末に、当時の王儒林・山西省委員会書記はもっぱら「どのように優秀な幹部を県委員会書記のポストに抜擢すか、幹部の〝病（問題）を伴う抜擢〟をどのように防止するか、県委員会書記を起用すればどのような問題に注意すべきか」を巡って地方で調査と座談を行った。

王儒林は、体系的な腐敗問題が発生し、多くの事件が捜査されていない状況で、善人を選び、善人を使うのがさらに難しいと打ち明けたが、この問題は避けられない。どうして回せないの？県委員会書記は幹部システムの中で特別重要な地位を持っているため、管内の改革、発展、安定、マクロなどの大きな事項と胡麻粒ほどの些細なことは、すべて県委員会書記と関係することができる。権力も責任も大きく、それに応じた役割や影響力も大きい。

悪党書記は県民の気分を害することができる。しかし、焦裕禄ような良い書記は、県民に幸福をもたらすことができる。特に、小康社会（ややゆとりのある社会）を全面的に建設し、改革を全面的に深化させ、全面的に法に基づいて国を治め、党を厳格に治める歴史的プロセスにおいて、この習近平のいわゆる「第一線指揮部」の中の「第一線総指揮官」を選ぶのは容易ではない。「第一線総指揮官」をうまく務めるのはもっと難しい。

清代の画家・書家・役人だった鄭板橋は「令、官之至難者也」（県令は最も大変な役職である）といった。もちろん県政をよくやって退任した後、言い伝えが道にあふれるという達成感は、他の業務官僚が楽しめるものではない。

「四有」の書記

誰を県委書記に任命するかは、上級幹部と上級組織が決めることだ。そのような職に就いた県委書記と国民のために奉仕したいという役人からすると、「四つの全面」[1]のもとで、どのようにすれば焦裕禄のような県委書記になれるか。

これは習近平書記の授業のポイントだ。新華社のトップ記事として取り上げられ、筆者が探索する必要もなく、「どのようにすれば焦裕禄のような県委書記になれるか」という問題に対し、いろいろな視角から話ができるが、今回は党、国民、責任、戒めの四つの視点から話していきたい。

十六文字で表現された四つの「有」。「四有」[2]をやり遂げてこそ、よい書記だ。具体的な要求は新華社の配信記事に掲載され、筆者は習近平は現場で素晴らしい演説ができると信じている。

遺漏がないとは言えないが、筆者は要求の要点を書き出した。この要求に従うと、合格ラインの県委書記はどのような「男」なのか（もちろん、県委書記には女性もいる）。

まず、忠実な人（党に忠実であることは県委書記の重要な基準である）でなければならない。最近読んだ『大清相国』に描かれている清代の文人・陳延敬（康熙帝の教師）は忠実な人物だった。もちろん、彼は主に康熙帝に忠誠を尽くし、今回話している中共幹部の党への忠誠と本質的な違いがある。しかし、身を処する人格（自分の良心に忠実）にも、役人としての政治品格（自分の職務に忠実）にも、彼には現代人が学ぶべき部分がある。陳延敬は宰相の役職に身を置き、明珠と索額図の二の舞を演じないのは、政治の知恵だけではなく、さらに重要な政治の品格もあると言える。

（1）「全面建成小康社会」（ややゆとりのある社会の全面的建設）、「全面深化改革」（改革の全面的深化）、「全面推進依法治国」（全面的な法による国家統治）、「全面従厳治党」（全面的な厳しい党内統治）のことを指す。

（2）「四有」とは、「心中有党、心中有民、心中有責、心中有戒」（心の中に党があり、心の中に民があり、心の中に責があり、心の中に戒がある）を指す。

第二に、庶民のために行動できる人でなければならない。「役人は民のために行いができなければ、家に帰りサツマイモでも売った方がよい」は舞台劇『七品芝麻官』のセリフだが、県委書記たちに話しても、その場にふさわしい。話を戻すと、庶民のための心は、実際に行動で示さなければならない。例えば、習近平が強調する貧困扶助の開発は、雪の中で炭を送ることであり、県委書記たちは清華大学の校風「行勝于言（行動は言葉に勝る）」を見せなければいけない。

もう一つは、本当の「ヒットマン」の精神があることだ。中国の「ヒットマン」の精神の核に、李白の詩にある、「事了れば衣を払って去り、深く功績と名を隠す」という文がある。この詩には、「責任を負う」決意があり、「事了」はやるべきことを終えたことを意味する。また、「謙和」はどの功績や名声もいらない、あなたが私の名前をも知らない状態が一番だ、という意味がある。習近平は「私に功績は残らない」と強調しており、これも似たような境地だ。

最後に、「不以物喜、不以己悲（物を以て喜ばず、己を以て悲しまず）」という「古代の仁者の心」の境地がある。習近平総書記が指摘した「権力の関、金銭の関、美色の関」は、いずれも人間の欲望を試される。欲望は人間にあるが、放任することはできない。特に、権力のある県委員会書記は、司馬光の言葉をよく考えるとよい。「君子寡欲則不役於物、可以直道而行」（君子は欲張らなければ外物に追われず、直道を行くことができる）、逆に言えば、「多欲則貪慕富貴、枉道速禍」（欲は富を貪り、災いをもたらす）といえる。覆車の戒め[1]とすべき先例が多すぎると、筆者はいうまでもない。

（1）前人の失敗が後人にとって戒めとなることのたとえ。

昨日の政治局会議に尋常でないディテールがある

二〇一五年三月二十五日
公子無忌

二〇一五年三月二十四日、ＣＣＴＶ「新聞聯播」の女性アナウンサー李修平が現役を引退し、裏方として再スタートした。しかし、彼女はいつも奮闘している「新聞聯播」の画風がいつもと変わらない——青の背景、白の字幕、黄色のタイトル、分単位で変わる原稿……。しかし、重要で些細な変化は見逃されない。

「五化」

中国語の文法に「××化」という表現がある。「知行合一」[1]のように、「高齢化」や「工業化」、「都市化」などの言葉もそうだ。「内化于心、外化于行」（内部では心の中を把握し、外部では行動を一致させる）という言葉もそうだし、「高齢化」「工業化」「都市化」という言葉もそうだ。

先日、新華通信社がメディアに提供するプレスリリースにもこんな構成があった。

（1）「知識」と「行為」は一体であるという考え方。中国、明代の思想家・王陽明が提唱した知識と行為に関する根本命題。

「現在と未来は中共中央の方針に沿って、生態文明[1]を経済、政治、文化、社会の創設などあらゆる側面とプロセスと組み合わせ、新しい工業化、都市化、情報化、農業の現代化とグリーン化を共同で推進している」

「グリーン化」とはいったい何なのか。あまり見ない言葉だ。簡単に言うと、「グリーン化」は一種の「生産方式」であり、「経済形態」、「生活方式」、また「価値理念」でもある。更にいうと、エコロジー、環境、低炭素、省エネルギーの生態観念が経済生産と個人の生活、社会の風習などすべての側面に結びついているのだ。

更に広げると、生産の面で、グリーン化は「科学技術の含有量が高く、資源の消費率が低い。環境汚染の少ない産業の構成と生産方法」を求め、「エコ産業」や「経済社会の新しい成長と発展」につながることを望んでいる。生活の面では、「生活様式と消費モデルは節約、低炭素、健康文明への方向転換、浪費への戒め」につながることが望まれている。価値の面では、「生態（エコロジー）文明が社会主義の核心の価値体系を誰もが、何においても、いつでも文明の新しい風を尊重し、形成していくことが必要だ。

何千字にもわたる原稿に、どうしてこのグリーン化だけをぶらさげて情勢を解読するのかと思うかもしれない。

簡単に見れば、ニュース記事の中で、四段は生態文明建設が占め、自由貿易区の内容が残りの一段を占めており、前者の内容を重視している。もう一つの理由は、「グリーン化」という言葉が中共中央政治局

（1）　生態（エコロジー）を守る文明。

会議で初めて登場したからだ。なにより、この言葉が引き抜かれた高さが見事だった。それと並ぶのが、「新工業化、都市化、情報化、農業の近代化」（いわゆる「新四化」）だ。「四化」が「五化」に変わったのはかなり興味深いことだ。

古い言葉は新しい意味を持つ

「グリーン化」は中共中央政治局会議で言われるようになったが、これは新しい言葉なのだろうか。調べてみると、黄色みを帯んだ絶版になっている一九四九年の人民日報に掲載されている異国情緒を漂った革命的な記事「ソ連の子供組織――赤色少年隊」に記されている。

「バークシティの赤色少年隊員と濁世は五百本以上のブドウを植えた。ベラルーシの古い花園と森では、戦時中、多くの死者が出た。赤色少年隊は、大人達の植樹を手伝った最も信頼できる人物であった。ソ連戦争後、五か年計画のグリーン化を建設中、赤色少年隊は輝かしい功績を出した」

文脈から本文の要旨を判断すると、ここでいう「グリーン化」は「緑化」という意味で、植樹造林を意味するものだ。

もしあなたがバイドゥ[1]（Baidu）でこの言葉を検索すれば、二十世紀九十年代以降、この言葉は食品や

（1）中国で最大の検索エンジンを提供する会社。

生態農業、有機、無公害などの概念で使用されているのに気づくだろう。その後、この言葉は建設、化学工業、製造業、工程管理などの領域でも使用され、環境保護、生態友好の意味も表し始め、今回中共政治局会議で提起された言葉の意味に近くなった。

筆者の見解では、「四つの全面」と同じように、「四化」が「五化」に変わるのも、今回の中共中央の理論革新シーケンスだ。それらに対応する理論は中共十八大で生まれた。その際に、「生態文明」は経済、政治、社会、文化建設と同じレベルへと格上げされ、つまり「五位一体」という新たな表現になった。「グリーン化」の長期目標として、生態文明がある。「化」が動詞化されたプロセス構造である以上、それを代表するのは実現する過程と手段になる。具体的に何をするのか。メディアに提供されたプレスリリースには明確に「国土空間の開発局面の最適化を推進し、技術の革新と構造の調整を加速し、資源の節約や有効活用、自然生態系と環境保護の水準を高める」と記されている。

痛み

沿岸地域で一日七回シャワーを浴びる人は砂漠の人々の水源への崇拝を理解できない。木に実る果物で村民を養うことができる地域の人は、亀裂の入った土地で雨ごいをする人々の気持ちを理解できない。

遠くに行かなくとも筆者のように、毎日「帝都」（北京）で数百メートル離れたビルを見つめ、霧の中でロケット発射が成功したか眺め、「呼吸すると痛むもの」を理解する。故郷に帰省すると、子供のころに泳いでいた川の水が干上がったり汚染されたりしているのを見れば、「グリーン化」とは何かがわかった。

中国の顔をつぶすような状況は数字で現れている。全国七十四の新しい空気品質基準から都市を観測すると、基準に達した比率はわずか4・1％だった。中国全国で一・五億ムーの耕地が汚染され、四割以上の耕地が退化し、水土流失面積は国土面積の三分の一近くを占めた。森林生態系の退化は深刻で、砂漠化や石漠化は依然として人民の生命と安全を脅かしている。深刻な汚染を受けた劣Ⅴ類水[1]は10％に達した。

数年前、広東省を視察した習近平総書記はこう語った。

「我々は生態環境の面で多くの負債を抱えた。これから気を引き締めなければ、今後大きな代償を払うことになるだろう」

処方箋

習近平はかつてこう述べていた。

「金山や銀山を必要とし、緑水青山も必要としなければならない」

メディアに提供するプレスリリースでは、この言い方を理念の高みに引き上げられ、「緑水青山こそ金

(1) Ⅰ類水からⅤ類水とは中国の河川や湖沼といった地表水の利水目的別の水質分類で、Ⅰ類は源流および自然保護区に適用され、Ⅱ・Ⅲ類が水道利用用途であり、このあたりが水質の善しあしを判断する境界となっています。Ⅳ類は工業用水および人に直接接触しない娯楽用水、Ⅴ類は農業用水および一般の景観に必要な水域に適用となっている。

山銀山という理念をしっかりと樹立し、着実に実践する」となっている。

この話は、習近平は何度も述べている。外国訪問の際や浙江で省委員会の書記を務めている時に、福建で働いている時にも言った。二〇一四年、習近平は福建省の視察に訪れ、福建日報の一面トップ記事では、「緑水青山こそ金山銀山――習近平同志が長汀水土流失管理ノンフィクションに関心を持っている」という見出しで報道された。

長汀は客家人[1]の居住地で、二百年の間土壌の流出に苦しんでいた。一九九九年、福建省委員会副書記で省長代理を務めた習近平が現地調査に行き、その後十年間、長汀の土砂流失整備はいずれも福建省の「人民のために具体的な事業（口先だけでないこと）をする」に含まれた。

浙江省に転任した後、彼は長汀の住民からさくらんぼをもらった。かつて土壌流失で170万ムーの荒地だった土地が、果物の香り漂う「花果山」になったからだ。これは当時、CCTV「新聞聯播」のニュースにも取り上げられた。

あるデータによると、一九七九年から三十六年間、福建省の森林被覆率は全国一位だった。二〇一四年三月、国務院は正式に「福建省の生態文明先行モデル区建設を支援する若干の意見」を発表し、福建省は国務院が確定した全国初の省レベルの生態文明先行モデル区になった。

生態文明も今期の中共中央の重要な仕事だ。二〇一三年の中共中央政治局第六回全体学習会では、「生態文明」が議題に設定された。習近平はその学習会で提起した「国土空間開発構成の最適化」「資源節約の全面的な促進」、「自然のエコ系と環境保護レベルの向上」「エコ文明制度建設の強化」、さらに環境保護

（1）　客家語を共有する漢民族の一支流。

の面では「責任追及制」などの言い方は、今では中共政治局会議の通稿（メディアに提供するプレスリリース）内容になっている。

数年前の中共中央政治局全体学習会と比べると、今回の政治局会議で、習近平が挙げたものは更に全面的となっている。会議では、「グリーン化」は生産様式と生活様式だけでなく、社会主義の核心的な価値観の高みに引き上げられた。改革をグリーン化の切り口にするだけでなく、法治や制度保障を提案した。国内の視点だけでなく、国際協力を求めるなど世界にも目を向けた。

ダボスフォーラムでは、李克強総理も生態問題について中欧の工業・商業リーダーに、「外国は中国にグリーンエネルギーの技術を譲渡すべきで、中国のグリーン産業は未来に大発展を迎えるだろう」と述べた。二〇一五年三月二十五日、国務院常務会議が確定した技術革新の十大分野には、「省エネ・新エネルギー自動車」が堂々と並んでいる。

実際には、中共中央政治局会議が明らかにした最新動向は、将来の生態系問題が一部の省庁の「分内（職分・責任の範囲内）」の仕事ではなく、「全国一盤碁」（碁の一局のように各部分が密接な関係にあって一つの全体に統一されている）になるということだ。「政績」[1]だけでなく、実質的な巨大産業になる。「政治家・権力者の政策」だけではなく、「一般市民にも責任の一端がある」だ。

何といっても、我々はこの地で生活しているのだから。

（1） 在職期間に達成した役人の業績。

中共は官僚に新たに規律ベースラインを設ける

二〇一五年十月二十一日
明日綾波

　中共十八期五中全会の前に、改正後の「中国共産党廉潔自律準則」と「中国共産党規律処分条例」（以下「規律処分条例」）が約束通り可決された。以前「侠客島」で報道されたが、この二つの党内の法規に、前者ではオーバーライン（上線）を設け、高水準を掲げ、後者はベースライン（底線）を設け、ネガティブリストを作り、行動基準を定めた。二十一日に公布された全編は、筆者の判断を実証した。前者はわずか八つの言葉で、覚えやすい「三大規律八項注意」[1]を思い出させる。一方で、後者の内容は膨大で、更に詳しく解説したものだ。「規律処分条例」新旧両版を比べてみると、その変化は実に興味深い。

調整

　新版「規律処分条例」は一万八千字以上で、百三十三条の規定がある。旧版は更に長く、二万四千字以上で、百七十八条もある。

（1）中国人民解放軍の軍規で、軍歌・革命歌として作曲され、広く歌われている。

その変化が四分の一も短くしただけではなく、さらに重要なのは、新しい条例の論理がより明確になり、一部の章がほぼ完全に書き換えられたことだ。例えば、旧版の処分条例は、総則と附則以外、大小問わず、党員を処分する対象項目が十種類に分かれていた。政治規律違反、組織人事規律違反、清廉自立規定違反、賄賂横領問題、社会主義経済秩序の破壊、財経規律違反、失職や汚職、公民権の侵害、社会主義の道徳違反、社会秩序の妨害だ。

新版の条例には処分の対象項目は六類に分けている。政治規律、組織規律、清廉規律、大衆規律、職業規律、生活規律に関する違反だ。

修正点から見れば、新旧版の変化は主に、一つは統合で、特に既存の規制の中で経済にかかわる部分はほとんど廉潔規律に組み入れられている。第二に、汚職賄賂、社会管理秩序の妨害などの直接的な違法行為をすべて削除した。新版の「大衆規律」は旧版にはない、完全な新設章だ。

「指導思想」において、新版条例では、我々がよく知っている「馬列毛鄧三科」[1]に加えて、「習近平総書記の一連の重要談話の精神を深く貫徹し、全面的に党を厳しく管理する戦略的配置を実行する」と付け加えた。

同時に、「党が党を管理し、党を厳格に治める」という原則に対して、全体党員と各級党組織が規律を守らなければいけないほか、旧版では主に「規律に違反した党員と党組織を厳しく処理する」ことを強調している。新版では、党組織と党員に対する「教育と管理と監督を強化し、規律を前面に押し出し、悪い事物が芽生えた時に防ぎ、始まったばかりの時に制止することを重視する」という表現に変化した。

（1）マルクス主義、レーニン主義、毛沢東思想、鄧小平理論、「三つの代表」重要な思想、科学的な発展観を指す。

章の調整は、具体的な規定内容の精錬、縮小を際立たせ、党紀と国法を分けて規律を主に規定した。法律に触れる内容は削除され、司法機関に任せ、規律と法を分け、権力と責任をはっきりさせる。このような変化は、全面的に党を厳格に治め、「悪い事物が芽生えた時に防ぎ、始まったばかりの時に制止することを重視する」という原則の下で行われた。

政治

なぜ改正しなければならないのか。新版の条例が公布された当時に配布されたプレスリリースにははっきりこう書かれていた。旧版の条例は、場合によっては「新しい情勢の発展に不向き」になっている。以前にはなかったことが発生したので、再規定しなければならない。既存の優れたやり方を堅持しなければならなかった。

例えば、「警告」と「厳重警告」の処分に関して旧版では、一年間昇格ができない、と取り決められているが、新版では、警告された者は一年、厳重警告された者は一年半昇格ができない、と区別している。これは操作性の変化だ。

新たに追加された内容は注目に値する。特に、「政治規律違反」行為の再定義だ。「政治規律」や「政治ルール」という言葉が流行語になった後、典型的なものを用いてモデルを示し、さらに研修を経て、行為を正確に定義する時が来ているのだから。

例えば、旧版では「デマを流布して党と国家のイメージを醜化させる」行為は「政治規律違反」と規定されていたが、新版では「党と国家指導者を誹謗・中傷したり、党史・軍史を歪曲する」行為に変わった。

「党内で派閥・徒党を組む」に当たる行為は、旧版の「秘密集団を組織して党を分裂させる」ほか、新版では「党内でグループ・徒党を組み、私利私欲を謀り、派閥を作ったり、個人勢力を育成したり、利益の交換をしたり、自分のための気勢を作ったり、政治資本をすくい取ったりする行為に対して、厳重な警告または党内職務を解除する処分ができる。情状が深刻な場合は、党籍を保留したまま観察処分または除名処分を与える」という項目も追加された。

「中央決定の執行」においては、政治規律を守らない行為としては、「執行を拒み、面従腹背する」のほかに、「中央が決定すべき重大な政策問題について、独断で決定し、対外的に主張する」という行為が追加された。反腐敗運動[1]の中で出てきた「組織の審査に対抗する」行為も、新条例に含まれており、共謀や偽造、廃棄、証拠の隠匿・破壊・移動、他人の検挙と証拠資料の提供を妨害し、共犯者をかばい、組織に虚偽の状況を提供し、事実を隠すなどだ。

また、新版では「党員の指導者・上司が政治規律や政治規矩などの誤った思想や行為を放置し、原則もなく和気あいあいとし、悪影響を与えている」「党の良き伝統や工作慣行などの党の規律に反し、政治に悪影響を与えている」など規律違反の基準が新たに設けられた。

面白いことに、「迷信行為」も「政治規律違反」に含まれている。

以前落馬[2]した汚職官僚の通報（上級機関が下級機関に通達する資料）に詳しい記憶があれば、これらの

（1）官僚などの公職にある者が自らの地位や職権・裁量権を濫用し、収賄、横領などの瀆職行為に手を染める汚職腐敗現象の蔓延に対して、法規制の強化、綱紀粛正、瀆職官僚の摘発などを進める運動。

（2）古代中国では、乗馬は官吏や貴族が楽しむ旅だったので、落馬は官吏や貴族が官位や身分を失ったことを意味する。現在では、汚職や収賄、裏事情などの不祥事が明らかになった官僚が解任されることを指すことが多い。

行為はいずれも典型的な人物を見つけることができる。これらの条文の新設は、「経験の総括」とも見なされ、来者（将来の人）に「諫められる」ことができる。

政治のほか

政治規律以外の条例改正は、「段階性の総括」として見られる。

例えば、指示を仰ぐべき報告をしない場合、個人事項申告が真実でない場合、「同郷会、校友会、戦友会」などへの参加、或いは学歴詐称、外国居留許可を無断で取得した場合、個人的に出国証明や香港・マカオ通行証を勝手に手続きした場合、許可なしで出入国した場合、これらは全て組織規律違反とみなされる。これらのことは中共十八大から、党内で調べられてきたが、対象（目標となるもの）も明確され、裸官[1]、捏造、徒党などだ。一言で言えば、「党に対して不誠実」ということだ。

廉潔規律では、以前は事の大小を問わず、例えば党員の密輸、財物請求未遂、相手をいじめる、党費を横領する、偽物や粗悪品を生産するなどの規定がなくなった。代わりに、処分条例の八項に規定された内容と、中共中央規律検査委員会（中紀委）が定期的に通報した事項がはっきり書かれている。この部分には、まず党員幹部が「身辺の人」のために利益を図る不正行為を規定し、続いて公金旅行、手当補助の乱用、公費での飲食・宴会・接待・娯楽などのすでに周知の内容についても記されている。

（1）配偶者や子女などの家族を外国に居住させる、または出産旅行によって子女をアンカーベイビーにさせて国籍（市民権）を取得させ、国内で汚職などによって不正蓄財した財産を外国に送金し、本人は官僚として単身で中国国内にとどまっている者を指す。

工作（仕事・業務・活動）の規律では、これまでの「職務怠慢・瀆職」の範囲が拡大され、国営企業の再編・プロジェクトの受注譲渡・鉱物開発・経済紛争・司法活動への関与、よろしくと頼む、口上などの内容が盛り込まれた。これらはすべて中央巡視チームの巡視内容だ。

さらに興味深いのは、完全に新設された「大衆工作規律」の章だ。この章には、大衆に難癖をつけたり、悪口を言ったり、言いがかりをつけたり、大衆に対する態度が悪くなったり、盲目的に事業・開発を拡大したり、大衆の利益を食い荒らすなど、特にみんなの強い不満・不平の情景もすべて含まれている。つまり、これまで出勤時によく見られた「瓜子」[1]を食べ、市民を軽くあしらい、職務を怠慢した行為については、「対処するすべがない」とも言えるが、今はどのような状況でどのような処分に対応するか、よく分かった。

また、以前は、各省市区党委員会、中央直属機関工委、中央国家機関工委、国務院国有資産監督管理委員会党委員会、中国銀行業監督管理委員会、中国証券監督管理委員会、中国保険監督管理委員会及び上述機構の直属機構党委員会（党組）は、この条例の規定に基づき、細則を制定することができる。しかし、新版には、この権力を持った各省、自治区、直轄市党委員会が残れ、上述以外の各級党委員会（党組）が自主的に細則を定める権利は撤回された。

（1）ウリ類の種、（特に）スイカ・カボチャ・ひまわりの種を加工した食べ物。

このことで、彼らは中央政府と「軍令状」[1]を書こうとしている

二〇一五年十一月二十三日
今日胡図

中共中央政治局会議のたびに必ず見どころがある。

今回は、「貧困脱却のための攻城戦に勝つことに関する決定」が審議・可決された。貧困扶助は新しい話題ではないかもしれないが、今回は特に注目されている。

しきたりを破る

貧困扶助開発は毎年話題に上がるが、ここ数年は更に集中的に議論されている。習近平などの中共中央政治局常務委員が貧困地域の現地調査に訪れた報道から、中国政府はこの事柄を重視していることがうかがえる。さらに重要なのは、二〇二〇年に小康社会（ややゆとりのある社会）を全面的に実現するのは譲れない目標で、「二〇二〇年までに中国の現行の基準に基づく農村の貧困人口が貧困から脱却し、〝貧困県〟

（1）（昔の小説・芝居に用い）軍令を受けた時に出す保証書で任務が達成できない場合は処罰されてもよいという決意を表明するもの。

と認定されていた県はすべて〝貧困県〟というレッテルを返上し、地域全体での貧困を解決する」ことを要求している。どれも見落とすことはできない。タイムリミットはあと五年で（原稿を書いている時間から数えると）、すでにカウントダウンは始まっている。だから、今回の政治局会議は責任感、使命感、緊迫感という三つの「感」字を使った。

具体的な方法は、「しきたりを破る」ということだ。どうやってしきたりを破るのか。

各級党委員会と政府、特に貧困地域の党委員会と政府は職級別に「軍令状」を出し、それぞれ貧困脱出の責任を果たしなければならず、中央各部門も足並みを合わせ、共同で戦い、責任を果たしなければならない。最も厳格な検証・監督・問責を実行し、中央が制定した「貧困脱却のための政策」を徹底し、その攻城戦に決着をつける。

誰に向けて軍令状を作るのか。

普通に考えれば、各地の党委員会・政府のトップが自らサイン、実行してこそ、「しきたりを破る」ものに見えるだろう。

中共中央政治局会議の「貧困脱却のための攻城戦に勝つことに関する決定」の実行において、筆者は多くの学者が呼びかけた、「中央レベルで、できるだけ早く中央貧困扶助開発工作会議を開催する」ことに賛同する。なぜなら、前回の中央貧困扶助開発工作会議は二〇一一年に開催されたもので、それ以来ずっと開催されてないからだ。毎年開かれているのは全国貧困扶助開発工作会議で、例えば二〇一四年の会議に出席した最高レベルの指導者は、国務院貧困扶助開発指導小組副組長兼弁公室主任の劉永富だった。もし中央レベルから貧困脱却作戦を展開すれば、「しきたりを破る」でもある。

立ち後れ

現場に行かなければ、貧困の状況をどうやって知ったのか。

ここ数年、現場取材の関係で、貧困地に行ってきた。そこで衝撃だったのは、山と川の後ろに、何千万もの衣食のままならない同胞がもがきあえいでいたのだ。

一番苦しいのは子供だ。留守児童の事故で全国でもよく知られている場所で、筆者は小学生の家庭を三、四十軒調査した。きわめて貧しい家では、家の中には何もなく、ただ四面の壁だけが立っているだけである。留守児童とは、両親が家にいない家庭を指し、父親の出稼ぎがあればそれには含まれない。このような子どもは昼食さえも食べることができない。

世論のスポットライトが都会の街をいつまでも明るく照らす。北京では雪や雨が降り、地下鉄が故障し、誰かが粉ミルクに食べられないものを入れた、簋街（北京市東直門内にあるスナック街）では辛い物を食べすぎだ、西単（北京市西城区にある繁華街）は最近どうしてあまりセールしない、三里屯（北京市朝陽区にある夜の繁華街）の好きなブランドは撤退した、昇給はかなり遅い、店長はかなり酷く、同僚は大声出して騒いでいる……彼らの遥か彼方の村では、生きること以外何も望まない人々がいる。彼らにスポットライトはなかなか当たらない。なぜなら、メディアに興味を持って楽しめるのも、都会にいる私たちなのだから。

忘れられた片隅になるのは、最も恐ろしいことだ。この片隅には現在も七千万人以上いる。巨大な貧富の格差は、世界第二位の経済体にとって「耐えがたい重さ」だ。

幸いにも、改革開放の世界で最も注目される成果の一つは、貧困削減だ。中国の政府や役人にとって、貧困からの脱却はここ数年変わらないテーマだ。それゆえに、習近平は「四十年以上の間、中国の県、市、省、中央で務めたが、貧困扶助はずっと私の責務の一つで、最もエネルギーを使う難題である」と述べている。彼が最初に出版した本が『貧困脱出』というのも不思議ではない。

貧困家庭・貧困地区のライン（基準）

時代が流れると、様々なものが変化していく。例えば、貧困ラインだ。

一九八五年に貧困人口と認定されたら、平均年収は二百元を下回るはずだ。二〇〇八年に認定されたら、千百九十六元を下回るはずだ。二〇一一年以降に認定されたら、二千三百元を下回る。

ある先輩が言っていた。一九九二年に中国政府の文書を見ると、小康（ややゆとりのある）生活の基準を超え始めており、やはり一人当たりの手取りは千五百元を超えていた。現在では、このラインは貧困ラインでさえも手が届かない。もちろん、ここ数年は物価が上昇し続け、貧困ラインの上げ幅も物価ほどは急騰してはいない。

実際、中国は貧困人口への認定に対しても、すでにこのラインに限ったことではない。

習近平はここ数年、「ピンポイント貧困扶助（精準扶貧）」という言葉を絶えず口にしている。わかりやすい言葉だ。しかし、先に正確に識別しなければならない。つまり、誰が貧困住民なのかを識別する。冗談だと思ってはいけないが、統計の取り方が違うだけで、中国の貧困人口数は一千万人以上も違う。

中国国家統計局の調査公報のデータはこのように得られたのだ。大きな村から百世帯、小さな村から五十世帯をサンプリングする。中国全国からサンプリング調査、統計、測算を行った結果、やっと七千十七万の貧困人口という最終的なデータを得た。国務院貧困扶助弁公室が現在使っているデータによると、貧困人口は八千万人余りで、同弁公室副主任の洪天雲によると、貧困の認定については、まず一般人が自ら申請し、村委員会で審理を行い、実情を調査した後に開示し、郷政府に報告する。郷政府が検証したうえで開示し、さらに県に報告する。県が検証してから村へ開示する。

この仕事はかなり大変だが、とても重要な作業だ。二〇一四年に我々（記者）は江西省贛州の一部の村に行ってみると、このような一級市から十万人の幹部が派遣され、一軒一軒で状況を掴み、まず誰が貧困層なのかを見つけ、扶助の形式と程度を決めた。貴州、寧夏、広西、チベット、新疆ウイグル自治区など中国の貧困地域でこのような活動は続けている。

二〇一四年の「エコノミスト」誌によると、中国の貧困ラインは決して低くはない。二〇一四年に世界銀行が定めたグローバル・スタンダードは、一日一・二五ドルで、最近引き上げられた一・九ドルではないが、データそのものがすべてを語るわけではなく、実態を考えずにラインだけを引くのは、あまりにも乱暴だ。

五年しかない

しかし、以下のような事実を隠すことはできない。二〇二〇年までに全面的小康を実現しようとしている中国にとって、貧困人口の減少は七千万人以上であれ、八千万人以上であれ、いずれも大きなプレッシャーになっている。

今日の中共中央政治局会議で前例のない厳しい言葉遣いと、金曜日の高規格会議を前に、思慮深くて賢い人は、習近平が二〇一五年以来の国内調査研究の半数が「貧困脱出」に関するものであったことに気がつくだろう。貴州での調査研究では、習近平は四名の政治局員と七つの省区市の書記を連れ、貧困地域に赴いたが、規格、形式、影響すべてが前例のないものだった。

五年の時間はとても短く、かなりのプレッシャーだ。忘れられないのは、中国の貧困扶助が中国改革のようであり、簡単な部分はすでに終わっているが、残ったものは最も噛みにくい硬い骨だ。中国全体の発展とともに、貧困ラインが上がれば山の外の貧困人口も多くなる。水が増えると船の高さも上がるように、すべてが自然の流れに従うようになった。しかし、この水が山を越えるのは大変だ。

習近平は「〝手榴弾でノミを爆破〟できない」と述べた。過去には、いくつかの政策とお金を与えて貧困を取り除くことが過ぎ去って二度と現われない。現在のピンポイント貧困扶助には、一級一級の役人が末端組織に深く入り込み、それぞれが職責を果し、貧しい同胞を見つけ出すことが必要だ。もし彼が山の中に住むなら、お金を稼げる果樹を植えるのを手伝う。もし彼が水辺で住むなら、魚の販路を知らせるだろう。

スローガンを壁に掲げるだけでは問題解決にならず、人が見える現場に落とし込めるかが重要になる。建党して百年を迎える中国共産党にとって、これは相談する余地のない任務だ。役人の手元にある軍令状は有効期間がたった五年しかない。

中共中央：政治局員[1]は妻と子供をしっかり管理せよ

二〇一五年十二月二十九日
独孤九段

中国には、「近水楼台先得月」（水辺に近い楼台は真っ先に月の光がさす）[2]という言葉あり、もし権力がこの楼台（コネ）に近づけば、いい景色を眺めるだけでは済まないだろう。二〇一五年末に、筆者の記者同僚たちが元旦旅行の計画を立てていた時、中共中央政治局はまた二日間にかけて民主生活会[3]を開いた。民主生活会はどういう会か。中共党員たちはこのような党内政治生活会に慣れ慣れているに違いない。ここ数年の民主生活会は明らかにプレッシャーが大きくなり、見過ごすことのできない内容が増えている。

実際には、年末のこの中共中央政治局民主生活会の前に、各省・市・自治区、中央各級の部・委員会・機構が続々と民主生活会を開き、テーマは例外なく「三厳三実」[4]だ。

（1）政治局常務委員および政治局委員（政治局員）は党の最高幹部である。
（2）関係の近いものが優先的にチャンスを得る，コネのある者がいつも得をする。
（3）党員指導幹部が、批判と自己批判を行うための組織活動制度。
（4）「三厳三実」は、各級指導幹部の仕事の態度の改善に対して習近平総書記が出した要求であり、「厳しく身を修め、厳しく権力を用い、厳しく自らを律し、また計画を立てるには現実的に、事業を始めるには堅実に、身を処すには誠実に」というものである。

反面教材

注意すべきなのは、今回の民主生活会で初めて、周永康、薄熙来、徐才厚、郭伯雄、令計画という五人の反面教師(1)が名指しされたことだ。彼らが残した教訓の一つには、「家族・子どもや周辺のスタッフを厳しく管理・教育する」というものがあるのではないでしょうか。

例外なく、この五人の反面教師は、家族や周りのスタッフを教育・管理する問題で、(間違った行ないを)放任・庇護する過ちを犯した。周永康の子は父の権力を借りて、あちこちで商売を請け負っていた。薄熙来の妻・谷開来の毒物投与事件は大きなスキャンダルになった。多くの人が徐才厚の家族・子供と周辺のスタッフを通じて徐氏に賄賂を提供し、郭伯雄と令計画の息子はさらに有名な放蕩お坊ちゃんだった。

「一人得道、鶏犬昇天」(2)(一人が道を得れば、鶏や犬も天に昇る)というのように、中国は昔から人情社会だ。権力は公器だが、私情と結びつくと無数のバリエーションが生まれる。同郷会、同窓会などがそうだ。権力の庇護で、まず得をするのは権力の「身近な人」だ。その「利益」には権力の「世襲」もあれば、権力と金の取引もある。これもまた庶民の忌み嫌う難病だ。

「割れ窓効果」

実は、一九八五年五月に、中共中央と国務院は「指導幹部の子供、配偶者の商売禁止に関する決定」を

---

(1) 反動的であるがそれを暴露・批判することによって正しいことを学ぶのに役立つような人物・事例。
(2) 中国のことわざで、一人が権力を握ると、その家族までも出世することを比喩する。

発表し、「県・団職級以上の幹部の子供・配偶者は、国営企業、集団（体）所有制企業、中外合資企業ならびに従業員の子供の就職を助けるために設立された労働サービス業の関係者を除く、一律に商売をしてはいけない」と規定した。

その後三十年間で、中共中央規律検査委員会も次々と指導幹部の配偶者・子女の商売・企業経営に関する規定を発表した。一九八〇年代には「一律に商売をしてはいけない」という「一刀切[1]」に対して、指導幹部の勤務地や管轄範囲内で商売をしてはいけないことを明確にするなどの修正を行った。しかし、これらの規定は、実際に操作する過程で厳密に行われず、ひいては高い棚に上げられたことは言うまでもない。

改革にも「割れ窓効果」がある。一人が窓ガラスを割っても罰せられないなら、他の人も勝手に窓を割ってしまうだろう。まして窓を割ったのが高級幹部だったらどうだろう。これは党紀党規の施行過程でぶつかる「しまりが無い、不誠実」のばつが悪いことだ。

どうすればいいのか

一つは打ち破ることだ。腐敗撲滅キャンペーンと監察・巡視で悪人を厳罰に処し、それによって悪事をまねようとする者を戒め、これを「以儆效尤」という。二〇一四年の第二回中央巡視の十三箇所の整頓・改正報告書で、上海、浙江、陝西、河北、広西、四川、江蘇、黒龍江の八省と第一汽集団は、例外なくプロジェクトへの官僚介入と「周辺人」の腐敗問題に言及した。

（1）（複雑な事情に対して個々の状況を考慮せず）同一の方式でばっさりと処理する。

筆者が勝手に例を挙げる。例えば、全国政協の蘇栄・元副主席は、地方で任職した期間に「家族式の腐敗」を甘やかし、家族ぐるみで金品を受け取り、省委員書記の権力を無駄なく利用していた。国家エネルギー元局長の劉鉄男は息子の劉徳成と共謀し、三千五百五十八万三千元の賄賂を受け取った。このうち、劉鉄男自身が直接関与したのは一〇四万元に過ぎず、ほとんどが息子が受け取ったもので、期間は十年に及んだ。十年前、劉徳成は二十一歳の小男だった。これはおやじを陥れたのか、そしておやじに陥れられたのか。

二つ目に打ち立てることだ。中共十八大以降、中共中央は続々と地方で「裸官」処理を実施し、外国に移民した妻や子供を帰国させるか、公職を辞職させるかしている。この時も世論の焦点だった。二〇一五年五月、上海は指導幹部の配偶者、子供とその配偶者の家族企業を規範化し始めた。これは明らかに一年前の中共中央規律検査委員会の「省、地方の二級党委員会・政府の主要指導幹部の配偶者・子供が事業を行う企業についての具体的な規定（試行）」を細分化・深化させたものだ。

上海の規定はかなり細かく、全ての役職が遵守すべき事項を規定した。「指導幹部の配偶者、子供」のほかに、特に「子供と配偶者」を加えた。つまり、この規定には婿、嫁も含まれている。二〇一四年に中央巡視組が上海を巡視した意見の中で、「少数のトップ幹部の配偶者や子供がその管轄内で事業を行い、権力を利用して巨額の利益をを図っていることに大衆は強く反発した」と指摘した。

だから、失敗を反省して今後に備えることが大事だ。

もちろん、上海のトップ幹部がプレッシャーを感じているだけでなく、ほかの党員トップ幹部も常に「厳しさ」を感じている。二〇一五年の役員個人の登録事項を見ると、例年より配偶者の両親、兄弟姉妹、子供の配偶者が多く登録されており、配偶者や子供が保有している株式を一つ一つ羅列して登録しなければならない。何か隠したり、違うことがあったら、また抜擢したい?ごめん、ちょっと待って、抜擢はたぶんおじゃんだ。多くの指導幹部が既にひどい目に遭った。

三つ目に、指導者が先頭に立つことだ。会議がメディアに提供するプレスリリースの中に、以下のような表現がある。

「会議では、中共中央政治局は中国の特色ある社会主義事業の航路方向を把握し、党と国家の重大な政策決定と配置を統一的に調整し、国内外の重大な矛盾リスクに組織的に対応する重要な役割を担っており、〝三厳三実〟の模範となるべきだと強調した。政治局員の一言一行、一挙一動は、個人のことではなく、党と国家のこと、人民のこと、全局のことであり、党章を遵守する模範でなければならず、〝三厳三実〟に更に高い基準を設け、高いレベルのマルクス主義政治家になるよう努力しなければならない」

完璧でなければいけない

「身辺の人」をきちんと管理するのはずっと難しい問題で、特に経済的な利益に関わると、その肘を掣いて妨げるような干渉・妨害がかなり多い。

例えば、公務員のどこまでの親族が商売をする時に制限があるのだろうか。現在の規定では、公務員の直系親族、配偶者や両親、子供などが対象で、傍系親族はその権力の管轄内での商売に制限はない。同時に、公務員の「互恵親族」の現象が目立ち始めた。例えば、官僚Aの子供が官僚Bの管轄内で商売をすると、官僚Bの子供は官僚Aの管轄内で開業し、両方にとって「互恵」となる。他にも、周辺人による商売も問題となっている。

また、ここ数年で、中国共産党内の規則・制度の更新が早かったが、法律面の改正はまだ遅れている。例えば、現在の法律では公務員の親族及び関係者は営利目的の事業を行えるか否かという直接的な規定はない。二〇〇五年に採択された「公務員法」は、公務員が汚職、贈賄、収賄をしてはならず、職務を利用して自分または他人のために私利を図るとともに、公務員が親族関係により任用回避を行うという問題だけを規定している。

二〇〇七年七月、中国の最高法（最高裁）、最高検が共同で「収賄刑事事件の処理に関する法律の適用に関する若干の問題に関する意見」を発表した。収賄罪の中の「特定の関係者」とは、国の職員と近親族、情婦（夫）その他共通の利益関係がある人を指し、この意見はこれまで公職者の親族及び関係者の行為に対して最も厳しい処分規定だが、公職者の親族に対して違法に営利活動に従事する法律規範にはまだ触れていない。

もちろん、中国共産党内の「自律」(1)のほかにも、情報公開制度をつくって監視が行き渡るようにするなど、社会的監視の「他律」(2)も試みる必要がある。そうでなければ、公職者本人が問題を出さなければ、親戚が勝手に行動することができ、「白手袋」(3)たちが「暗渡陳倉」(4)で不法営利活動をする余地を残すことになるだろう。

（1）自分を律すること。
（2）自己の意志によらず、外部からの強制や命令などで行動すること。
（3）実際に「不法」の仕事をする「合法」の仮面をかぶったりする人。
（4）兵法三十六計のうちの一つ。策略を用いて相手を惑わす意味、偽装工作と奇襲をあわせる戦術をのこと。

人民日報の謎の人物「権威人士」とはいったい誰なのか

二〇一六年一月四日
司徒格子

謎の人物「権威人士」は何度も話題となった。

二〇一五年五月二十五日、人民日報の一面と二面のトップ記事に、「権威人士」の独占インタビューが掲載され、「中国経済情勢」に五つの質問を回答した。二〇一六年一月四日付の人民日報では再び同じような配置と紙面で、「権威人士」の「独占インタビュー」を掲載し、最近ホットな「サプライサイド改革」について七つの疑問点を解説した。

「権威人士」とはいったい誰なのか。

呼称

まず人民日報の歴史を少し普及させてみよう。

人民日報は、中国最大の発行部数をを誇る中共中央機関紙であり、正史記録では一九四八年に創刊された。しかし、この新聞は一九四六年に晋冀魯豫辺区で発行された。ただし、当時の人民日報はまだ中共中央機関紙ではなかった。

物語は一九四六年五月から始まる。初夏の延安は草木が青々とし、黄色い台地に覆われていた。それは延安発の新華社の配信原稿で、議題は重要ではなく、「アメリカの権威人士」が、イギリスが太平洋の三つの英領島の主権をアメリカに譲ることを拒否したと考えている、ということだった。

いつの間にか、それが何十年も続く伝統を切り開いたのだ。それから現在まで、人民日報には千六百六編の文章が「権威人士人」に言及し、「権威人士」という呼称は千七百七十一回登場した。「権威人士」の呼称が最初の言及から国共内戦、新中国成立、「大躍進」、「文革」、改革開放をを越えて今日に至るまで首尾一貫して、記事で使用されている。

筆者を奮い立たせたのは第二回だ。

「中共の権威士人が現在の時局を論評する」という新華社の記事の中で、「中共の権威士人」は情熱的で、毅然とした態度を示すコメントを発表した。皆さんは一度感じてみてください。


「全人民を敵にまわしていた蔣介石政府は、今や全人民に包囲されていることに気がついた。蔣介石政府は、軍事戦線でも政治戦線でも大敗した。敵と宣言された勢力に包囲され、逃げ道が思いつかない。蔣介石の売国集団とその主人であるアメリカ帝国主義者は、情勢を誤って見積もった。彼らはかつて過大に自分たちのを計り、過小に人民の力を計りすぎた。彼らは第二次世界大戦後の中国と世界を、過去と同じように、いかなるものの様式も変えず、誰も彼らの意志に背くことは許さないと考えていた。日本が降伏した後、彼らは中国を過去の秩序に戻すことを決めた。政治交渉や軍事調達などの欺瞞的な方法で時間を稼ぐと、蔣介石は国を売って二百万の軍隊を動かし、総攻撃を敢行した」

この文風から、読者に誰を思い出させたのか。そう、筆者の心の中の答えは、あなたと同じだ。それは憶測ではなく、『毛沢東選集』には、ほぼ同じような記述がある。その後、何度か「権威人士」として時局を論じた記事は、彼の文集にも見られた。今日ではあまり見かけないと思うが、はっきりとした語調と自己完結的な論理で、二千字もの文章が一気に完成していくような記事だ。記者がした主な貢献は【新華社陝北三十日電】を加えたことと、「中共権威人士がいう」を繰り返しただけだ。批判対象が蒋介石であれ、アメリカであれ、昔ながらのスタイルは変わらず、「論述」にはバイタリティがある。毛沢東本人の直筆ではなくとも、中国の最高意思決定層の意図、さらには個性・スタイルが反映されていることは間違いない。

変遷

ある現象を分析するには、時代と切り離すことができない。

人民日報創刊から改革開放直前までの「権威人士」たちの言葉を見れば、闘争の色がずっと濃い。これに対して、中共第十一期中央委員会第三回全体会議（十一期三中全会）以降、「権威人士」のイメージははるかに穏やかになった。

中共中央党校の唐愛軍は、マルクス主義中国化過程の中で、「革命」から「建設」への言葉体系の転換を経験したと分析した。簡単に言えば、中共十一期三中全会を境に、それまで革命的な言葉だったマルクス主義と中国革命の実践が結び付いた革命的な思考が主導していた。階級闘争を中心とする大綱から経済建設を中心とする国策に重心が移った後、時代のテーマと歴史の任務はすべて変化した。

二つの言葉体系の違いは、筆者から見れば、言葉遣いの違いもあれば、言葉の意味の移り変わりもある。

改革開放以降、「階級闘争を忘れてはならない」という言葉が使われなくなったことにも注目しなければならないし、「権威人士」のように、多くの言葉自体が昔とは違う、という変化にも気をつけましょう。

このような「権威人士」の変化を理解するには、その背景を把握する必要がある。改革開放を境に「権威人士」と呼ばれるようになったのは、それまでは身分や地位の権威が、それ以降は技能・知識の権威が主だったことがわかる。

しかし、興味深い対照は、革命的な言葉体系における「権威人士」がすべて積極的人物であるとは限らないということである。たとえば一九四八年三月十日付の人民日報第二面では、ある「権威人士」に対して無慈悲な批判と分析を行った。

「一般的には、このいわゆる権威人士は蒋介石一味の内情にこれほど詳しい、明らかに他人ではなく、南京傀儡の後ろで糸を引くだけの〝権威人士〟(1)でしかなく、米帝国主義侵略者の中国における第一号代表であるジョン・レイトン・スチュアート自身である可能性が高い」

罵倒されながらも、スタウライデンの地位は、前に分析したように、それなりに権威があった。

その後の「権威人士」はどうだったのか。二〇一六年の人民日報に登場した「権威人士」を調べてみると、「人民網(2)が九種類の外国語記事を発表し、政界、学界、業界などの権威人士を招いてオンラインインタビュー

---

(1) 中国生まれのアメリカ人宣教師・教育者、燕京大学学長・駐中華民国アメリカ公使などを歴任、中華人民共和国成立後アメリカに追われた。

(2) 人民網は、人民日報が一九九七年一月一日に開設したニュースを主体とするネット情報交流プラットフォームである。

を行った」など、両者を比較すると、一目瞭然だ。

このような時間の変化の中で、「権威人士」は戦争から次第に外交に言及し、経済、文化、社会だけでなく、教育、工業、メディアについても語り、綿花の価格、両国の貿易額、囲碁、住宅価格までも話し合った。多くの場合、読者は文脈の中に彼らの名前を見つけることができる。「権威人士」は謎の神壇から凡間へ、さらに人々の身近な存在となった。

継承

経済を語る二回を含め、二〇一五年から現在まで、人民日報には計七回も「権威人士」が登場した。さらに数えてみると、二〇一四年で十四回、二〇一三年には十一回、二〇一二年は十四回、二〇一一年は十八回、二〇一〇年は十六回、二〇〇九年は十回、二〇〇八年は八回と、回数は減ったが、「権威者」の重みはさらに重くなった。

そうなのだ、本稿冒頭で言った二回はどちらもミステリアスで、ニュースの「５Ｗ」――いつ（when）、どこで(where)、何を(what)、何故か(why)、誰が(who)がほとんど揃っていない。「いつ」は「最近」で、「どこ」は「北京電」で、「何を」は「現在の経済形勢をコメントし」で、「何故か」は「ネット分析を見なければならない」で、「誰か」は「権威者」である。人民日報の一面と二面の紙面を組む編集者とそのデスクは、明らかに「５Ｗ」の新聞要素についてよく知っているから、ミスだと考える必要はない。

このような記事を目にすることは少ないが、その神秘性ゆえに味わいがある。

私たちは革命戦争時代に「権威人士」がなぜ使用されたのか忘れてはいけない。この言葉を使えば、事実上の闘争戦略とも言えるでしょう。彼らが出てきた基本的な文脈上の意味は、このことは非常に重要であり、高位の指導者が意見を述べる必要があるが、公開して説明するのに不便だ。

この二編の人民日報の文章は、はっきり言って（物事に対し）基調を決め、自信を与えて方向を探しているのだ。前の編では、中共中央の経済情勢に対する分析と判断を外に伝えた。今日のこの文章では、新常態（ニューノーマル）の下で、経済情勢にどう対応し、中央経済工作会議の精神をいかに貫徹し、経済発展の手がかりを掴み取るかを教えている。

なぜそんなことをするのか。二編の文章にはそれぞれ背景がある。

第一篇の文章ははっきり話をした。国際的に、世界の需要と供給の構造が変化した。国内では「三期畳加」[1]（三つの期間の重なり）の段階に入った。経済の下振れ圧力が大きく、産業構造の調整は「待っては行けず、我慢していられない、待っても来ない、耐えてはいけない」、世界経済では「ある国は喜び、ある国は憂い」という現状である。中国経済に対する見方も違い、楽観的で、悲観的な見方もある。

第二編では、皆が「サプライサイド改革」の推進というメインラインを軸に、新年の経済をしっかりやるためだ。言葉を換えて言うと、皆が「サプライサイド改革」という言葉はまだ理解されていないか。あるいは理解したらどうすればいいか。

経済の緊迫した態勢であろうと、新しい言葉や理念を出した後の一時の迷いであろうと、客観的に誰かが出てきて経済について話し合っていかなければならず、しかも高位の指導者でなければならないと要求している。

（1） 三つの期間とは、一般に①経済成長速度のギアチェンジ期、②構造改革の陣痛期、③四兆元景気対策の消化期を指す。

では、「権威人士」とはいったい誰なのだろうか。言葉の風格から分析してみる。

風格

人民日報に登場するほとんどの「権威人士」は、言葉の風格は人民日報の常套的なスタイルで、個人の特徴を目立たせない。しかし、筆者がこれまで引用してきた「中共の権威人士」たちの言葉は、非常に個人的な色彩が強く、ずばり端的に要点を突き、話がしっかりしている。

例えば、今日のこの文章はよく「覇気側漏」(1)のものだ。

「開放を拡大するのは改革において最も中心的な命題のひとつであり、より良い投資環境を作り、より多くの外資を誘致しなければならない。米国や欧州などの先進国が中国の投資を誘致しているのに、外資が増えたと考える理由はない」

「これまでは、市場メカニズムの機能が十分ではなく、政府の介入が多すぎて、市場の需給バランスがうまくいかず、構造的な矛盾を招いてきた。たとえば、収益性のないゾンビ企業でも、銀行の融資や政府機関の補助金によって存続している」（地方のやり方への批判）

「これは社会主義市場経済の新たな情勢の下での改善と深化であり、決して計画経済の古い道に戻ることではない」（「路線争い」という疑惑に応える）

(1)　覇気外漏とは目つき一つの動作で、周囲の人を震え上がらせ、心に恐れを生じること。

「中国のかなり多い生産能力は世界経済の成長の黄金期の外需と国内の急速な成長段階に向けて形成されたもので、国際金融危機の衝撃に対応する中で一部の生産能力はまた拡大している。国際市場の成長が鈍化する中で、国内の需要を刺激するだけでは生産能力の過剰問題を解決できない。食べても食べきれない」（印象的な比喩）

「結局、当面の世界経済と国内経済の情勢の下で、国民経済は短期的な刺激によってV型の反発を実現することが不可能で、L字型の成長段階を経験する可能性がある。中長期的な経済問題の解決に力を尽くしている。伝統的なケアンズ主義の処方箋には限界がある。根本的な解決の道は構造的な改革にある。これは私達がとらなければならない重大な措置である」（将来の成長動向を判断し、「ケインズ処方」だけでやっていたやり方を正す）

より多くの場合、この文章はサプライサイド改革に対する地方政府の認識を誘導し、「権威的」な調子でどうすべきかを教えている。

「実践においては、各地域、各部門とも〝十つの大事をもっと重視する〟をものさしにし、当たっていないことはこれ以上やらないで、当たっていることはもっとやるべきだ」（各地域の各部に命令を下す）

「無分別なニュータウンの拡大、資源配分への行政介入の強化など、投資が報われず、製品が市場にならず、環境が改善されないような事業は、もう駄目だ。逆に、社会心理を誘導し、生産能力の過剰を解消し、技術水準を向上させ、人口の都市化を加速させ、要素の自由な流れを促進し、貧困扶助の精度を高めるなどのことを精力的に行い、手際よくやるべきで、小勝を積み重ねて大勝にするよう努める」
「サプライサイド改革を推進する過程で、すべてのことが大喜びするはずがない。企業は生存競争で強者が栄え、そうでないものが滅びる。リストラや失業、所得減少などにつながる可能性もある。しかし、この陣痛は一朝に出産する陣痛で、新しい生命の誕生と希望に満ちた陣痛であり、新陳代謝であり、鳳凰の涅槃であり、これは価値がある。適切な後退はより良く前進するためである。十分退いてこそ、前に進むことができる。老子の言ったとおり、明道は昧きが若く、進道は退くが若く。ゾンビ企業で言えば、その企業が業界の優良企業を潰し、最後に一緒に死ぬか。それとも快刀で乱麻を断つ、その企業を処分して必要な市場資源やスペースを確保するのか。ゾンビ企業を早急に処分し、経済発展の質と効率を全般的に向上させなければならない」(古語を引用し、生き生きとした比喩があり、またアースガスの分析もある)
「決断がつかないと、きっと混乱する。推進の過程で、人々を怒らせることをなんとも思わない。さもなくば一時を避けるが、逃げてはいけない。結果は機会を逃し、重荷を後に残し、将来天下の民衆に恨みを買う。一九九八年に私達も外需の低迷、内需の不足、生産能力の過剰の苦境に直面し、その時圧力に耐えて紡績業は大規模な生産制限インゴットを実行した後、やっと強力な経済成長をもたらし、今日の総合国力の持続的な増強につながった」(「恨みを買う」という言葉は、「腐敗分子に恨みを持たなければ、庶民に恨みを持たなければならない」という反腐敗論を想起させる)

昨年五月の文章を振り返れば、どこかで見たことのある言葉がいくつもある。

「経済成長はあくまで人民の生活をより良いものにするためであり、仕事があってお金を稼ぐためである。人民大衆が当面の成長態勢を十分に理解できるのは、中国経済の発展の最大の底流だ」

「横より看れば嶺を成し側よりすれば峰を成す、遠近高低各同じからず。一つのものを近くに置いてみると大きく感じられ、遠くに置いてみると小さく見える」

「成功の決め手は必ずしも私にある必要はないという意気込みで、二、三年、あるいはそれ以上の時間がかかることもあれば、一定期間内には全面収獲どころか早期収獲も見られないこともある。しかし、魚を羨むよりは、退いて網を張ったほうがいい。斜陽産業はなく斜陽技術だけだ。イノベーションは経済発展に火をつける新しいエンジンであり、今は勢いがとても良い。私たちはこの大きな文章を力強く完成させ、社会全体が〝イノベーション時代〟を抱くように刺激しなければならない」

これはいうまでもなく「短、実、新」の文体だ。このような文体は、中共十八大以来、中共中央の指導幹部に対する文風要求の高い標準を代表している。中共中央機関紙の重要な紙面において、このような名も知らない「権威人士」が社会の重大な関心に応えるやり方は、中国共産党の歴史からの長い伝統を踏襲している。

彼が誰なのか私に聞くな。私が知っているのは、「権威人士」は人民日報が本当に必要とする場合にも使われるということだけだ。

中共中央の人選び・任用の新しい動向

二〇一六年十一月二十四日
東方秋白

二〇一六年十一月二十四日付の人民日報・理論版には、『正しい人選び・任用の方向を堅持する』という重要な文章が掲載されていた。署名は陳希・中共中央組織部常務副部長（現第十九期中共中央政治局委員、中共中央書記処書記、中共中央組織部部長）だ。この文章は「中共十八期六中全会の精神を学習・貫徹する」シリーズに属する。

この文章で重要なのは、その話題が「人選び・任用の方向」に関係しており、中共の「人選び・任用」の理念、今期の中共中央指導部の「人選び・任用の方向」の考え方を体系的に把握したからだ。署名は陳希だが、その精神は中共中央のものといえる。中国の政治を理解するには、中共の採用論理を理解せざるを得ない。

原文は約五千字で、筆者はあなたのために精読してみよう。

偏向を正す

この文章は五つの部分に分けられている。その中での重要なエッセンスの一つに、「偏向を正す」がある。

「偏向を正す」であれば、的が必ずある。基準と方向があれば、ベースラインを引き、レッドラインを標示し、責任を明確にしなければならない。もちろん、人を選抜・任用することには、一部の地方では過去に問題があったし、甚だしくは深刻な問題があった。

陳希は「不正の風潮と路線・原則に違反したよくない傾向」を列挙した。例えば、官職を得るため奔走し、財貨を募るかわりに位階や官職を授与し、不正な手段で票を集める。近年、巡視から処分に至った案件を見ると、似たような問題が多かった。湖南衡陽の選挙妨害事件、四川省南充と遼寧省の当選のための買収案件は「典型的な事案」だ。

「持病抜擢」(1)もそうだ。陳希は「持病抜擢や突貫抜擢、規律に違反した破格抜擢などの問題があれば、選抜・採用の過程を点検して最後まで調べ、責任を問わなければならない」と強調した。

その他にも「四唯」(選票、点数、GDP、年齢による採用)を是正しなければならない。過去に、一部の地方では「お人よしの官僚・試験官」が現れ、「花を植えるだけではとげがない」という「官界哲学」を信奉し、凡庸だが、得票は悪くない。仕事ができるくせに、少しかんしゃくがあるのは、かえって彼の出世が早いわけではない。ある人は試験が得意だが、地方を管理するのは試験のように簡単ではない。また、GDPはピカピカだが、後遺症が多く、環境、社会、法治など問題が後を絶たない。

「四唯」の反対は、票や点数、総生産や年齢を考える必要がないというわけではない。単一的な考慮要素にはならないということだ。

地方指導部の交代にあたるこの時期に、この文章はねらいがはっきりしている。専ら親戚や縁故者から

---

(1) 幹部が新しいポジションに入ったり、上のポジションに昇進したりする前に、それ自体に問題があるということ。

人を採用し、官職を約束して自分の味方に引き入れ、役職・名誉・高待遇を求め、任用を干渉するなどあらゆる不正がすべてあってはならないものだ。

担当

破れることもあれば、立てることもなければならない。あってはならないベイスラインを引いても、どうすべきかの標準と方向性を立てなければならない。

中共の選任規準は「徳才兼備、以徳為先」（徳と才能を兼ね備え、徳を優先とする）という八字で表すことができる。中共十八大以来、習近平は「信念を確固し、国民のために奉仕し、現実的で職務にに励み、大胆に任務・責任を引き受け、私利私欲がない」を良い幹部の基準とし、「三厳三実」と忠誠・清潔・担当を要求した。

習近平は理想と信念を特に重視し、「理想信念が確固であることは、よい幹部の一番の基準であり、よい幹部かどうかはまずこの条を見る」と強調した。同様に、担当の精神も重要だ。トップが事を担当しないことは、党への忠誠心がないことだ。

理想がなければ、悪人と一緒になって悪事を働くことを避けられない。担当がなければ、原則を堅持することも、鋭意改革することもできない。よって、「あえて責任担当するというよい幹部の基準を強化しなければならない。特に品行が方正で、勇敢に事を担当し、鋭意に進取する幹部に関心を持ち、改革を図る幹部を適時に起用し、担当する勇気のある幹部への支持をきしょく鮮明にすべきで、より多くの幹部が勇敢に責任を担い、奮発して有為になるように励む」。腐敗一掃を通じて党紀・国法に違反した幹部を追放した後、もっと重要な仕事は、「庸官」を取り除き、有為の幹部を抜擢、激励することだ。

事業

中国共産党建党九十五周年記念大会では、習近平は「幹部を登用するには、事業を首位としなければならない」と強調した。

「事業を首位とする」とは、誰の事業を首位とするか。もちろん党と人民の事業だ。現実はどうか。一部の地方と単位は人を登用するとき、事業の発展と仕事の必要性を無視しがちだ。たとえば、「誰が優れか、誰が適当かではなく、誰がキャリアを持っているか、誰が順番に回っているかを見る」、「一部の地方では地方の発展や庶民の利益を顧みず、年功序列で決定し、明らかに不適任とわかっている幹部を重要な指導者のポストに置いた」……疑いの余地もなく、これは党の事業に対して無責任な表現だ。では、事業を首位にするには、どのように幹部を選抜・任用すべきか。

年齢

陳希は「(複雑な事情に対して個々の状況を考慮せず) 幹部任用の年齢が職級ごとにだんだん減っていく同一の方式 (一刀切) で対処することは、断固として防がなければならない」と「年齢」問題を重点的に話した。

筆者のここ数年の観察によると、中共十八大以来、中共中央の幹部任用リズムはより穏健で、幹部の昇進に年齢だけが必要ではなく、六十歳の副部長が正部に抜擢されるケースが増えた。

若い幹部の配置問題について、陳希は「抜擢・登用ということは、すべての幹部が若くて抜擢されるということではない。また、どのクラスも若い幹部を無理に配置しなければならないという意味ではない。階層別の指導部メンバーの年齢が逓減するわけでもない」と強調した。これは明らかに、これまでの「各チームに若手幹部を無理やり配置する」「階層別に年齢を減らしていく」といった機械式的行為を糾したものだ。

かつては、副局長級幹部が五十八歳、正処長級幹部が五十六歳で二線[1]に退く、というようなケースもよく見られた。陳希は「責任を果たし、着実に仕事を行う精力的な幹部に対して、まだ勤続年数がある限り、事業発展に応じて使うべきものは引き続き使い、抜擢するべきものは大いに抜擢する」と述べた。

もちろん、「老中青三結合」[2]の伝統と若い幹部の育成については、中央はいつものようにする。ただ、「必要な階段と漸進的な育成を堅持し、実践経験と作風の育成を強化しなければならない」ということを明確に要求している。見たところ、若い幹部を末端に多く送り込み、複雑な現場で鍛えられるようにすることは、幹部を育成する重要な手段となり、ますますよく見られるようになる。

幹部を選ぶにも、指導グループを作るにも合理的でなければならない。陳希は「党・政治の総合的管理を熟知し、全体をコントロールする複合型の指導幹部をよく考えるとともに、総合的な素質がよく、高い知識レベルと専門的な素養を備えた専門家型の人材を考慮しなければならない」と強調した。

（1）党・政府・生産労働・科学研究・教学などを指導する地位を退いた後の顧問などの地位。
（2）（文化大革命中の用語）老年・中年・青年の三世代の幹部が結合して指導グループを組織する。

率直に言うと、幹部の中には「上手にやれない」人もいるし、甚だしきに至っては「偏りやすい」人もいる。たとえば、都市管理をする人は下水道、公共交通を知らない。金融をする人は株式市場、不動産市場、為替市場を知らない、宣伝をする人はウィーチャット、モバイルネットワークの伝播法則を知らない、きっとだめだ。指導グループに専門家タイプの人材がいるのはいいことだ。

つまり、専門家型の「テクニカルオフィサー」は、多すぎるのではなく少なすぎる。経済がニューノーマルに入り、社会が細分化・専門化していく時代には特にそうだ。粗放な管理方式に固執している旧官僚は、ますます不適応の正体を見せてしまう。陳希は「上位機関の指導部には、自部門の核心業務に詳しい専門家が必ず含まれなければならない」と明言した。

公平

「治天下惟以用人為本、其他皆枝葉事耳」（天下を治めるには人間を第一にして、他は何も重要ではない）。選抜・任用に最も重要なことは、碗の水をこぼさないように水平に持つこと（一碗水端平）で、公平に対処しなければならない。

しかし、正義を重んじない現象が多い。陳希は「一部の地方と機構では、任命の際に専ら親戚や縁故者から人を採用し、才能を重視して徳性を軽視し、業績で徳性を覆う」や「才能・徳性は平凡で、機転を利かす人はしばしば抜擢・重用された」、「有能で、仕事をしっかりしたが、官職を得るため奔走しない幹部が冷遇されている」と例を挙げた。

偏りを是正するには、「優秀な幹部のために公平正義を持する勇気がある」ということだ。特に「彼らが非難されたり、悔しい思いをしたりしたとき、大事なとき、いざという時には、思い切って彼らの後押しをしなければならない」と陳希は強調した。

一部の幹部は責任を負うので、どうしても無能の幹部を怒らせることは避けられない。幹部、特に重要ポストを任用すると、一人を非難したり、一人を密訴したりするのは簡単すぎる。以前は五毛銭で切手を買って郵送するが、今は五分でツイッターをする。密訴と避難があれば、真偽を問わず、幹部を使うことも、幹部のために弁護することもできない。これはだめだ。徳性と才能が兼備し、事業のニーズに合うならば、彼を支えなければならず、お人よしの先生になってはならない。

幹部を選ぶには、誰が指導、誰が管理するのか。それは、党委員会（党組）の仕事だ。過去には、「偏り」の表現として、「簡単に得票、得点で選抜・任用し、一部の少数者や個人が決断を下したので、党が幹部を管理する原則を弱体化した」と陳希は指摘した。

（徳性と才能などの面で規定の要求に到達しているかどうかを）チェックする責任者は、第一に指導部のメンバーであり、第二に主要指導者であり、いずれも責任がある。公平かどうかは、この人たち次第だ。不公平であれば、これらの人たちも追及しなければならない。

締めくくりでない

歴代の改革をみると、人を適任にすれば成功し、監督不行き届きであれば失敗する。凡庸な人が官職を握ると、有能な人は虐げられる。同様に、政治エコロジーは社会・国の風気やエコロジー全般に著しい影響を及ぼす。「其興也勃焉、其亡也忽焉」（王朝の隆盛は急速だったが、衰亡も早かった）という歴史の周期律から抜け出し、継続的に制度的に「有能な人を選抜・任用する」ことができるかどうか、人を任用するのは明らかに至極大事だ。

「為政之要、莫先於用人」（賢能の人を尊ぶのは政の根本であり、用人ほど重要なものはない）。どうやって任用するのか。それは九文字で、「能者上、庸者下、劣者汰」(1)ということだ。

（1） 有能な人を任用し、凡庸な人を下ろし、劣った者を淘汰する。

経済データ偽造の風潮は止めなければならない

二〇一七年三月七日
公子無忌

毎年、中国の「両会」[1]では、中共指導者がどの省・業界別代表団の討論に参加するかが、外部の注目の焦点となっている。これは風向計のようなもので、指導者の会話にも問題点が見えてくる。

二〇一七年三月七日、習近平は遼寧省代表団を選んだ。考えると、その中に含まれる意味が分かる。筆者が言いたいことは、習近平の挿話（会話の間にはさむ短い話）だ。

「経済データの偽造は、経済情勢に対する判断と方策決定に影響するだけでなく、党の思想路線と真実を求め実務に励む態度をひどく傷つけ、人民大衆の中で党のイメージを傷つけてしまう。こういう風潮は増長させてはならず、しっかり止めなければならない」

サンプル

これに先立ち、遼寧省の「両会」で、当時の陳求発省長は異例の率直さで、遼寧省の統計データ捏造の

（1）全国人民代表大会・全国人民政治協商会議。

傷跡を暴露した。その際、彼は「私たちはかなりのプレッシャーを受けており、真面目に水増しを剔出し、二〇一五年には財政収入をしっかり統計した。二〇一六年以降、他の経済統計データを確実にするために努力している」と述べた。

データから、確かに近年遼寧統計の異常な波動を見ることができる。

たとえば、財政収入から見ると、二〇一三〜二〇一五年、中国全国の公共財政収入の伸び率は全体的に安定しており、いずれも14％前後だった。しかし同期間の遼寧省では、三年間の財政収入の伸び率は7・6％、マイナス4・6％、マイナス33・4％と、断崖のように低下した。二〇一六年一月から十一月にかけて、遼寧省の工業付加価値の伸び率はマイナス17・3％となり、全国で唯一マイナス成長を記録した省だった。

異常を最も鮮明に示したのが固定資産投資だ。二〇一五年、遼寧省の同データの前年同期比成長率はマイナス27・8％で、中国全国で唯一マイナス成長を記録した省だった。二〇一六年一月から十一月にかけてはマイナス63・6％に落ち込んだ。

東北地区の経済が下落しているのは事実だが、統計学的には、ある時期に50％〜60％の下落があると、戦乱や経済危機でない限り、経済モデルや経済サイクルで説明するのは難しい。

したがって、経済自体に困難があることを除き、唯一の可能性として、前の経済データは真実ではなく、広範な操作があり、この調整は「誤りを直して本来の正しいやり方に戻す」ことだ。

二〇一七年三月七日の遼寧省代表団の会議で、当時の遼寧省委書記李希は、過去の一時期で省内の不正行為の風潮を説明するために二つの例を挙げた。一年間の財政収入が百六十万元で、最終的に二千九百万元以上になった鎮(町)がある。一定規模以上の企業は二百八十一社に千六百社余りと報告された市がある。

メディアの報道にもそのような例があった。二〇一三年、沈陽市周辺のある県では、統計による財政収入が二十四億元だったが、審計署の監査で十一億元未満に「修正」された。岫巖満族自治県は財政収入を八億四千七百万元増やし、同年の実質財政収入の127％を上回った。実際、二〇一四年に中央が遼寧省を初回巡視（巡回視察）した際には、「全省で経済データの捏造問題が広がっている」と指摘していた。推計によると、遼寧省の一部の県区では、過去の経済データが少なくとも20％～30％の水分（不正）を含んでいた。遼寧省の役人がメディアに語った言葉で、「はっきり言うと、経済データでは、前任者は巨大な穴を掘り、巨額の借金を負っているが、遼寧省は今、平地で建物を建てているのではなく、穴の底で坂を登っている」と述べた。

なぜ、このような大規模な捏造が行われたのか。

論理

統計操作はゲームだ。その過程で、リスクが利益よりも小さい場合、経済投機者の推論では、捏造は「おいしい商売」になる。

捏造の収益とは何か。明らかに（在職期間に達成した）役人の業績だ。理論的には、経済統計データは正しい意思決定のための参考となるべき根拠であり、外部の参考と評価の基準でもある。しかし、しばらくの間、「唯GDP論英雄」（GDPの成長率で、在職期間に達成した役人の業績を論じる）の評価メカニズムは、地方の役人にデータを追いかけたり、データを改竄したり、粉飾したりする動力を与えたため、「データが官僚を出し、官僚はデータを出す」という揶揄が生まれた。

外部の制約環境はどうだか。残念ながら、健全ではない。

根源的な解決が難しい「地方から統計に介入する」事情を例にとって、先日、新華社発行の時事誌『半月談』の調査記事によると、一部の地方幹部がデータを良く見せるために、権力を利用して統計の作業を妨害し、手段としては、指標を「指示」し、「企業を脅迫して粉飾に協力させる」などがある。統計部門のスタッフもやむをえなく、「君が従わなければ、役職を外し、昇進はあきらめた方がいい」と脅された。地方統計部門は人、財、物がすべて各級地方政府に管理され、国家統計局は業務指導を行うだけだという背景から、「上級の官は現場の管理に及ばない」といわれ、このような干渉は、体制的に避けられない。また、「リターン」と「リスク」のミスマッチを例にとって、統計法を見れば、統計データをねつ造した場合の処罰レベルは「厳しい」とは言い難い。統計データをねつ造した場合の法的責任は「通報」「処罰」に過ぎず、刑事責任を問う法的規定は少ない。

誘惑が大きすぎて、籠（規則・制度）はしっかりしていない、というのが、もっともわかりやすい統計操作の論理だろう。そのため、改革は徹底的に検討しなければならない。

改革の動きはすでに始まっている。二〇一六年十月、中央全面深化改革領導小組（グループ）は「統計管理体制改革の深化、統計データの真実性向上に関する意見」を審議した。統計データを捏造した幹部に対しては、「一票で否決」するよう規定している。

政治

省の党務・政務を統括する責任者として、これまでの問題を直接に認め、「水増しを取り締まる」ことを決意する勇気が必要だ。統計データの重荷を下ろすことで、今後の遼寧省も軽装できるようになった。前半の分析では、決して（罰として）「板子」で遼寧を打つのではなく、統計データ捏造の成因と客観的制限を分析しながら、問題を明らかにし、解決の道を探るのだ。

三月七日、習近平は「こういう風潮は増長させてはならない」という挿話を終えた後、李希は「全省で政治の立場からこの問題を認識し、データ捏造の行為を取り締まり、断固として水増しを抑え、経済データを確実にしてなければならない」と態度を表明した。

「政治の立場から」とは、経済的な問題、技術的な問題のレベルを超えているのだ。確かに、経済データの捏造は、中共指導部の政策決定に悪影響を与え、遅延や判断の誤りをもたらすことがある。同様に、それは「悪貨が良貨を駆逐する」（不正の官吏は誠実な官吏より出世の道がいいかもしれない）で、政治生態系を汚濁させる。習近平の言葉を借りれば、党の思想路線と真実を求め実務に励む態度をひどく傷つけ、人民大衆の中で党のイメージを傷つけてしまう。

二〇一三年八月、遼寧で視察を終えたとき、習近平は以下のように述べた。

「あるトップ部は上級に対して、嘘をついたり、本意を曲げて他人に迎合したり、偽の報告をしたり、統計データをでっち上げたり、業績をごまかしたりしても顔を赤くしない。部下に対してはふらふらとし、あちこちで願を掛けたのに願ほどきしない、大衆を叱り、同僚に対しては八方美人で、顔を合わせて肩を叩いたり、三分の話（話を全部話さない）をしたりするだけだが、背後ではこそこそと話したり、小細工をしたり、（人の限られた）グループをつくったりしている。このような醜い顔つき、人情は変わりやすく当てにならない現象に対して、党員、大衆はとても意見があり、治めることを望んでいる」

更に、中共十八期六中全会で採択された「新情勢における党内政治生活に関する若干の準則」では、政治規律を強調する際に、「弄虚作假（粉飾・欺瞞の行為を働く）、隠瞞實情（真実を隠す）」という用語が何度も繰り返された。

「党の各級組織と全体党員は、党に対して誠実、公明正大で率直に話し、正直なことをし、正直な人になって、ありのままに党に状況を反映・報告しなければならない。面従腹背、二股膏薬をやることに反対する。指導機関と指導幹部はいかなる理由と名目で部下に嘘をつくようそそのかす、黙認、暗示する、または強要することは許されない。うそをつき、真実を隠して党と人民の事業に重大な損失を与えたり、うそをつき、真実を隠して栄誉、地位、奨励或いはその他の利益をだまし取ったり、黙認・唆使・暗示するあるいは部下に粉飾・欺瞞を強要し、真実を隠したりする場合は、規律に従って厳しく問責しなければならない」

「粉飾・欺瞞の行為を働く、真実を隠す」ということは、もちろん統計の話だけでなく、多くの分野で応用可能である。この言葉は、各級幹部の十分な注意を喚起すべきだ。

そもそも政治とは何か、人心は最大の政治だ。もし、自分だけのため（出世、報酬と栄誉、職権乱用など）に党風・民心を傷つければ、それこそ最大の政治立場の喪失だ。

意義深い中国全国金融活動会議

二〇一七年七月十六日
包丁騎牛

二〇一七年七月十四～十五日に、五年に一度の中国全国金融活動会議が北京で開催された。一九九七年以降、中国全国金融活動会議は毎年一回の開催となった。慣例によって、中共中央と国務院の主要指導者、「一行三会」[1]のトップ、各省の党委員書記や省長が参加し、通常二日間の日程で、金融監督管理システムのトップダウン（頂層設計）、銀行システムの改革、金融リスク防止などの重要戦略問題を主に議論している。

「風向計」と「バラストストーン」を兼ねた会議だったといえる。

問題

二〇一二年第四回全国金融活動会議後、五年の間で、中国内外の経済・金融情勢に新しい特徴が現れ、

(1) 一行三会とは、中国人民銀行、中国銀行業監督管理委員会、中国証券監督管理委員会、中国保険監督管理委員会に対する中国金融界の略称で、「一行三会」はすべてライン部門管理を行い、中国金融業の分業監督管理の構図を構成している。

新たな問題が浮き彫りになった。

例えば、中国経済は「三期の重ね合わせ」という新たな特徴を示し、新常態（ニューノーマル）に突入している。GDPが中高度成長期に入ったほか、固定資産投資の伸び率は20％以上から10％に低下し、伝統的な工業部門の生産能力は過剰であり、レバレッジを下げ、生産能力と在庫を削減する矛盾が目立った。

例えば、かつては実体経済の衰退に対応するため、金融緩和を行い、金融制度の革新を図ったが、それに伴う監督・規制・改革が追いついていなかった。マネーが資産領域に流入し、資産価格のバブルを押し上げている。二〇一四年以来、監督・規制の不在と流動性駆動の下で、相次いで株式市場、債券市場、先物市場は全面高になり、第二線都市の住宅価格が暴騰した。この間、証券市場の異常変動や債権市場の暴落も相次いだ。二〇一六年十月、中共中央が不動産市場の規制政策を集中的に打ち出した後、不動産熱は徐々に落ち着いた。

システミック・リスクの発生を防ぐことは、金融業の永遠のメインテーマだ。中共十八大以来、金融危機防止の重要性やシステミック・リスクが発生しないベイスライを守ることが繰り返し強調されている。金融の安全を守るためには、リスクを正確に判断しなければならない。「リスクの発生を防ぐ」「レバレッジを下げる」などのキーワードが、中国最高レベルの会議に頻繁に登場した。

レバレッジ

金融レバレッジはどこから来たのか。リスクはどこにあるのか。ロジックはそれほど難しいものではないが、実際に作業をしていくうえでの要素はたくさんある。レバレッジをかけることの本質は負債をかけることだ。金融業には自然とレバレッジの力があるが、それは自己資本金が少ないため、自己負債で資金を吸収し、資産規模を大きくしてスプレッドを稼ぐ必要があるからだ。特に、中国の金利市場化が実現し、スプレッドが圧縮された状況下では、なおさらのことだ。

銀行を例にとって、負債先で公的預金を吸収しながら、投資信託商品を発行し、資産端にローン、債券、非標準資産を配置して利益を得る。利益を最大化にする経営目標の下で、黒字があれば、銀行はできるだけ規模を拡大する。

金融レバレッジは、実体経済に投資し、実体の債務融資需要を満たすのが理想だ。しかし、実体経済のレバレッジが絶えず上昇し、投資のリターン率が限界に下がった時、資金は金融システムに戻って空回りし、自己膨張する、いわゆる「実体経済の投資・生産・流通から離れ、仮想経済へ投資する」現象が起こる。

金融のレバレッジは、金融緩和の環境と無縁ではない。近年では、中国の中央銀行、商業銀行、非銀金融機関、実体企業から住民に至るまで、レバレッジの主体となっている。レバレッジを加えるチャネルは、銀行の内外、信託、証券会社、ファンドオーナー、ファンド子会社、保険など様々だ。

今の中国のレバレッジはどうか。

方正証券[1]の研究データによると、銀行の内部レバレッジは、二〇一三年の一四・九九倍から二〇一六年末の一八・七九倍に増加した。対外公表のレバレッジは、二・〇一倍から四・九二倍に、ブローカーのレバレッジは、二〇一四年末の八・六三倍から二〇一六年末の一〇・七二倍に増加した。保険のレバレッジは、二〇一四年末の七・〇四倍から二〇一七年第1四半期には八・一八倍に増加した。

（1）ファウンダ・セキュリティーズ（方正証券股分有限公司）は証券業に従事する会社である。

リスク

過度にレバレッジをかけると、システミック・リスクをもたらす。

一つ目は、流動性リスクだ。長期金融商品の金利は短期ものより高く、銀行は一カ月、三カ月、六カ月などの短期的な投資信託商品を発行し、三年、ターゲットの五年以上の金融商品を配置し、期間ミスマッチで利差を稼ぎ、マネープールを通じて絶えず新しいものを借りて古いものを返している。

かつては、中央銀行が安価で資金を供給し、潤沢な資金を供給していた場合には、このプレーは問題なかった。しかし、銀行が大規模になればなるほど、短期資金に依存し、資金面が引き締めると、流動性リスクが顕現化し、我先に資産を買い戻したり売ったりして資産価格が大きく変動し、システミック・リスクを誘発する。現在、中国人民銀行（中央銀行）は明らかにデレバレッジ(1)を始めており、リスク要因もそれに伴って集まっている。

二つ目は、信用リスクだ。競争下の金融機関は、資金調達コストが高くなり、利回りの高い社債や株式、非上場資産に投資しなければならない。しかし、ファイナンスの基本は、高い利回りが高いリスクを意味するということだ。

金融商品の基礎商品の多くは不動産、公営企業、地方の融資プラットフォーム、インフラ建設などのプロジェクトだ。政府の潜在的な保証は金融機関がリスクを冒す保障で、信用リスクは低下したように見えるが、事実上、一部の地区企業の債務問題はすでに発生しており、銀行は将来、元本保証、収益保証を約

---

(1) レバレッジを効かせた取引において、資産価格の下落リスクを回避するために、資産を売却し、債務を圧縮すること。

束しないのがトレンドだ。同時に、不動産と金融業務が相互に浸透するリスクが交差しており、いざ不動産問題が発生すると、銀行業と経済体のシステミック・リスクは避けられない。

このため、今回の中国全国金融活動会議で習近平は、「国有企業のレバレッジを下げることを最優先課題とし、ゾンビ企業をうまく処理しなければならない。各級の地方党委員会と政府は正しい政績（在職期間に達成した役人の業績）観を樹立し、地方政府の債務増加を厳しくコントロールし、終身責任を問い、責任をどこまでも追いつめる」と強調した。

そのリスクは「属地（事件が起きた地方）で処置する」と明確に説明されている。つまり、どこでリスクが発生すると、発生の地方は「職務を全うし、大胆に監督・管理しなければならない」ということだ。なぜこのようにリスクを重視するのかというと、国際金融史から見て、金融業の長期的な発展のコアコンピタンスは、イノベーションを起こし、誰が速く走るかではなく、誰が確実に遠くまで進むかであるからだ。サブプライムローン危機の中で、リーマン・ブラザーズが破産し、ベルルストンが買収されたという教訓は、利益を追求しすぎて、ファイナンスを複雑にし、リスクを放置したことにある。

漏れ穴

客観的に言えば、中国国内の金融監督管理のレベルはまだまだ向上の余地が大きい。これまでの中国国内のさまざまな金融イノベーションの本質は、「監督管理の利食い」(1)だ。

（1）銀行業金融機関は、監督管理制度または監督管理指標の要求に違反して収益のヘッジを獲得する。

たとえば、皆さんの印象に残っている「株価大暴落」はそうだ。今回の「株価大暴落を救う」で、各種の集合計画や傘形信託[1][2]に対する「三会」[3]（機関改革後、銀監会と保監会が銀保監会に合併された）の監督管理ルールが統一されていないため、資本市場の監督を担当する証券監督会は場内外の融資行為に対して統一的な監督管理を行うことができなかった。そのため、株式市場のリスクが爆発した時、迅速で正確で効果的な手段を出すことが困難だ。

また、最近二年間の「宝万事件」では、宝能は各種レバレッジ、各種構造化資管計画に四百三十億元を投入して万科の株式を買収し、資金源には保険資金、証券会社資金、銀行の財テク資金、株式の質権などが含まれている。複雑な取引の背後には、銀行、証券、保険などの複数の監督主体が関与しており、「一行三会」[4]の分業監督に深刻な挑戦をもたらしている。

単一の規制主体が被規制機関の業務範囲を完全にカバーすることができなくなり、監督管理の真空（物の働きが停止した空白状態）があれば、「監督管理の利食い」があると言えるでしょう。

現在の機構による監督モデルでは、「三会」はすべて自分の「一畝三分地」[5]を持っている。機構が分野を超えた業務を展開するには、同時に「三会」と疎通する必要があるため、効率に影響を与え、危机が発生した時に監督主体が不明な場合、お互いに責任を転嫁してしまう。同時に、リスクを防いだり、レバレッ

（1）お客様の資産を集めて、専門投資家（証券会社・ファンド子会社）が管理する。
（2）一つの信託商品の中に二種類以上のサブ信託が含まれること。
（3）中国銀行業監督管理委員会、中国証券監督管理委員会、中国保険監督管理委員会。
（4）中国人民銀行、中国銀行業監督管理委員会、中国証券監督管理委員会、中国保険監督管理委員会。
（5）個人がかろうじて暮らせるだけの狭い畑をさし、転じて自分だけの空間を意味する。

ジを下げたりする過程で、「規制間の競争」という現象が現れ、「リスクに対処するリスク」が現れる。
このため、今回の会議では、国務院金融安定発展委員会の設置が急務となっている。

メカニズム

以前に周小川（中国人民銀行行長）が述べたように、中国の金融監督管理調整機構には金融規制調整省庁間合同会議という仕組みが一応設けられている。金融の監督・調整メカニズムを巡って暫定合意した後、「より効果的なレベルに引き上げる可能性がある」としている。国務院金融安定発展委員会の設立は、地に足がついたと言える。

この委員会で強化されたのは、中央銀行のマクロプルーデンス管理における主導的地位だ。これは、官僚や行政レベルの問題ではなく、金融システムにおける中央銀行の中核的な機能・役割から決定したのだ。中央銀行は、金融政策を立案・実行し、マクロプルーデンス管理を統括し、最後の貸し手だ。システミック・リスクや流動性危機が発生した場合、中央銀行が金融機関や金融商品などの情報を十分に把握しておかなければ、最後の貸し手としての機能・役割をタイムリーかつ効果的に遂行することはできない。

「国務院金融安定発展委員会を設置し、機能監督管理と行為監督管理を強調する」ことは、今後の「三会」の改革方向を示している。分業監督、機能監督が制品設計、法律コンプライアンスに着目したのに対し、同一の監督機関が同一の監督方法で統一監督を行うことで、「監督の真空」「監督管理の利食い」の問題を効果的になくすことができる。

各国にはそれぞれの国情に合った金融監督体制があり、唯一の解決策はない。現行の金融監督管理システムは、その時の監督管理の需要に適応した歴史の産物であり、新しい監督管理システムは古いシステムの経験を総括し、改善しなければならない。今後の「三会」は、単に合併するのではなく、銀行、証券、保険事業がそれぞれ異なる経営モデルであり、具体的な金融商品の本質と機能を明らかにすることが重要だ。

中国の金融部門は長い間、過去の財政規律の緩みのために代償を払った。今後、金融監督改革は「中国の国情に合った金融法治システム」「中共中央が金融業務に集中・統一的に指導することを堅持する」とともに、財政や公営企業財務へのハードな制約を強化する必要がある。今回の会議で、経済の血筋である金融は、実体経済に奉仕するという天職を再確認した。習近平の言葉を借りれば、「金融機関の経営コストを低減させ、中間業務を整理・規制し、実体経済への融資コストの不当なつり上げを避ける」ということだ。

二〇一六年、中国のGDPは五兆元増加したが、銀行システムは三十兆元の資産を生み出した。金融業界の過度の繁栄は、実際にはすでに実体経済に奉仕するという天職から逸脱している。資金の「仮想経済から実体経済の投資・生産・流通へ投資する」を実現させるには、経済が好転し、実体経済のリターンが上がることが前提となる。

これは鶏が先か、卵が先かと同じ問題だ。実体経済が景気でリターンの伸び率が高いなら、みんなは実体に投資したい。しかし、実体経済が不振になると、企業が生き残るための資金を必要としても、金融業界は低リターンの実体分野に投資したくなくなり、「実体経済が困難であればあるほど、利益を追い求める金融が仮想経済に向かってしまう」という悪循環を形成する。二〇一七年第1四半期の経済状況は良好で、市場の予測が改善したことで、金融リスクの防止やレバレッジを下げるために良い環境が作られた。

習近平が提出した金融業務をしっかりと行う原則の中で、トップは「(金融業務の)本源に回帰する」というだ。

これは一つの考え方としてもいいかもしれない。大きな視角から見れば、中共は自らの管理と建設を強化しなければならず、習近平が中国共産党建党九十五周年で講演した核心は「初心を忘れずに前進せよ」ということだ。軍隊を指導訓練するのは、「戦争に備えて戦いに勝つ」という考え方だ。具体的な仕事もそうだ。規律委員会は、「規律を執る」という本源に戻ることを求めている。金融の本源は、社会経済の発展に奉仕することであり、利益に連れ去られた「血を吸う」ことではない。

第二部　改革篇

幹部は「能上（昇格）」、ではどうしたら「能下（降格）」(1)

二〇一五年七月二十九日
東郭栽樹

この題名を見た時、きっと皆さんは筆者の言いたいテーマが分かっただろう。

もうニュースを皆さんは見ただろうが、中共中央弁公庁は二〇一五年七月二十八日に「指導者及び幹部の能上能下の推進に関する規定（試行）」を正式に配布した。

この通達は長くはなく、文章の気風は朴素でしっかりしたものということが表題からも察しがつく。「能上能下」の意味に関して、筆者はこれから中国語四級試験を受ける外国の学生らがこれを的確に理解できるかは分からない。だが、「侠客島」の読者はもうすぐ理解したことだと信じている。しかも確実に、「能上能下」の重点は「能下」にあるということを理解したと思う。

(1) 能上能下とは、幹部が指導的地位に立つこともあるし、また指導的地位から降格することもある。地位・待遇などのよしあしにかかわらず人事を受け入れる。

姉妹編

言ってみると、この規定は別に初めて公開報道されたものではない。

およそ一ヶ月前、六月二十六日に開かれた中共中央政治局会議の主要議題が「中国共産党巡視活動条例(修訂案)」及び「指導者及び幹部の能上能下の推進に関する規定(試行)」の二つの文書を審議するものだった。

これは典型的な姉妹編だ。これらは全て中国の吏治問題だが、やり方やその重点に違いがある。巡視条例において言うと、党風廉政建設と反腐敗闘争に焦点を当てて、問題を発見し、威圧感を生む。筆者が見るに、巡視というのは兵器譜面上の「覇王槍」(古竜の武侠小説『七つの武器』シリーズの武器)だ。戦にて旗を疾風の如く陣内に巻き込み、腐敗分子に会えばすぐさま落馬させ、まず党紀に基づいて処分し、次に法に基づいて処罰するのだ。

「能上能下」の幾つかの規定は、正常な退職や離任などの場合を除いては、主に徳のない官僚のみをピンポイントで打撃するというものだ。こういう人からすれば、この規定はまさに兵器譜面上の「離別鉤」(古竜の武侠小説『七つの武器』シリーズの武器)だ。一度それに引っ掛けられると、「離別」が生じ――組織の調整を通して、それに引っ掛かった官僚とその職位ひいてはその使途でさえも離別させるのだ。

離別鉤

「私は鉤というのが武器の一種というのは知っている。十八般兵器の七つ目だ。では離別鉤は?」

「離別鉤も武器、同じく鉤だ」

「鉤であるならば、なぜ離別と呼ぶんだ？」

「それはこの鉤は、何を引っ掛けても離別を生むからだ。もしこれがあなたの手を引っ掛けたのであれば、手は腕から離別する。もしこれがあなたの足を引っ掛けたのであれば、足は脚との離別する事になる」

「もしこれが私の喉元を引っ掛けたら、私はこの世界と離別することになる？」

「そうだ！」

「あなたはなぜこの様な残酷な武器を使うの？」

「それは私が他人に強要され、私の愛する人と離別してしまうことを望まないからだ」

「なるほど、あなたの言いたいことがわかったよ」

「本当にわかったのか」

「あなたが離別鉤を使うのは、相見える為にすぎないのだろう」

「そうだ」


筆者は煩わしさをいとわないほどに、小説『離別鉤』の原文を丸々コピーしたのは、やはりそれなりに意味がある。古竜が小説を書いた時、酔ってはいたが、道理は明晰だった。

「能上能下」の幾つかの規定がもたらす幾らかの離別は、残酷の為ではなく、愛であり、国を愛し、国民を愛しているためだ。愛するが故に、官職につきながらも不正を行う者や不作為な者、乱行に及ぶ者をその職位から離別させる。そして幹事の職場を空けて、よりレベルの高い人に就いてもらうのだ。

これが離別鉤の真意だ。

白き鋭剣

人に涙させる力がある。自分を涙させる官僚もまた幾らかいる。

この具体的な規定が正式に実行されると、必然的にある人達の眼中に映る前途はしだいにぼやけて揺らぎ出すのであろう。

離別鉤を横に構えたのなら、誰がその鋭い切れ味を試すのだろう。

規定では十種類、いや、九＋N種類の状況を列挙している。

私達は幾つかの状況について近年よく耳にするようになった。

例えば第一項、

「党の政治規律と政治規矩を厳格に遵守し、党の基本路線と各方針及び政策を断固として執行しなければ、思想上、政治上及び行動上党中央同じくと高度な一致を保つことはできない」

これは最近使われている頻度の高い語句である「政治規律と政治規矩」に触れている。この二つの語句は一番最近は周本順（重大な規律違反と違法行為の疑いで失脚した中共河北省委書記）の身に使用されたのだ。

また、例えば第九項、

「配偶者がすでに国外に移住している場合、もしくは配偶者はいないが子供がすでに国外に移住している場合には、その職務に就くことは適さない」

これが所謂「裸官」だ。ここ二年、広東等の地域では既に大量に調整されている。

勿論、第八項を忘れてはいけない。

「不品行であり、社会道徳、職業道徳、家庭倫理に背き、悪影響を及ぼす者」

一部の幹部が「複数の異性」との不適切な男女関係を持つことやこの類の不品行は、党紀上絶対に許されないのは明々だ。

また他の一部の状況で、以前は「俺はこのままその為、どうするんだ」の様なわがままをしていたのも、規定の執行後は官位を失うことになるのだ。例えば第三項、

「党の民主集中制の原則に背き、独断専行や無気力散漫で、執行を拒否したり、党組織の下した決定を勝手に改変したり、幹部グループ内で無原則の紛糾を起こす者」

一部では党政のトップ同士でイバラの枝を贈り合い[1]、「将相和」を手書きで写して気分を調整するべき

（1）荊棘の枝を不仲の相手に持ってもらい自らを打たせることで贖罪を求める。司馬遷著『史記』の一節『将相和』内の「負

だと感じるが……

また第六項、

「責任を担えず、責任を負えない、官位に付くが不作為、慵惰散延[1]で多くの幹部からの不満が多い者」

これは凡庸で怠ける官僚を何とかする為の不限定版だ。さらに第十項、

「その他現職にふさわしくない者」

要するに、政治上規矩を守れ無く十分に清廉でない、仕事上不作為で責任を担えない或いは能力が足りなく態度が不誠実な官員は皆、その代償を払うことになる。

恵みの雨

「宦海浮沈」（官界の浮き沈み）という言葉は、官職に就いた多くの人々の人生を語る言葉だが、ただ中に入るが出ず、ただ上に上がるが下りず。これのどこを「浮き沈み」と呼べるのであろうか。しかも官位

荊請罪」の故事成語に由来する。

（1）慵惰散延とは、党員幹部の問題を表したもの。それぞれ凡庸、怠惰的、規律の散漫、浮ついた行動、仕事が遅く非効率なのを意味する。

につく人が増えれば増えるほど、社会管理のコストは高くなる。その一方で、管理の効率は低下するばかりで、必然的に官員のチームの腐敗を引き起こし、官員集団中に「悪貨が良貨を駆逐する」現象も引き起こすのだ。

法に基づいて国を治め、党を治めるという大きな背景のもと、人を選んだり使ったりするのには常態化したメカニズムを整えるべきであり、それが出来て初めて有能な者は上がり、凡庸な者は下り、劣者は淘汰する政治環境と任用の導きを形成できるのだ。任用と抜擢と言えば、すでに成文されている『党政指導部の選抜任用工作条例』が仕事で準拠するものだが、如何に責任を問い、如何に不適任且つ不作為の幹部を現在の位置から更迭するのかということに関しては形になったものは一つともなかったのだ。その為今回の規定の制定は、関連の法規制度上で、一つの欠点を補ったものだ。

興味深いことに、今回の規定における調整手順は、考察検証、調整意見の提出、組織決定、談話、任免履行手順等の五段階からなる。「これらの手順は、全体的に規定の幹部〝上〟の手順と対応して繋がっている」という。

そのため、今後、中共組織部が談話に来ても、早まって興奮しないことだ。何故なら、上か下かはこの手順の純粋な論理的意味上で言うと、まだ五分五分の局面にすぎないからだ。全面的に党を厳しく管理することで、中共中央規律検査委員会は規律を守って監督することの威力を人々に見せつけた。今や中共中央組織部もしっかりと動き出している。離別か再会か、大舞台で存分に能力を発揮するのか、それとも打ちひしがれて退局し鉄の鎖につながれ入獄するのか——官員個人にとっては、「官界の浮き沈み」の既視感を生むことになるかもしれないが、国家全体の吏治にとっては、汚れや不純物を洗い流す恵みの雨に他ならないのだ。

中共中央政治局会議に初出した「サプライサイド改革」

二〇一五年十二月十四日
公子無忌

これは二〇一五年十二月十四日に起こった最も重要な出来事だ。

十二月十四日の中共中央政治局会議は中央経済活動会議に先立って、二〇一六年の経済活動を研究することをテーマにした会議で、事実上、中央経済活動会議の「基調を決める」ものだと見れる。その中から、考えを読み取れ、更には傾向も読み取れる。世間で広く扱われ話題となっている「不動産在庫の解消」も実は中共上層部の主要な考えの中にある。そしてこの考えを理解するために、必要なキーワードは一つだけだ——「サプライサイド改革」

頻繁

実際、この新しい経済学用語は一ヶ月前から中共上層部の会話の中で頻繁に登場していた。

十一月に時を戻そう。十一月十日、中央財政経済指導小組（グループ）会議が開催され、会議で初めて「サプライサイド改革」が取り上げられた。中央レベルの会議でこの言葉が登場したのもこれが初だ。その後、

G20サミット、APECの演説で習近平はこの言葉を言及し、中国と世界経済の処方箋ともみなした。同月の国務院常務工作会議では同じように「サプライサイド改革」は登場した。

中央財政経済指導小組(グループ)会議から中共中央政治局会議に至り、中国国内から国際的場面まで「サプライサイド改革」が頻繁に登場したことから、これから開かれる中央経済活動会議では、この言葉がほぼ懸念無しに登場することが推測できる。

しかし、九三学社[1]・前中央副主席の賀鏗が言ったように、この観点が提出された後、メディアはあまり注目していないようで、経済学者も全く無関心であるようだ。

一つの際立った現れとして、本日の中共政治局会議のニュース記事が出た後、多くのメディアが捉えたポイントは全て「不動産在庫の解消」だ。実際、前後の文を繋げば分かるように、不動産在庫の解消の前後に言及した三つの点は、もともと中央財政経済指導小組（グループ）会議で習近平が「サプライサイド改革」について語った際に述べた三つの方面（過剰生産能力の解消、企業損失の軽減、金融リスクの防止）の内の一つだ。

そして、ここで問題となるのは「サプライサイド改革とは一体何を意味するのか」ということだ。

供給

対比を通すと、語意はよりはっきりと呈露することができる。

（1）　中国民主諸党派の一つ。文教、医薬衛生、科学技術者の国団体。

サプライサイドと相対するのは需要側だ。実は、これは三十数年来の中国経済管理の主要な考えである需要管理だ。より知られている言葉で言えば、経済を牽引する「トロイカ」である投資、消費、輸出は、実際全て需要側に属すのだ。

「四兆元」の刺激的な計画にしろ、金利引き下げや預金準備率の引き下げなどのマクロコントロールにしろ、全て需要管理に属する。この経済管理の考えでは、経済成長の動力不足は需要の不足にあるとみなしている。

したがって、様々な方法で需要を刺激し、経済を引っ張ることが必要であり、これが経済成長の原動力だ。サプライサイド改革の考えはこれとは異なる――彼らは単に「トロイカ」(1)の需要側管理を通して経済を刺激し続けるには空間が限られており、生産力の解放と競争力の向上を通して中国経済のアップグレード版を作らなければならないとみなしている。

簡単に言うと、刺激だけではダメで、構造性改革が必要なのだ。

構造

実際、現実を見れば分かる。中国人は外国で何を買うのか。物質的な面では、バッグ、粉ミルク、化粧品、薬品、ウォッシュレット、炊飯器だ。非物質的な面では、教育、医療、旅行等のサービスがある。これらのものは中国にあるのか?ある。しかしハイエンドで海外の品質に追いつかないものはあるだろうか。少

(1) 三頭立ての馬車、古代の戦車の一種。今ではあるグループ内の三巨頭を比喩する。

ない、ひいては無いのだ。

ここで深刻な需要供給の矛盾が現れた。一方で、中国はすでに世界の製造業大国であり、貿易量も安定して世界トップの座を占めている。しかしもう一方で、制品のレベルは高くなく、衣服やバックや玩具などのようなローエンドの強みの大量な売上低迷、鉄鋼などの生産能力の過剰もある。中西部の教育、医療などの社会サービスや中国人が強く求めている良質な製品に関わらず、どれも有効な供給がされていない。この状況は、不動産や金融等の領域にも同じ様に存在する。

その上これら全ては、投資や輸出等の要素では解決することは難しい、近年中国の輸出入は落ち込んで、投資の成長速度の落ち込みは既にターニングポイントの到来を顕著に示している。だがサプライサイドのポテンシャルは巨大だ。携帯電話が登場する以前、人々はこれに有効な需要がなかった。スマートフォンの登場後、もたらされた大量消費の需要は世界的だ。そしてインターネットがもたらした一連のイノベーションも、同じくこれにあたる。

このため、サプライサイド改革については、標準的には「総需要を適度に拡大すると同時に、供給システムの品質と効率を向上させ、構造性改革に力を入れる」と表されている。言い換えれば、中国経済が現在直面している難局は、需要側からだけ着手するのではすでに突破することは難しい。両側から改革を始めるのが、構造性改革なのだ。

この点に関して、本日同時に開かれた習近平主催の党外人士座談会で同様に反映され、「来年の経済社会の発展、特に構造改革の任務は非常に重い」という。この構造改革には、需要と供給の両側で同時に力を発揮する必要がある。

言い換えてみれば、中共十八大以来、一貫して提唱していた「構造調整と改革推進」だ。中共中央はキーポイントをサプライサイドに選んだのだ。

哲学者はいつも世界を解釈するのが得意だが、問題は世界を変えることだ。これだけ言ったが、いったいどうするのか。

方向

確かに雑然としている。大量に過剰している生産能力と不動産市場の在庫はすべて解消する必要がある。東北などの地域は経済成長のつかみどころがなく、成長力に乏しい。中小企業の融資は依然として困難で、民間の貸借資金チェーンが切れる現象は頻発し、企業の発展コストは高い。七千万の貧困人口が仕事を無くすのを待っており、社会民生の各種サービス向上の余地も依然として強大だ。

最も重要なポイントは、新常態（ニューノーマル）のもとでは政府やビジネス界に関わらず、過去三十年以上の伝統的な成長の考えから脱却し、ひたすらプロジェクトを進めたり、「利益共生」或いは波のような流れに従ったりすることでは、もはや時代に適応することは不可能であり、ましてや時代をリードすることなどでき無いと言う事をはっきりと意識する必要だ。

この論理上、「大衆が起業し、万人がイノベーションを起こす」という方がより筋が通って理解できる。政府が経済を一概に主導するのではなく、社会の活力を奮い立たせ、資源を有効的に配置させ、市場の本体に市場機会を発見させる。真に政府がやるべきなのは、歴史の遺留問題を解決し、政策を出し、生産要素をより必要な所に向かって流動させることだ。習近平は約一か月ほど前の会議で提示した重点のように過剰な生産能力の解消、企業負担の減少、不動産在庫の消化、金融リスクの防止、健全な株式市場を育成するのだ。

見たところ、これらは「供給」と直接関係は無いようだ——耐久性のあるウォッシュレットや高品質の消耗品については直接触れていない。しかし、その中の脈絡は共通している。過剰な生産能力と不動産在庫の解消自体が企業を過剰な業界から退出させるよう誘導させ、商品の価格は十分な柔軟性を持って需要と供給を迅速に均衡の取れた市場にし、本当に競争力のある企業を残すのである。企業に負担を減らし、健全な金融市場を育成することは、企業に保障を提供することだ。残りの言外の意図しては、企業に構造的な矛盾があり、供給が不足している業種への進出を誘導するのだ。

言い換えてみれば、これが本当の趨勢であり、真に注目すべき方向やシグナルなのだ。

大東北

二〇一六年四月二十七日
紅拂出塞

貴方が嵐をくぐり抜けた時
頭を高く仰ぎください
暗闇を恐れるな
その嵐の果てには黄金色の空が広がっている

二〇一六年四月二十七日付の人民日報の一面トップ記事は、中共中央の通達だ。「東北地区等老工業基地の全面振興に関する中共中央・国務院の諸意見」の下にはすぐに「東北の全面振興というハードな戦いに勝つ」というコメンテーターの記事が続いている。この重要な紙面の位置は、「振興東北」という四文字に今一度違った意味をもたらせた。

「侠客島」編集部では、人々が「振興東北」を持ち出すと、自然と大東北の話になった。あれこれと映画『鋼の琴』について語り、周雲蓬（視覚障害者歌手）について語り、この間の「侠客島」記事「ある龍炭の背後の時代の難題」について語り、ある部員は東北の巨大な労働者階層について語り、またある部員は東北平原上の秋日に金色に輝く森について語る……

しかし、これらは全て彼らが「遠見」した東北だ。

歳月

私はある東北の省都で育った。私の父は、二十年前、一人の標準的な東北の労働者だった。彼はある国営の装備製造業の工場に勤めていて、彼の父、つまり私の祖父の仕事を継いだ。私になぜその仕事を継がなかったのかを聞かないでくれ。工場は倒産したんだ、でなければ誰がここで貴方たちと文句を垂れているものか。このような労働者階層に存在する「世襲」は、後年になって見ると滑稽なものかもしれないが、当時ではそれは光栄なものだったのだ。

この巨大な国営工場は、かつて自ら完璧なコミュニティーを構築していた。それは広大な家族居住棟を持っており、自分のデパートがあり、自分の映画館があり、自分の病院があり、自分の託児所に小中学校がある。ひいては「大集団」という所属工場がたくさんあった。私の母はその中の一つの「大集団」で働いていた。「大集団」が「国営」に比べると、少し正規の意味に欠いていることを、彼女は常々残念に思っていた。

この工場を取り囲むのが、私の家の世界の全てだった。

私の部屋の窓はちょうど工場区に面していた。そこは一面の大きな庭があって、高いポプラの木がたくさん植えられていた。私は時々工場に行って父に弁当を届けに行く。広々としている大きな工場はどこまでも続いており、屋根の梁はとても高く、酷く暑い夏だとしても、中は非常に涼しい。作業場には一面大きな機械が並べられていて、空気中には機械油の匂いが充満していた。

しかし、私が小学校に通っていた頃、これら全てはゆっくりと消え去っていった。工場を取り囲む小さな世界は、ゆっくりと消されていくチョークの絵のように、少しずつ姿を消したのだった。

初めは工場の映画館が閉鎖し、やがてそこは食堂になり、その後またダンスホールに変わった。後に、病院も閉鎖された。さらにその後に、リストラの波がきた。父は毎日退社してがまたどの同僚が「リストラ」を発表されたかを嘆いていたが、ついにある日上司に呼び出され、自分もその中に加わった。それから、工場の敷地全体が売却されて、塀が解体され、さらにはポプラの大木まで取り除かれて、そこは商業住宅として開発されたのだった……

時代の視角から見れば、それは国家のモデルチェンジであり、体制の改革であり、歴史の流れであり、社会の陣痛だ。私自身の低い視点から見ると、最後の最後、私が小学校を卒業する頃、その学校もようやく閉校し、私がそこの最後の生徒になったのだ。

このような激変は、二十年前の東北で、とても多くの家庭によって平静に消化されたのだった。しかし、大東北の過去に属する栄光と夢とそれが直面する問題は、一つ一つ、平穏の下で、自由気ままに勢いよくわき起こっていた。

通達

二〇〇三年、国務院は「東北地区などの老工業基地の振興戦略の実施に関する諸意見」を公表した。十三年後、同じ問題の通達の名前に、「全面」の二文字がつけられた。

二〇〇三年の「意見」では、「市場化のレベルが低く、経済発展の活力が足りない。所有制の構造は比較的単一で、国有経済の比重がやや高い。産業構造の調整が遅くなり、企業の設備や技術が陳腐化している。企業に社会など歴史の重荷は重く、社会保障と就業の圧力が大きい。資源型都市は産業衰退を主導し、代替産業の発展は急がれる」と東北の問題を指摘した。

最新の「意見」では、指摘した問題はさらに細分化され、民間経済の成長不足、科学技術と経済成長の融合不足、新興産業発展の遅れなど内容が増加している。さらには、「思想と観念の解放が不十分で末端地方党委員会と政府は経済成長の新常態に対する適応・指導能力をさらに強化する必要がある」と指摘している。ただ「企業の中で社会を作る」というのだけは、なくなった私の小学校と同じように、すっかり外されてしまっていた。

実は、東北の経済はこの十数年、静止していたわけではなく、むしろ大きく成長していた。私の故郷の町はここ十数年の間に、すっかり様変わりした。これまで多くの国営工場が倒産したが、支柱的で象徴的ないくつかの国営企業はなんとか全て乗りきったのだ。

データによると、二〇〇三年から二〇一二年までの十年間、東北三省のＧＤＰ（国内総生産）は倍増し、年平均成長率は12・７％に達した。同期間の中国全国平均成長率は10・７％だった。十年間に、東北三省は再び中国工業の代名詞となった。あの頃の工業の衰退期は、何の影も残っていないように思える。自分がかつて国営企業にリストラされた経験があってもなお、あれらの電機や蒸気タービンなどを生産する大手国営企業に就職させるのは、依然として親が子供に持つ期待なのだ。

二〇〇三年からは、町並みの整備も重視されるようになった。しばらくの間緑化を重視し、道沿いに樹を植えたりして、春にポプラや柳絮が散る問題でさえとっくに解決した。民生問題においても進歩があり、医療保証はますます完備され、地域コミュニティーの病院の数の増加は迅速で、都市の公園は基本無料で開放され、新しく建設された団地がびっしりと並んでいる。五、六年前、私が北京に来た時、友人はわざわざ私に故郷の都市にはないスターバックスコーヒーをご馳走してくれた。しかし今では、故郷の一番有名な観光街だけで三軒はある。

都市全体、ひいては全省の経済構造も絶えず変化を図っており、観光業やその他第三次産業の大幅な発展がその例だ。

しかし、この転換の全てが、今となっては動きが十分にてきぱき出来てなく、十分な水準に満たないのだ。問題は増速の下で無視され、極めて貴重な改革の窓口を逃してしまった。そのため炭鉱労働者の怒りが爆発し、二〇一五年の黒竜江、吉林、遼寧の三省が全国平均成長率をはるかに下回るGDP成長率が現れたのだ。

東北の古い工業基地にとって、表面上の問題は比較的早く代謝することができるが、深いレベルの問題を解決しないと、大環境の変動があった時に「病が皮膚や筋肉、腸にあり、もうすぐ深く骨髄の中にまで入ってしまう」[1]という隠喩が現れるのだ。二〇一六年の「意見」では、これらの矛盾・問題は、結局のところ体制やメカニズムの問題であり、産業構築、経済構造の問題であり、これらの問題の解決も結局全面的な改革の深化によるものだ。

（1） 病が皮膚や筋肉、腸にあり、もうすぐ深く骨髄の中にまで入ってしまう『韓非子』「喩老」と『史記』「扁鵲倉公列伝」の中で、蔡の桓公が病気の治療を嫌がる話に出てくる。「人の病が皮膚や筋肉、腸（はらわた）にあるうちは、鍼灸や服薬などの方法で治療することができる。しかし、病が深く骨髄の中にまで入ってしまうと、もはや治療する方法はない」という内容からの比喩表現。

「深化」の二文字の責任は重く道ははるか遠いものだ。

未来

久しく連絡のなかった東北の旧友と話をした。

彼はある自動車のエンジン工場でエンジニアとして働いている。国営企業の正社員として、彼があの東北の街で生活するには十分な収入があった。そのため、仕事の心持ちや東北振興に対する見方を話しても、彼は実際過度な心配はしてなかった。この前途有望な企業において、彼が思う最大の問題は、人才だけでなく、企業全体ひいては業界全体のイノベーション力が足りてないことだ。

彼らの工場では、現場労働者の学歴は高くなく、大体が高等専門学校卒だ。しかし、このような労働者が正社員になるのは難しいため、所得賃金を比べるとかなり低い。そのため、若い一部の労働者の流動化は大きく、現場労働者の高齢化が深刻化している。新しい注文を受けると、よく労働市場に臨時の求人をしに行く必要がある。ある意味では、東北の工場がエンジンを生産できたとしても、稼げるのはＯＥＭ代くらいなのだ。

しかし、毎年正式に大学卒業生を招聘する際にも、収益性の高い東北の国営企業は依然として優秀な技術人材を吸収するのは難しい。地元の学校で採用するのが一般的で、「９８５プロジェクト指定校」や「２１１プロジェクト指定校」の重点大学卒業生は数えるほどしかいないのだ。

良い大学の自動車学科を卒業した人たちはどこへ行ったのでしょうか。基本的には、自動車業界の中核や高度な技術を持った外資系企業だ。人材がいないからこそ、この国営企業はイノベーションが足りないのだ。私の友人は、今この分野において、国産「開発」の多くはコピーによるものそのため、国産エンジンは中低価格の自動車にしか供給できないのだと率直に話した。要求が比較的高い企業も設計や開発においては、海外の開発チームが担当することが多く、自分たちだけの技術は非常に限られている。この業界のさらに高い分野、例えば自動車の整備においては、合弁企業や外資系企業の天下なのだ。

友人に、なぜ東北に戻って仕事したくないのかと聞かれた。ただ一言、寒いと言った。しかし、もしも天気が寒いだけで、雇用環境やイノベーションの活力に地方政府の政策も十分に熱くあれば、人の心は暖かくなるかもしれない。少なくとも私たちみたいな東北から出た者は、熱意を持ってここに帰って来たいと思うだろう。

東北人の集団に対する印象は、いつだって楽観的で奔放的だ。「山海関を出れば、全員趙本山だ」(1)。これはどれだけ氷点下で一人悦に入り、一人で楽しめる人たちなのだろう。一緒に集まった時に私を気に入ったら楽しませてくれる。同じ寒冷地である北欧は「ミニマリズム」を生んだが、私の大東北では派手な赤や緑の綿入りの上着や賑やかにやる「二人転」(東北地方芸能)、一口で飲み干すような大ジョッキビールが生まれた。調子はまったく同じだ。

少し日差しを与えれば燦々と輝くんだ。本当、適当に少しでいいんだ。

このような楽観精神と抗争精神を持った人々が、未だに私たちの大東北を振興させることができないだって?もう何も言わなくていい、貴重な自分の天性を抑えなくていい、ほら、この器を飲みほしな……

(1) 趙本山は中国・東北部の地方芸能である「二人転」と「小品」の俳優として有名で、小品が有名になったのは趙本山の功績が多いとされるコメディアンの趙本山。東北地方はその趙本山のようなユーモアな方が多いと言う例え。

共青団(1)改革の背後には、どのような政治的考慮があるのか

二〇一六年八月二日
明日綾波

二〇一六年八月二日、「共青団中央の改革方案」は中共中央弁公庁から配布されるという情報が出た。実際、この文書が体系内で配布されてから一ヶ月近く経過していた。

このことはやはり話すだけの値打ちがあるのだ。

規格

まず初めに、規格だ。

共青団はいわゆる「群団組織」の一部分であり、労働組合や婦人連合などの大衆的な団体組織でもある。群団という全体からすれば、中共十八大以降、中共中央がこれに対する重視の度合いは尋常ではない。

二〇一四年末、中共中央は「群団活動の強化と改善に関する意見」を配布した。二〇一五年、中国共産党史上初めて群団活動会議が開催された。そして今日のメディアに提供したプレスリリースの中で、次の

(1)「共産主義青年団」の略称で、中国共産党の青年組織。

ような情報が暴露された。この改革案は、「中共中央政治局常務委員会議に中共中央全面深化改革指導小組（グループ）会議、中共中央書記処会議の審議を経て習近平総書記は「何度も重要な指示を出し、共青団改革のために方向を示し、方針を定め、任務を提案した」という。

言い換えると、共青団を代表とする群団活動の改革は、中共十八大以降、中共最高指導部による幾度の討論、研究と指導を経て、その規格の高さを伺い知ることができる。事実、我々が知るように、中共十八大以降、習近平は多くの分野で座談会を開催した。しかし、共青団のように、全体案で一つの体系を改革することはあまり多くない。

なぜ共青団の活動をそれほど重視するのだろうか。

位置付け

重要性は位置付けの問題に関わる。

周知のように、中国共産党が創業した「三大法宝」のうちの一つが「大衆路線」だ。革命戦争期に中国共産党が人心を獲得し、建設期に国家が弊害を取り除き、衰退した時局を振興させたのも、中国共産党と大衆の水と魚のような関係のおかげだった。しかし、言うまでも無く、現在の中国では、政府側と民間の間に多くの誤解と矛盾が存在するせいで、世論が引き裂かれ、社会の流動性が悪く、社会事件に対する大衆の効果的な参加が不十分であり、社会の団結力と求心力が不足している。これが習近平の言う「人心こそ最大の政治」というものだ。

特に現在の中国では、改革の深化にせよ、成長モデル転換・アップグレードにせよ、イノベーション・

起業にせよ、社会の調和・安定にせよ、結局のところ、大衆によるものであり、国民によるものだ。これが根本的な活路であり、更には中国共産党の全ての活動の出発点と着地点だ。その中でも、青年の役割は特に重要だ。

このような背景の下で、共青団を代表とする群団組織の意義は顕著に現れ始めた。それは国家の意志を受け継ぎ、大衆を団結させ立ち上がらせられるのだ。

「改革方案」では、共青団は「党の助手と予備軍」、「政府が青年をつなぐ架け橋でありかなめ」であると強調している。言うまでも無く、これは「未来」に関わる組織だ。団員の多くは党員になり、青年は社会の大黒柱に成長する。共青団の活動がうまく行くかどうかは、「人生の最初のボタンをうまくかけれるか」という問題に大きく関わってくる。

もっと興味深いのは、「共青団改革の推進は、厳格に党を治める一環で、共青団を活性化させる重要な措置である」という演述だ。改革で活力を吹き込むという演述はよく見られるが、これを「厳格に党を治める」の一部に含めたのはあまりよく見かけない。その特殊性はいうまでもない。

問題

改革をするということは、目下に問題が存在しているということだ。中共中央巡視チームから共青団中央にフィードバックした意見によると、問題は「機関化、行政化、貴族化、娯楽化」に要約できるという。二〇一五年に人民日報の論説委員は群団組織の問題について、「役所風」、「職能が同一」、「代表面が狭い」、「内容が乏しい」と指摘した。

要するに「大衆からの離脱」ということになる。このまま行くと、共青団は青年から疎外され、党政から疎外され、組織としての存在価値さえ失うことになる。

「侠客島」はかつてこのような「疎遠化」を解読したことがある。一方で、大衆組織は社会管理の中では疎遠の立ち位置にあり、政治生活と公共事務の管理に効果的に参加することができない。もう一方で、大衆組織だが、大衆の中では疎遠にあり、官位の立場をもっているので、真に人民大衆の代表にすることはできない。この二つの欠陥に対して、上には政治参加の通路を開け、下には大衆に接近しなければならない。この点は役所風を克服し、党政機関との区別を保ち、群団組織の行政化傾向を逆転させなければならない。同様に、群団組織内の人々の過度なエリート化を避け、より多くの一般大衆を受け入れ、代表にならなければならない。

局面を打破する

今回の改革方案も、問題の方向性が明らかに見られた。基本的には「機関化、行政化、貴族化、娯楽化」の改革に向かっている。

例えば、大規模な機関施設から出にくい機関化、行政化について、『改革方案』は共青団中央で機関の行政編制を簡素化し、元の職務を維持したまま下部組織で働く幹部を増加し、「年齢による職級の段階的逓減」をやらない。同時に、下部組織への異動を強化し、「機関の幹部が下部組織の第一線で活動を展開するよう推進し、共青団中央の幹部が下部組織に異動するのを常態化させ、そのメカニズムを完備させ、機関幹部は資料の山や無数の会議、機関ビルから抜け出しなければならない」と強調した。

「貴族化」「娯楽化」に対して、共青団中央幹部機構の中で「下部組織と第一線の団の幹部や団員の比率を明確に上げる」として、全国津々浦々で、「きまった形にこだわらない党員、団員から優秀な人材を選抜する」とした。共青団の幹部は直接青年と連絡を取り、「各専門職、役職についている共青団の幹部は常に百名前後の異なる分野の青年団員と連絡を取り、兼業の共青団幹部は直接十名前後の一般青年と連絡を取る」ようにする必要があり、活動を着実に行い、常に青年の声を聞き、彼らと交流するのだ。

実は、このような動きは共青団体系の内部では既に行われている。二〇一五年九月、共青団中央は第一陣として三百八十六名の共青団幹部を県レベルの共青団委員会に派遣し、活動を展開した。これは共青団中央と共青団の省（自治区、直轄市）委員会機関幹部が「常態化して下部組織に沈下する」仕事の一部だ。彼らの計画では、二年間で四回に分け、毎回選ばれた四分の一の幹部を県（区）の団委員会に派遣し、四ヶ月働かせるのだ。第一陣の三百八十六人中、四十八名は局長級幹部、百八十名が処長級幹部だった。

一方で、共青団中央の外出調査、定点調査、定点連絡の制度も建設している。筆者と親しい何名かの共青団中央の友人は、いつも連絡しても北京には居らず、聞くとみな地方の調査に向かっていた。行政機関の定員を減らし、監査機関の定員を増やすのは、上海などの共青団改革で既に早めに実践して経験を総括するのだ。

予想できるのは、共青団の全体改革を先頭にして、今後、群体組織が続々と改革される可能性があるということだ。そして共青団の改革は、他の群体組織改革の見本なのだ。

殲-20がいよいよ登場！当時のアメリカはばかにしていた

二〇一六年十月二十八日
司空小剣

中国空軍のテストパイロットが第十一回中国航空展で殲-20型機の飛行展示を行う！

中国空軍スポークスマンの申進科大佐が十月二十八日に北京でこの情報を発表した後、多くの人々の不安だった心がようやく落ち着いた。これまで、殲-20が今回の中国航空展で展示されるというのがたくさんの情報や資料で密かに漏洩されていたが、軍方の権威ある声明で確認はされていなかったのだ。

二〇一二年の第九回中国国際航空宇宙博覧会で、一人の軍関係者は黒山のような人の群れを見ながら、「本当に不可解だな、なぜこんなに多くの人がここに航空展を見にくるんだ」と感動と疑問を持って筆者に尋ねていた。筆者は奥に恨みを潜めるように彼を見て「航空展を除いて、中国の民間人が間近で公開された武器や装備を見れる場所を見つけれるか」と言った。

しかし、わずか四年後、多くのことが大きく変化し出したのだ。

中国空軍航空兵による遠距離飛行訓練の実施を積極的に発表してから、吉林省長春で航空イベントを一般大衆に開放し、更には中国が独自で開発した新型ステルス戦闘機が初めて中国航空展で公開されるのに至るまで、筆者は中国の軍事発展を長年注視してきたジャーナリストとして、中国空軍が明らかにした自信と開放性を目の当たりにしたのだ。

殲-20現象

中国のインターネット上で、殲-20は二〇一一年一月に初めて飛んだが、ここ六年間は関連報道があれば、必ず各軍事メディアのトップ記事となり、殲-20の進化の進み具合は、一歩一歩全て生放送に近い形式で人々の前に現れた。言ってみれば、殲-20は中国軍事上の一つの奇跡に限らず、中国インターネット媒体の一つの奇跡であるのだ。まさに「殲-20現象」なのだ。

それで、殲-20はなぜこんなに熱いのだろう。どうしてこうも盛り上がっているのだろう。

古くからの軍事のファンとして、筆者の回答は、二〇〇六年十二月二十九日にCCTV（中央テレビ）のニュース番組「新聞聯播」で初めて殲-10に関する情報が公開された。しかし僅か四年後、殲-20が突然と誕生した。このような「世代を越えた」喜びは誰も予想にしなかった。更に重要なのは、殲-20の出現は、アメリカがステルス戦闘機の分野での独占的地位を打破し、中国人に初めて中国の軍事がある分野でアメリカを追い越す可能性を見せた。

それまでの二十年間、中国人に屈辱的に感じさせた銀河号事件(1)、中国駐ユーゴスラビア大使館爆撃(2)、海

（1）クリントン政権発足直後の一九九三年七月、米CIA（中央情報局）が、中東を航海中の中国の貨物船・銀河号に対して、「イランに密売する化学兵器の原材料を積んでいる」として、米軍艦と軍用ヘリで包囲。公海上に留め置き、三十三日間にわたって船内を徹底調査した。

（2）一九九九年五月に米軍の爆撃機がベオグラードにあった当時の中国駐ユーゴスラビア大使館を爆撃し、三十人近い死

南島事件[1]の背後には、どれもアメリカの影があった。殲‐20の出現は、多くの中国人の心に長い間漂っていた暗雲を払拭させたと言える。

ここまでの文で、筆者は多くの人が、なぜ殲‐20が初めて飛んだあの日に、たくさんの人がテレビの画面に向かって涙を流し、たくさんの人が自らを酩酊させたかを理解しただろうと信じている。

アメリカ人の予言を打ち破る

面白いことに、殲‐20の初飛行は、アメリカ人も深く震撼させたのだ。

アメリカの元国防長官であるロバート・ゲーツは彼の回顧録『Duty（任務）』という本の中で、彼と中国の前国家主席胡錦濤との間に起こったエピソードを語っている。二〇一一年一月にゲーツ氏が中国を訪問した時、中国は「たまたま」次世代のステルス戦闘機殲‐20のテスト飛行を行い、実力を誇示した。ゲーツ氏は彼の「親しい人」の分析を引用して「これは私にとって最大の侮辱だ」と話した。テスト飛行から二時間後、胡錦濤主席は「これは予定された科学テストだ」と簡単に説明した。しかし、ゲーツ氏の回顧録の中では、「私は中国人の説明を信じない」と語られている。

そしてこのゲーツ氏こそ、かつて二〇〇九年に中国は二〇二〇年までにステルス戦闘機を保有しないだろうと発言していた。

（1）二〇〇一年四月一日に南シナ海の上空でアメリカ空軍の戦闘機と中国の戦闘機が空中で衝突し中国軍機のパイロットが行方不明になり、アメリカ軍偵察機は大きな損傷を負った。傷者を出した事件。

申進科大佐は、殲‐20は将来の戦場のニーズに応じて、中国が独自に開発した次世代ステルス戦闘機だ。現在、殲‐20の開発は計画通りに推進されており、同機は中国空軍の総合作戦能力をさらに向上させ、中国空軍が国家主権、安全保障、領土保全の神聖な使命をより一層担っていくのに役立つだろうと紹介した。

殲‐20はどれほどすごいのか

本格的に服役した殲‐20の最優先の任務は、大深度範囲で優先的に相手の早期警戒機や電子戦機などの高価値目標を優先的に捕捉し、相手の対空戦闘機を撃墜して仲間が安全に飛行できる通路を確保することだ。その後の他の機種、たとえば戦闘爆撃機、爆撃機などは、その基礎の上で戦闘を行うのだ。全ての戦闘過程の中で、殲‐20の最大の目玉は誰もが慣れ親しんだ超音速巡航や機動性ではなく、独自のセンサーと戦場ネットワークの状況認識能力を利用することだ。「ネットワーク化」された殲‐20は他の先進装備とともに部隊全体の戦闘能力を向上させることができ、空中戦力の「倍率器」とも言うべきだ。

また、軍事に関心の愛好家はご存知かもしれないが、中国のインターネットでは殲‐20の発展に伴う大きな議論があり、それは殲‐20の総合性能だ。

筆者が思うに、ステルス戦闘機にとって、その研究開発、生産、試験飛行の仕事はきわめて復雑なシステム工学であり、我々はその厳格な科学研究規則を尊重し、理性的に殲‐20に対する明らかに高めたり貶したりする言論に対応していく必要があるのだ。

中国の未来の正式な第一号ステルス戦闘機として、殲‐20の最も重要な任務は、ステルス戦闘機が空中作戦理論、軍事装備及び作戦方法に与える大きな影響を中国空軍に理解させることであり、ステルス性やパワートレインなどの単元的な性能を無理に求めているわけではない。

しかし、その優れたステルス設計と先進的なアビオニクス、兵器システムにより、現在の殲-20は中国周辺に出現する可能性のあるいかなる第四世代戦闘機にも対抗できると信じる理由がある。殲-20の量産と後続の改良を続け、殲-20を代表とした多様な新型戦闘機は、中国空軍に革命的な進歩をもたらし、中国空軍を新たな「ステルス時代」に導くだろう。

簡単に言えば、ロシアの数奇なスホイT-50[1]が完成するまで、殲-20は現在世界で唯一、制空権争いでF-22[2]と互角に戦える実力のある機種になるだろう。そして殲-31、利剣[3]などのステルス飛行機の出現から見て、将来の長い期間の中で、ステルス機の対抗は中米間だけにあるだろう。

第十一回中国航天展まであと三日だけだ。三日後には、殲-20は天地を覆しとどろき渡るような勢いで大衆の前で公開される。公開される時間は非常に限られるかもしれないが、殲-20の犀利の姿と人心を感動させる轟音は、多くの人にとって一生忘れられない記憶になるだろう。

（1）ロシア軍が開発する初のステルス戦闘機。
（2）ロッキード・マーティン社とボーイング社が共同開発した、レーダーや赤外線探知装置などからの隠密性が極めて高いステルス戦闘機。
（3）中国初のステルス無人機。

同志と呼ばれる一言に、あなたは応じる勇気があるか

二〇一六年十一月二十三日
侠客島の小同志(1)

二〇一六年十一月二十三日、「侠客島」のメンバーらは共に座って談笑したり、互いの友情を深めたり、業務の交流もしたりしていた。この部屋の雰囲気は、本当に暖かい。

この時、一人の久しく顔を出さない老同志(2)の東方秋白記者が一つのリンクを送って来た――「河南新郷――国家の職員は官職を呼ばないで一律に互いを同志と呼ぶ」。みんなで見てみると、こんなのでも話題になるのか?と、口々に話をしているうちに、ここにいた中共党員メンバーが、話を始めた。

一

隙間をくぐって独孤九段記者が先んじて発言した。

「私は党内の役職や政府内の役職の呼び方は普通であるべきだと思う。ただ過度に低俗でなければね、

---

(1) 【小〜・老〜】どちらも姓や名前の前に置いて親しみを表す接頭語。
(2) 同上。

例えばボスとか御大の呼び方は大俗すぎる」

「はい、独孤先輩、おっしゃることはよくわかった。安心してよボス」と言いながら、私は手に汗をかいた。

独孤先輩は私をちらっと見てから、今日から、編集部の中で同志と互いに呼び始めると宣言した。

彼は私の目をじっと見つめて「小同志、私はあなたをこう呼ぶと、とても厳かに感じるな」と一字一句言った。

私はその場で顔を赤くした。

東郭栽樹記者は根元を遡るのが好きだ。彼は河南省新郷で配布された文書の全名称を入手した。「新郷市人民政府オフィスの公文転送と公式会議の場における国家職員の呼称の更なる規範に関する通知」という文書には「公文の転送と公式会議の場」という状況が明示されている。

東郭栽樹記者は、「たとえば我々の〝一課三会〟すなわち支部党員大会、支部委員会、党小組会と党課(1)で、互いに同志を称することは極めて正常であり、これらの場合は厳粛であるべきだと言い、党内の政治生活と一般的な社会生活は区別しなければならない」と分析した。

ここまで話すと、最初に話題を提起した東方秋白記者は、時宜を得てまとめた。

「同志を呼ぶときは同志を用いるが、肩書を使うべきときは肩書を使う。ただ過去数年、我々は同志を忘れ、官職を覚えただけで、江湖(2)の味まで加えた」

さて、ここで座談会は終わりを迎えようとしたが、まさか……

（1） 党員に対する党規約教育のための授業を行い、入党申請者を受け入れて授業を受けることもある。
（2） 中国文学用語、武侠小説において、その特定世界を指す。

二

「同志という呼び方は、どのように流行ったのか」

匿名希望の侠客島のメンバーが、銀の鈴のような声で言った。

話せば長くなるが、孫文は「総理の遺言状」の中で、「革命はまだ成功していない。同志は努力しなければならない」と書いていた。これは、ブルジョア民主革命の時代にも、革命党の内部ではすでに「同志」と呼びあっていたことを示している。孫文はさらにかつて、「国内外の同志に告く書」と「南洋の同志に致す書」を発表していた。

中国共産党にとっては、結党時から「同志」というのが固定的な呼称だ。

「本党の綱領と政策を認め、忠実な党員になることを願う者は、党員一人の紹介を経て、性別、国籍を問わず党員として受け入れ、我々の同志となることができる」

この言葉は中国共産党の一大党綱領から出たものだ。[1]

新中国成立後、同志を呼び合うことは一種のモダンであり、体裁のよい伝統となった。改革開放の時、中共十一期三中全会公報の中で、「全体会議は毛沢東同志の一貫した主張を再確認し、党内では一律に同志を呼び合い、官僚の肩書きを呼ばないようにする」と明らかにした。

たとえ今日の午後、九段記者はバスの中でも、あるおばさんが運転手に「同志、このバスは青年路まで行くのかい」と尋ねるのを聞いた。

(1)（一九二一年七月二十三日から八月初めまで行なわれた）中国共産党第一回全国代表大会。

三

「では、河南新郷のこの通達文に何がまずいのか、なぜ一斉に立ち上がって攻撃されたと感じるのだが」

無忌は眠そうな目をぱちくりさせながら、ソファから起き上がる。

老同志たちが見るに、無忌後輩はこんなに勉強が好きなのは、つい嬉しくなってしまう。彼の手を取って、一つひとつ教え込んでいく。

「これは典型的な見出し党[1]で、実際事情に詳しい人はすべて知っており、政府の文書と会議の中では、もともと同志と呼び合っていた。河南新郷の通達文は仕事の仕様書であり、しかも公私がはっきりしていて、党員の日常生活とはあまり関係がない、まして大衆の生活とは」

裁樹記者は、これは断章取義で見物客をミスリーディングし、一種の私的領域が「侵害されている」という感覚を作り出しているものだ、と分析していた。

「真面目な話は〝パターン化〟しやすい。一つの与党が党を治そうとするロジックは、面白半分に騒ぎ立てる見出し党にぶつかってこそ、このような日常を世論のイシューにすることができる」

この九段記者の発言は、みんなにいろんな話を思い出させた。私たちの「侠客島」は、過去の歳月の中で、数えきれないほどの見出し党に出会い、我々を穏当な男の群れに追いやるまでに至った。

秋白記者が無忌記者の手を掴んだ時、無忌記者はすでに目を覚ましていた。「西遊記には金角大王がいて、ひょうたんを持って、〝私はあなたを呼んだら、あなたは応じる勇気があるか〟と聞くと、孫悟空は承諾

（1）見出し党とは、見出しで大げさで人目を引く文字を躍らせる人、人たちのこと。

すると吸い込まれてしまう。あるネットの書き込みはこのように質問し、あなたはあえて指導者を同志と呼ぶ勇気があるか。どのように答えるか」と無忌記者は無邪気に秋白を問い詰めた。

四

いつの間にか午後も半ばを過ぎていた。夕日が窓にひんやりとした空気を吹き込んでいた。人々は続々と通りに出て、夕食の準備をし、もう一つの良い夜を迎える準備をしている。何名かの年配の「侠客島」のメンバーは子どもを迎えに行こうとしていた。

若いメンバーは「これからどうやって息子を呼ぶつもりだ、小同志とでも呼ぶつもりか」と野次をとばした。

「あなた達は、この呼称をめぐる本質的な問題は何だと思う」

秋白記者は意に介さずに衣服を整理しながら「身分だ。〝同志〟という呼称の回帰は、党組織意識、党員意識の復活と覚醒である。過去数年間、多くの人が〝自分の第一身分は共産党員だ〟ということを忘れてきた」と自問自答した。

「本質的に、これは党の組織が現代中国でどのような存在なのかを答えるものだ。呼称は入り口にすぎず、深く追求するのは、党員の身分を認める問題であり、同志を呼び合うことを要求するのは、このような身分の強化である」

九段記者はそう言うと、つい三つの意見を提出してしまった。

第一に、職務を問わず、党内で互いに同志と呼ぶことが優良な伝統であること。第二に、互いに党内と政府内の職務を呼ぶことができるが、党内会議、文書は互いに同志と呼ぶこと。第三に、多くの俗語化された呼称は、明確に禁止すること。

思わず口にした指導精神に、部屋から拍手が起こった。

「もう一つ問題がある。同志の呼称は組織内の平等だが、中国はこれまで大義名分を重んじ、長幼尊卑の秩序を重んじてきた。同世代の間で同志を呼び合うのはまだしも、目上の人に対してこう呼ぶのは、どうも不敬だと思う」

このことを言いだすと、九段記者自身にも、いくつかの戸惑いがあった。

「これは大したことはない。同志と言うのは共同理想を強調し、一緒に努力するためだ」と栽樹記者はその迷いを解きながら、解決策を出した。

「〝同志〟の前の言葉遣いでも、メッセージを伝えることができる。たとえば、独孤九段同志、九段同志、あるいは小独孤同志と呼ぶこともできるが、伝えられる感情や意味はそれぞれ違うのではないか」

五

夜は更けた、メンバーたちはこの対話を写し、党員全員に送ることを決めた。

中共中央の不動産市場に対する最新の政策

二〇一六年十二月十六日
明日綾波

毎年の中国の中央経済活動会議は、いずれも重要な舞台となっている。これは中共中央と国務院が年に一度（十二月上中旬頃）、合同で開催する経済関連で最高レベルの会議で、来年の中国経済の基調を決めるだけでなく、中国経済のマクロコントロールの考え方・方針を外部から観察するための良い窓口だ。メディアに提供した会議のニュース原稿で最も注目されたのは、「〝住宅は住むためのものであり、フリッピングのためのものではない〟というスタンスを堅持する」という言葉に他ならない。

確かに二〇一六年の中央経済活動会議では、不動産市場が重点の一つになっている。しかし、今回の会議の方針を整理するためには、「セット」という言葉が必要だろう。

チェーン

一つの経済現象が個別の変数ではなく、複数の要因と結びついており、互いに影響を与え、因果関係を形成している。不動産市場の背後には、非常に典型的な複雑な因果の連鎖があるに違いない。

個人の視角から見ると、一部の地方では、「二人っ子政策を全面的に実施する」がもたらした住宅交換の需要は、「剛需」(1)（硬直的需要）だ。資金は良い投資ルートがないので、不動産市場にも流入している。信用供与が緩和され、資金支援も行われた。需要と供給の関係を見ると、特に一線都市(2)の典型的な土地供給の深刻な不足が地価を押し上げ、不動産価格を押し上げていることは間違いない。

コントロールの観点から見ると、一方で、昨年の中央経済活動会議で決められた「在庫をなくす」政策に対する各地の理解が食い違っており、異なる都市の違いを認識していない。もう一方で、地方の「土地財政」(3)に対する過度ないし奇形的な依存は、これらの政府に地価が高くなる動力を「黙認」させている。また、このような奇形的な依存の直接的な原因は、地方財政収入の減少であり、この減少は中央と地方の財政権限改革の不備、営改増（営業税から増値税への徴税管理方式の変更）などのより深い改革需要と結びついている。

中国社会全体から見ると、不動産市場のこれまでの「高熱」は、実体経済の低迷、（金融市場）に大量に資金を供給する量的緩和政策、人民元の継続的な値下げなどの様々な要因と関連がある。賃貸市場が整備されておらず、一般的に借家より家を買おうとする社会心理とも関係がある。

（1）「剛需」は「剛性需求」の略で、生活必需品のように必ず購入される需要のことを指すが、現在の中国では、多くの場合不動産の需要についていうことが多い。

（2）中国の都市の規模間やランクを示す用語で、全国的な政治活動や経済活動などの社会活動で重要な地位にあり、指導的役割を備え、波及力・牽引力をもった上海、北京、広州、深センを指す。

（3）地方政府の財政が国有地の販売収入や土地・不動産関連税など土 地・不動産に関する財政収入に依存している状 況を「土地財政」と呼ぶ。

そのため、一見ただ一つの「不動産の値上がり」にも、背後にはさまざまな変数がある。それにより、今回の中央経済活動会議では「基礎的な制度と長期的なメカニズム」の重要性が特に強調された。このメカニズムは何に使うのだろうか。「不動産バブルを抑えつつ、浮き沈みを防ぐ」ということだ。

この点を実現するには、「セット」が必要だ。

具体的

実際、中国の不動産市場については二〇一五年以来、中共中央上層部は少なくとも四回の重要な論述（二回の経済活動会議、一回の「権威人士」の文章、一回の政治局会議）があった。二〇一五年末から始まった住宅市場の動向と問題点について、今回の中央経済活動会議では比較的明確な回答があったと言えるだろう。

例えば、二〇一五年と比べて、二〇一六年は「在庫をなくす」の重点を「三、四線都市」に置き、誤解を回避した。言い換えれば、一二線都市はもともと在庫をなくす需要がないから、在庫をなくす理由で土地の供給を引き締め、人為的に住宅価格を引き上げることができない。「不動産価格の上昇圧力が強い都市は、土地供給を合理的に増やし、人口移動の状況に応じて建設用地を配分すべきだ。

また、二〇一五年以降、「在庫をなくす」の口実で、各地でレバレッジをかけて「在庫をなくす」を一気に進められたが、「値上がりして在庫取り」と揶揄されることもあった。急騰する後の買い控え政策の中で、多くの地方政府の政策も簡単で乱暴に見え、投機にブレーキをかけたように見えるが、同時に硬直的需要をも制限している（例えば、実情を無視して一律に処理するように不動産購入頭金の割合を上げること）。これについて、二〇一六年の中央経済活動会議は、マイクロクレジット政策は合理的なマイホーム購入を支持し、投資・投機的な住宅購入への信用貸付を厳格に制限しなければならない」と強調した。

筆者が興味深く感じた新しい表現の一つは、不動産市場の問題で「地方政府の主体的な責任を果たしなければならない」ということだ。これまで、「主体的な責任」という言葉は、反腐敗が不十分な地方・部署の首長が主体的な責任を問われるように、厳格に党を治めるために使われてきた。しかし、何といっても住宅市場政策は「中央がマクロコントロールを行い、各地方がその地域の状況に応じたやり方をしなければならず」であり、まさかこれから住宅価格をコントロールできなかった地方政府にも責任が問われるのではないか。この点は観察に値する。

セット

いわゆる「セット」というのは、全般的に考慮すべきであり、対症療法ではない。一つの政策選択をする時は、様々な要素を考慮しなければならない。不動産市場も経済全体も全て、些細な動きが全局に影響するシステム的な工事だ。

例えば、三線都市や四線都市の在庫をなくすには、「頭金ゼロ」などの単純なてこで刺激を与えるのではなく、都市化のためのセット工事によって、これらの都市の魅力を高め、人々が自然に「足で投票する」ようにしなければならない。地方の土地財政への過度な依存を減らすためには、中央と地方の財権と事務権分配の税制改革を行い、今年中に全体案を出すよう努力しなければならない。

同時に、住宅を購入することが唯一の選択ではなく、「住宅賃貸市場の立法を加速し、機構化、大規模な賃貸企業の発展を加速する」必要がある。また、資金が自然に他の場所に流れるようにするためには、しっかり安定した通貨政策を実行し、国営企業改革の推進、財産権の保護、重点分野のリスク防止などを含め、実体経済を活性化させる必要がある。

もちろん、すべての仕事が不動産市場に集中しているわけではない。しかし、不動産市場を中心に考えれば、二〇一六年の経済活動の考え方も理解できるのだ。一言で社会に正しい「期待」を与える必要がある。社会が不動産相場の高騰と期待され、住宅を買ってその価値が上がるのを待つだけで何もしなくてもいいと考える時、供給の質や仕組みの向上、実体経済への参入、職人精神の育成などは、空中の楼閣になりやすい。不動産市場のバブルも、浮き沈みも、必ずシステミック・リスクをもたらす。

この意味から言うと、不動産市場は一つの風見鶏だ。それは社会資金の好みを反映し、また実体経済の温度と脈拍を体現している。それは一般民衆の経済と生活に対する希望と期待に関わる。更には各地の経済管理政策の精密さ、専門性が試される。言い換えれば、経済全体の中では、それは「小さなテスト」かもしれない。しかし、「小さなテスト」で落第してしまうと、「大きなテスト」の点数も悪くなる。

中国証監会主席[1]が捕まえる「資本の大鰐」[2]は誰か

二〇一七年二月十一日
若渓

「資本市場は大鰐が気違いじみた活動をして個人投資者の血を吸うことを許さず、計画的に資本の大鰐を捕まえて帰らねばならない」

二〇一七年二月十日、中国証券監督委員会の劉士余主席は全国証券先物業務監督管理会議で言ったこの厳しい一言は、瞬く間に拡散された。

劉主席が驚くような発言をしたのは今回が初めてではない。二〇一六年十二月三日、ある演説の時、劉士余は原稿を脱稿して演説し、現在の市場で不当なお金を使ったＬＢＯ[3]（レバレッジ）の業者が土豪、妖精、悪党、野蛮人、強盗を一身に集めた、と非難した。

言葉は驚くほどまでには止まらない。経済担当のＫｅ記者からみると、劉士余主席は杜甫の根強いファ

（1）　中国証券監督管理委員会。
（2）「資本の大鰐」とは、驚くほどの富を手にし、金融界では有力な地位を占めているディーラーやグループを指す言葉。
（3）　買収先の企業の資産や将来のキャッシュフローを担保として金融機関から資金を借り入れ、それを元手に買収を行う方式。

ンであろう。もし前回の「モンスターハント」の話が、リスク資金移動の監督管理への突撃ラッパを吹き鳴らしたのだとすれば、今回の「鰐ハント」論は、さらに想像をかきたてる。結局のところ、「資本の大鰐」という明確な定義のない言葉は、中国資本市場上の人がみんな知っている類いの物の一つだ。

膨大

濁った水の中に潜むナイルワニのように、資本の大鰐は常に見えないほどの巨大な体を持っている。資本市場では三社以上の上場企業を掌握しなければ、大鰐と呼ばれる資格がない。以前名声の最も高い三名の大鰐は、徳隆系の唐氏兄弟、次に湧金系の魏東、明日系の肖建華だ。

たとえば、徳隆系はかつて中国資本市場の神話を演出した。わずか十年余りの時間で、無名の小さな会社から資本千二百億元以上の金融産業帝国に成長し、傘下にウイグルの屯河、合金株式、湘火炬があり、今でもまだ「老三株」という固有語を享受し、かつて中国資本市場の「第一強庄」[1]と呼ばれていたのだ。

この少し前に、新華社が名指しで警告した恒大系、宝能系、安邦系、生命系、日光保険系、国華人寿系、華夏生命系の七大保険資本は、その資産規模がいずれも兆単位といわれるほどで、傘下の上場企業は指を数えても数えられないほどで、その量には目を見張るものがある。当時を席巻した「老三系」も、今の群雄割拠の「七大険」も、新旧の資本の大鰐が掲げた大旗はいずれも「産融結合」[2]である。いずれも中国の

(1) 強い庄屋が操る株。
(2) 産業と金融業が共通の目標と全体的な利益のために出資、持分、持ち株、人事参加などを通じて内在的な結合・融合を意味する。

産業統合をするJ・Pモルガンを演じたいのだ。

しかし、現在でも各資本系の中で投資が増えているケースはあまり見られず、上場企業を産業統合で換骨奪胎しているケースはほとんどないのだ。資産再生の機に便乗し、さまざまなアイデアを注入して株価を操作して大儲けした例は数多い。例えば、二〇一六年、宝能系が前海人寿を通じて南玻Aを吸収合併し、曽南を中心とする創業者グループを追い出した時は、「製造業をやっているお前らが、苦労してもこれぐらい稼げるなら、資本運用をやったほうがいい」と公然と言っていた。

霊能力

体の大きさで言えば、鯨は鰐よりよっぽど大きい。しかし、鰐にはもう一つの絶技がある。それは霊能力である。二〇一三年には、オーストラリアのハリーという名の「霊能大鰐」がワールドカップ優勝を予測した。中国にいる小業者の想像では、資本の大鰐もすべて天地に通ずることのできる能力を持っていて、ときどき驚天逆転の大芝居を演じるのだ。

資本の大鰐のパワーは一体どれくらいなのか。経済担当のKe記者は自分の目で実際見た話を二つした。

数年前、夕暮れの中、上海から来たある大資本家が中部一省を訪れ、車を降りてホテルに着いた時には、省長が自ら引率して迎えた。数カ月後、同省のある上場企業がその大資本家の傘下に入った。この目で見なければ、地方の大役人が資本家の者の前でこれほどまでにへりくだっているとは信じられなかった。

また、湖南省では、一社の悪名高い偽装上場会社の手段の粗末さは人に憤りを感じさせ、直接中国の資本市場制度のベースラインに挑戦したのだ。その不正が明らかになった後、ほとんどの人がこの会社は市場から撤退するだろうと思っていた。しかし、徳隆系の旧部に親しいベテランが酒に酔った時には、受け取り側は深夜にシステム内の大物を一人どうにかして会社の上場資格を確保した。今になって、同社は一転して市場の新しい人気者になった。

そして十年前の太平洋証券上場で見せた資本力は、今でも奇妙に思えるのだ。

奇妙その一——二〇〇四年、云南証券が破産清算に直面したため、中国証券監督委員会は太平洋証券所属の証券営業部及び関連証券業務部門に預託管理を指定した。二〇〇七年まで、太平洋証券は毎年赤字を出してはいるが、それで規範系[1]証券会社の審査を通過しているのだ。

奇妙その二——一つの企業が上場するには、IPOを除けば、借殻上場[2]しかなく、他に道がないのだ。ところが、二〇〇七年証券監督委員会は「太平洋証券股份有限公司の株式上場に関する問題についての回答」を出し、太平洋証券は三年連続で赤字を出して市場撤退の危機に瀕していた雲大科技と株式交換を行い、上場に成功した。更に奇妙に思えるのは、ある名の知れた資本家が後に、太平洋証券は自分のあげた「殻」だったが、「協力しただけ」だったと回想している。

吸血

コンゴの川沿いでは、ライオンだろうとヌーだろうと、川の水を飲む時には細心の注意を払っている。

（1）当該証券会社の各指標が中国証券業協会の規範要求に達していること。
（2）非上場会社が上場会社という殻を買収して上場する。

いつだってそこには一匹、ひいては群れを成した鰐が静かに潜んでいてタイミングを待っている。その時には雷霆の一撃で獲物に噛みつき、水中に引きずり込み転がりながら締め殺し、死骸も残らない。資本市場では個人だけでなく、機構や上場企業にまで大鰐に殺される。人によってはいつも正確に踏み込め、入ったり出たりする間に、ギラギラの金が入ってくる。劉主席はこれを「皮剥ぎ吸血」と呼んだ。

徐翔という人がいる。よく「私募一兄」と呼ばれている。その手法はとても驚くものだ。二〇一一年末、重慶ビールの株価は連続で十一回も連続して下落し、徐翔がそこに討ち入った。しばらくしても引き続き下落しており、徐翔は再び大量にボトムフィッシングをした。その後、重慶ビールは一気に跳ね上がった。徐兄は二〇一二年第1四半期に場を退いたが、数億の利益を得た。

二〇一六年、恒大集団が掲げた概念は大いに支持され、誰かが幸福になれば、すぐに満額になる。だが残念なことに、得する人がいる一方で、損をする人もいるのだ。例えば、梅雁吉祥は恒大集団の「傑作」なのだ。二〇一六年九月二十八日から三十日まで、恒大生命は梅雁吉祥株九三九五・八三万株を買った。十月二十五日、梅雁吉祥は一日の値幅制限まで価格が上昇した。同夜、梅雁吉祥の第3四半期の経営状況報告書によると、恒大人寿は、持ち株4・95％を保有し、梅雁吉祥の筆頭株主となった。その後、株価は二日連続してストップ高で、十月二十八日には年内最高値を更新した。十一月二日、取引所の問い合わせを受けた後、梅雁吉祥は、恒大集団がすでに十月三十一日に梅雁吉祥の株を蔵払いした、と公告した。それに伴って梅雁吉祥の株が勢いよく売られ、一日の値幅制限いっぱいまで値を下げた。その時、今回の恒大生命の「短く操作」は一ヶ月で一・六億元の利益を得たという試算があった。このようなやり方で、恒大人寿はまた、棟梁新材、国民技術、雪迪龍、平高電気などの上場企業の株を何度投機売買し、かなりの利益を得ていた。

大鰐の前では、「証券市場にリスクがあるから投資は慎重に」と言うのは戯言に過ぎなかった。

鰐を狩る

二〇一五年の「株価大暴落」から現在に至るまで、中国は株式市場と為替レートが共に下落する異常な状況に見舞われてきた。ある経済学者は、株式市場と為替市場の悪性な相互作用は、中国の金融システムの安定性を直撃し、中国経済の運営とモデル転換・アップグレードに対して直接的な脅威となっていると指摘している。

金融システムの腐敗は、金融の安定に影響する毒素になる。そのため、二〇一五年の中央巡視組の第三回巡視では、「一行三会」[1]と四行[2]をカバーし、中信、光大、生命、生保などの大型国営企業も同様に含まれた。その後、「発（行）審（査）皇帝」[3]と呼ばれた姚剛元副主席、張養軍元主席補佐官から、証券監督会発行三処元処長の劉書帆、そして中信証券元総経理の程博明まで、長期にわたって資本の大鰐を庇護してきた多くの「保護傘」[4]が、ひとつひとつ落とされていった。

二〇一六年初頭、当時の呉玉良・中共中央規律検査委員会副書記は二〇一五年金融分野の腐敗防止」に対応した際、腐敗問題は必然的に金融の一部の不正操作を招き、金融分野の反腐敗は本格的に進行するだ

（1）中国人民銀行、中国銀行業監督管理委員会、中国証券監督管理委員会、中国保険監督管理委員会。
（2）中国工商銀行、中国農業銀行、中国銀行、中国建設銀行。
（3）中国証券システムの新株発行、査察などの核心権力を司る。
（4）（よくない人間・事柄を庇護する）後ろ盾。

ろうと指摘した。

金融腐敗摘発の構図も静かに変化しつつある。

世界的な金融危機以降、各国はマクロプルーデンスを軸とした金融監督と構造改革を進めている。中国の株価大暴落も金融業の混業経営と分業監督の弊害を如実に露呈している。二〇一七年の中国全国金融活動会議の開催を控えて、金融監督管理体制の改革が議題に取り上げられ、リスク防止がより重視されるというのが、世間の一般的な見方だ。

劉士余は二度に渡って毒舌を放ち、また少しの情報を漏らした。年明け前にモンスターを捕まえるため、中国証券監督管理委員会と中国保険監督管理委員会は共に戦い、春節後に鰐を獲る時も、劉士余はやはり一人で戦っているのではなかったのだ。劉士余の「鰐ハント」論を公開した二日前、中国保険監督管理委員会の陳文輝副主席も、一部の保険会社を批判し、「物事を行うには、そんな血なまぐさいことをしてはいけない」と述べた。

「国民は結果を待てばいい」と猟師は話を伝えた。やっぱりあの一言の「出てきたんだから、いつか帰るんだよ」だと言っていた。

雄安新区[1]で不動産投機?あきらめなさい

二〇一七年四月七日
公子無忌

二〇一七年四月一日に雄安新区が発足したことが発表されてから一週間、ニュースは持続的に熱くなっている。かつて孫犁の筆下で描いた女性たちが船を漕いだり、談笑したりしながら旧日本兵を討ちに行った白洋淀[2]には、一瞬にして現金と「夢」を持った人々が東西南北から雲集した。

例えば、メディアに登場した話で、北京の人々は四百万元の現金を持って、雄安の小さな権利物件を購入するためにだけにやって来た。ある内モンゴルの「土豪」は七千二百万元で八階建てのビルを購入した。「千年に一回」のチャンスを逃したくなくて、徹夜で雄県に車を運転して家を買う東北の夫婦……猟師が鷹を放ったかのように、サメが血の匂いを嗅ぎついたかのようにだ。

これらの話が真実かどうかはともかく、短期間に雄安に大量の不動産資金が流れ込んだのは事実だろう。筆者がタクシーで帰宅することでさえ、名の知れないラジオ番組内では、司会者がリスナーの「雄安周辺

（1）雄安新区とは、中国河北省に二〇一七年四月一日に設置された国家級新区で、深圳経済特区、浦東新区に続く国家プロジェクトとして位置づけられている。

（2）河北省の安新県内に位置する華北平原最大の淡水湖。

に家を買うかどうか」の問題に答えている。

この人らは困難に打ち合った。或いは、瞬間的なボトムフィッシングや素早い不動産売買のロジックは、まったく別の考え方とモデルにぶつかったのだ。

手配

このような全く異なる考え方とモデルはまず政府の手配と反応から見られる。二〇一七年四月一日、雄安新区設立のニュースが出た直後、不動産投資する人たちは雄安三県の不動産の中古売買の処置が全て凍結されていることを発見した。すべての分譲が直ちに中止されただけでなく、国有地や農村住宅基地の許認可も凍結されたのだ。その後、雄安新区は「住宅は住むためのものであって、投機するためのものではない」という精神を厳格に貫徹し、手付け金、意向金などの変則的な「五証」[1]不備の売れ残りマンションの販売行為はすべて違法であり、取引は法律の保護を受けないと発表した。

三日後、二〇一七年四月四日、雄安新区準備委員会は、不動産違法建築分野の反則が七百六十五件、撤去違建百二十五カ所、閉鎖分譲部七十一社、仲介機関三十五社、掃除反則分譲広告千五百九十七条、厳しく取締ったインターネット分譲不正行為が九件、悪意の投機不動産企業十社に対しては面談し、被疑者七人の逮捕を公表した。

(1) 中国の不働産業者は分譲時に「敷地建設計画許可証」、「建設工事計画許可証」、「建築工事施工許可証」、「国有地使用許可証」と「分譲住宅販売(分譲)許可証」を備えなければならない。

雄安で買えなくなると、不動産投資をする者たちは「退いて次を狙う」ため周辺の文安、覇州などの地域に狙いを定めた。しかし四月五日になると、雄安新区に隣接する覇州市、文安市、滄州市の任丘、保定の徐水区、定興県、満城区、清苑区、白溝新城、高碑店市、高陽県の十地区で、購入制限措置が相次いで発表された。

このような迅速な対応があるのは、事前の手配があったのだろう。実際、読者は以前からこれを見つけることができただろう。二〇一七年二月下旬、中共中央の指導者はすでに当地で新区の座談会を開催していたが、四月一日にやっと情報が出たのだ。雄安新区の情報が出るや否や、河北省ではすでに全省幹部会議が開かれ、凍結、購入制限の動きが急速に続いていたのだ。さらに興味深いニュースは、三月二十八日、雄県の元県委員会書記が深刻な規律違反の疑いで調査されていたことだ。二〇一七年四月六日、中共中央政治局常務委員、京（北京）津（天津）冀（河北）協同発展指導チームのリーダーである張高麗は会議で、「合理的に開発のリズムを把握し、大規模な不動産開発を断固として厳禁し、反則建設の厳禁、周辺の企画や産業や周辺の人口に周辺の不動産価格を厳しくコントロールし、不動産投資や転売の行為を厳しく防止し、雄安新区の建設企画により良い環境を創造する」と表明している。

地方の政策だろうが、中央の態度だろうが、話は既にはっきりしているのだ。

変化

購入制限や交易の凍結だけを見ていても、行政がコントロールしている考えからまだ逃れられない。しかし真の変化は、先に述べたように「考え方やモデルの変化」だ。こうした変化を、昨日の人民日報の記事に見ることができる。
二〇一七年四月五日午後、人民ネット番組の生放送に出演した際、京津冀協同発展専門家諮問委員会副組長の鄔賀銓は、「中共中央が雄安に与えた位置づけは、改革開放の先行区であり、雄安は不動産発展の新しいモデルを試験する」と述べた。鄔賀銓は「伝統的なモデルのほかに、不動産の発展には多くの考え方があり、例えばシンガポールモデルがある」と示した。

不動産の一分野で言えば、雄安新区はすでに改革の重点試験地区であると言えるだろう。「不動産発展の新しいモデルの試験」というのは、口だけではないのだ。

鄔賀銓は「多くの人はこの地方の元の不動産価格がとても低く、ちょうど手出しするチャンスだとは思っているが、我々はすでに過去に不動産価格が暴走してあまりにも速く上昇した時の損を経験しており、また新区に再び同じ轍を踏ませてはならない。雄安が持っている投資家の誘致や企業の誘致のこれらの条件は、不動産価格によって脱構築され、我々が望んでいたものではなく、不動産投資の過程でより多くの利を得るのは一部の投機家たちなのかもしれない」と明確的に語った。

見えるか。不動産投資する者に水を差す理由がないわけではないのだ。中央はもともと雄安新区で新しい開発と管理モデルを実験しようとしているのに、君のほうは旧来のやり方で不動産投機をやろうとするのとは逆じゃないか。許していけない。

モデル

新しいモデルを試すのであるなら、新しいモデルはどうなのか。今はまだ知られていないが、鄔賀銓が挙げたシンガポールの例は興味深い。彼はこう言った。

「伝統的なモデルのほかに、不動産を発展させるにはまだ多くの考え方がある。例えば、シンガポールモデル、すなわち政府が一部の土地を直接管理し、賃貸住宅を建設し、不動産価格がとても安く、住宅を必要とする人が住むことができるようにする」

よく知られているように、我々の今日の公共積立金制度は、実際にはシンガポールから学んできたものでもちろん、現在はまだ多くの管理上の問題があり、デリカシーに欠ける。シンガポールのハウスマネジメントは、簡単に言えば、政府が土地を購入し、不動産価格を制限し、パブリックハウス公共住宅を建設し、国民一人一人が住むことができるという目標を達成する。ここ四年間、シンガポールの住民の住宅保有率は90％以上で安定しており、パブリックハウスの人口は一九五九年の8・8％から二〇一〇年には80％に増加し、そのうち95％が彼らのパブリックハウスを所有している。

シンガポールはどうやったのだろう？

まず、政府は住宅開発局を設立し、同時に「土地収用法令」を公布する。住宅開発局は「安価で質の良い」パブリックハウスを統一開発・建設し、国民に提供することを担っている。「土地収用法令」の規定によると、政府は私有地を国家建設のために収用する権利があり、収用された土地の地価は国家が価格を調整する権利がある。これにより、シンガポール政府は市場価格より価格で全国の80％の土地を取得し、パブリックハウスの建設に使用することができたのだ。しかし土地の20％は私有地で、市場化された売買が可能だが、私有地の不動産価格はパブリックハウスより二～三倍高い。

安価な住宅を十分に供給するだけでは、不動産投資の現象を止めることはできない。そのため、シンガポール政府は、パブリックハウスの使用に厳しい規制を設けている。購入数、購入資格（国籍、所得、結婚状況など）については、細かいことは何も決められていなかった。例えば、一つの核家族は一つの住宅を持つことしかできず、新しい住宅を購入する場合は、現在住んでいる住宅を退出すると規定する。パブリックハウスは売ることはできるが、十年以上は住まなければならず、売っても転売税を払わなければならないため、不動産投資を抑制することになる。

シンガポール政府の公共積立金政策は、土地が豊富で、価格が手頃で、不動産投資することが難しいことに加えて、住民に強力な資金支援を提供していることだ。この強制的な政策によって提供される資金は、住民の毎月の住宅費用の支出をカバーすることができる。シンガポール政府は、住民のために最後の部分まで考慮したと言えるだろう。

面白いことに、シンガポールの住宅開発局のオフィスビルの黒い大理石の壁には、唐の詩人杜甫の名句「安んぞ広廈の千万間なるを得て、大いに天下の寒士を庇ひて倶に顔を歓ばせん、風雨にも動かず安きこと山の如し」が刻まれている。

シンガポールは都市国家であり、管理の難しさは中国のように土地が広く、地域差が大きい国とは比べ物にならない。しかし、最初の面積が百平方キロメートル、将来的には二千平方キロメートル未満の新エリアとしても、シンガポールのモデルはまだ参考にすることができるだろう。鄔賀銓は、「私たちは雄安が革新的な起業家を惹きつけることを望んでいる。若者や志のある人が行くことを望んでいる。彼らは一度にこんなに多くのお金を家を買うことができないが、政府は大量の公共賃貸住宅を持って支えることができる」と指摘した。

任務

なぜこのような考え方やモデルの変化が起きたのか。

すでに前文で「我々はすでに過去の住宅価格の暴走による急激な上昇での損失をしており、パブリックハウスではこれ以上同じ過ちを繰り返させてはならない」という鄔賀銓の言葉を引用した。実際、雄安新区建設の情報が発表された時、中共中央と国務院の知らせた内容では、雄安新区の意味は、「北京の非首都圏機能の集中的疏解、人口密集地域の経済を最適化する新モデルを開発の探究、都市の最適化京津冀の配置と空間の構造調整、イノベーション駆動成長の新エンジンの育成」にあるのだ。もし雄安新区が依然として「土地財政」[1]の古い道を歩み、土地を売って現地のＧＤＰ（国内総生産）を高め、不動産投機で土地の価格を押し上げて在庫をなくすならば、新区設立の本意とは全く逆の方向だ。

実際、北京、上海、深センなどの一線の都市では、ここ数年、不動産価格の上昇があまりにも速いことによる懸念を感じ始めている。優秀な人材は定住できない、住宅が買えないなどの理由で流失してしまう。優良企業は人件費や地価の上昇などで移転を検討してしまう。不動産による都市階層の固定化、貧富の格差、社会対立などのリスクは、社会的大試練に直面する慢性的な疾患だ。

中国全土に目を向ければ、上の論断は依然として成り立つ。実際、「しっかりやって国を誤らせ、ビルを購入して国を振興する」というジョークの背後には、すでに経済学者が現在の奇形的な不動産発展に拉致される発展の心配を検討したことがある。一方で、土地の所有権や所有権が不平等な状況の下で、土地

（1）　地方政府の財政が国有地の販売収入や土地・不動産関連税など土地・不動産に関する財政収入に依存している状況。

を売って計画外の財政収入を得る地方の土地財政のパターンは、誰にも危険を及ぼすが、中毒のように止まらないのだ。一方、不動産、不動産購入者、銀行などは巨大な利益共同体を形成し、資金の流れを吸い、より資金が必要な実体経済を阻害するのだ。鬼城(1)の先例が目に浮かぶ。危険そうに見えても誰も止めることができない不動産駆動のモデルに蓄積されるのはもちろんバブルとリスクだ。

この視角から見ると、政策の決定層は雄安新区が引き続き土地を売り、不動産を売り、ＧＤＰをけん引する従来の道を歩むことを望んでいない。結局、雄安新区は非首都機能の解消を担い、未来に進むべき道はイノベーション駆動型の道である故に、最も必要なのは人材と優良企業だ。これは将来中国が歩かなければならない道だ。したがって、この白紙一枚の雄安新区を選択して試行し、経験を総括し、ゆっくりと歩みを進めていくことは、中国の改革開放以来の一貫した改革論理にも合致する。

鄔賀銓が語ったように、雄安新区を通じて不動産を発展させる活路を見つけれるのかと同時に、不動産価格を抑え、民衆の住宅需要を保障する道も、「雄安新区の一つの任務」だ。もちろん、これは決して楽な任務ではないのだ。

(1) 中国では、特に投機目的の不動産投資と開発運営事業の失敗により完成しないまま放置されたり、人々が入居する前に廃れた都市や地域を指す。

中国産の大型旅客機は組み立て品?ばかにするな

二〇一七年五月六日
千里岩

二〇一七年五月六日のトップ記事はＣ９１９だ。登場からテスト飛行までの一年半の時間の中で、この飛行機のために、ネット上のユーザーたちはもう何回も苦闘していた。驚くべきことに、この論争の「ポイント」は、どれだけ売れるかという技術的な指標ではなく、「この飛行機は自社製品なのか、組み立て製品なのか」という点だ。

組み立て

もし分解式のようにＣ９１９を分解するならば、この飛行機は確かに組立品だ。機体の外装は中国航空工業の各会社の製品から、重要な部品であるエンジン、燃料制御システム及び重要な飛行制御ソフトウェアは米国、フランス、ドイツからのものだ。しかし、Ｃ９１９がこの程度だと考えていると、見事なものを逃していることになる。

筆者は今日ウェイボー[1]（weibo）を見ている時に、ある素晴らしいリプライを見つけた。「エンジンは国産のものか」という問いだ。この問いは、まるであなたが家を建てて喜んでいる所に、私がドンドンと駆け寄って「レンガは自分で作ったものか」と聞くようなものだ。

実際、ある種レベルでは、飛行機を作るのは家を建てるのとほとんど同じだ。砂、セメント、レンガを買い込んで、図面通りに作らねばならない。その為、家の善し悪しのカギは、第一は設計、第二は建設業者が手を抜いてはいけないこと、第三は買った材料に耐久性があることである。同様に、多くの国から調達した部品や設備は品質の信頼できる建材だが、Ｃ９１９の全体的な設計や組み立て過程は中国の会社が完全に掌握している。Ｃ９１９における設計の重要性に疑問を持つ人は少なくない。それなら筆者は一つ話を語ってくれた。

当時のドイツ皇帝ヴィルヘルム二世は、イギリスと造船を競い合うのを好んでいた。この二世祖は心がむずむずして、自分も参加したいと思っていた。そこで彼は何人かの著名な造船家を招いて、彼の設計の鑑定をした。数週間後、造船家はその設計案を送り返し、次のような意見を書いた。

「陛下、あなたが設計したこの軍艦は、比類なく威力があり、頑丈で、非常に美しい軍艦であり、空前絶後のものだと言える。そのマストは世界で最も高く、大砲の射程は世界で最も遠いものになるだろう。あなたが設計した艦内設備は全ての乗員に快適と感じさせるだろう。しかし、この光り輝く戦艦はただ一つ欠点がある。これは水に入れればすぐに沈んでしまう、鉛で鋳造されたアヒルのような

（1）　新浪公司が運営する、中国最大ともいわれるソーシャル・メディア・プラットフォーム。

ものだ」

そのため、「デザイン専攻」よりも実践的な「理念」をいかに実際活用するかが重要なのだ。どんな素晴らしいアイデアも、確実な操作性がなければ「空想」でしかない。空想の産物は博物館で鑑賞するのに適していて、現実の場面では災難になるだけだ。

全体組み立て

設計と材料の次は、「建築屋」についての問題の話をしよう。全体の組み立てに技術は含まれているのか。もちろんある。質問者の論理に従えば、誰でも家を建てることができるということになる。しかし、どれ程の人がこのスキルに長けているのだろうか。どうせ筆者は毎日「レンガを運ぼう」と言っているが、自分で家を建てたさせるのであるなら、少なくとも自分で建てた家に住む勇気はない。

工業製品であれば、品質が信頼でき、標準を安定させたければ、組み立て生産の工程全体が合理的かつ効率的であることが非常に重要である。自動車であれば、壊れて荒野に投げ出されてもなんとか助かるが、高度一万メートルを飛ぶ飛行機では、万が一の品質不良の際、挽回できる機会はあまりない。

製品標準の安定性も重要だ。「第二次世界大戦」当時の日本の戦闘機はかなり素晴らしかったが、彼らのエンジンのピストンリングは、経験豊富な整備兵がヤスリを持って少しずつ修正していくことが多かった。どうしてだ？ピストンリングの技術レベルが基準に達していなかったからだ。

そのため、生産過程の問題をうまく解決できなければ、最終的に作ったものは飛ぶことができたところで、代価とりてコストが高くなる。C919は商用機であり、もしコストが高すぎると、「億単位のズボンを飛行機と交換する」という恥をどうやって払拭するのだろうか。

というよりも、この飛行機は自分たちで生産したもので、何を購入するかは、すべて生産メーカーが自分たちのニーズに合わせて作ってくれるのだ。マイクロソフトが、今アーキテクチャ開発をしていて、具体的なプログラムはインドの下請け会社に任せているのと同じようなことなのだ。もしもこれでウィンドウズテン（windows10）はインドのものだと言ったら、マイクロソフトは納得してくれるだろうか。

交代

「材料を買う」ということは、確かに些細なことではない。筆者はこれまで部品の国産化率問題には追求したことはなく、高い国産化率こそ「メイドインチャイナ」の真の必殺技だと考えてきた。しかしこれはあくまで商用機であって、明日の戦争に使う軍用機ではないのだ。経済がグローバル化した今、なぜ国際的に材料を仕入れて、自分で設計して組み立てていくという発想を通して、まず製品を作り出さないのだろうか。そうなれば、設計や生産のレベルを実践的に高めながら、各系統の国産代替率の問題を解決していくことができるのだ。しかも、現在エンジンの国産化には明確なスケジュールがあり、他の多くのシステムも実は合弁の形式で調達している。これは慣れ親しんだパターンであるため、心配はいらない。

逆に言えば、一つ一つの部品を国産化するために、設計や製造チームに呆けて待たせるのは、明らかに問題解決の正しい方法ではない。グローバル化の時代には、如何に低コストで効率的な成果を上げるかが我々の目標になるのだ。

もう一つ注意すべき点がある。Ｃ９１９は中国でテスト飛行に成功すればいいというものではなく、アメリカと欧州の関連部門の認証を受けなければならないのだ。何しろ、Ｃ９１９がこの二つの地域に飛べなければ、アジアとアフリカの潜在的顧客への魅力も低下してしまうのだ。Ｃ９１９は、西側諸国が主導する業界標準市場に対して、さまざまな技術的障壁を迎え撃つ必要がある可能性が高い。その際、部品を国際的に調達することで、Ｃ９１９が欧米の偏見や警戒心を乗り越えることができるかもしれない。

「メイドインチャイナ」のシンボルプロジェクトとして、中国国産の大型旅客機が初飛行に成功したものの、最初の納入は二〇二〇年になる可能性がある。うまくいけば、その時点で、Ｃ９１９のコア技術は国産化され、特にエンジンには本格的な「中国コア」が使われることになるだろう。私たちもその日が早く訪れることを期待している。

中共中央政治局会議はなぜ「ゾンビ企業」を重視するのか

二〇一七年七月二十七日
庖丁騎牛

二〇一七年七月二十四日、中共中央政治局は会議を開き、経済情勢を分析・研究し、下半期の経済活動を割り当てた。筆者の注意を引いたのは、記事の中の「ゾンビ企業」の扱いにしがみつき、市場メカニズムをより多く運用して優勝劣敗を実現するという表現だ。

その前の中国全国金融活動会議では、「ゾンビ企業」について、習近平総書記は「国有企業のレバレッジ率の低下を最重要課題とし、〝ゾンビ企業〟の処理をしっかりと行う」と強調した。なぜ「ゾンビ企業」への対応をここまで言及したのだろうか。

データ

簡単に言えば、「ゾンビ企業」とは、長期的に赤字を出し、財政や銀行からの「輸血」で生存し、成り立っている企業のことだ。二〇一六年の中国国務院国有資産監督管理委員会の調査結果によると、中央企業が特別な処置と管理を必要とする「ゾンビ企業」と特定の困難がある企業は二〇四一社で、資産三兆元に及ぶのだ。また、二〇一六年に中国人民大学が発表した「中国ゾンビ企業研究レポート」によると、電気、熱、冶金、石油加工などの業界で「ゾンビ企業」の割合が高く、鉄鋼業界が51・43％、不動産業が44・53％、建筑装飾業が31・76％となっている。同レポートはまた、所有制を見ると、国有企業と集団企業の中で「ゾンビ企業」の割合が最も高く、民間企業、香港・マカオ・台湾企業および外資企業の中の割合をはるかに上回っていると指摘している。このように、「国有企業のレバレッジを下げることが最重要」であることがわかるのだ。

なぜ長期的に赤字が続いているのに、市場から出られず、銀行から輸血を受けているのだろうか。

依存

業種分布を見ると、「ゾンビ企業」は主に鉄鋼、石炭、電力、冶金、石油加工などの伝統的経済部門と生産能力過剰業種に分布している。中国の高度経済成長の三十年間に、これらの業界は都市化プロセス、インフラ建設のために絶え間なく「鉄筋コンクリート」「鉄公基」を輸送し、中央と地方政府のために相当な税金に貢献し、また大量の雇用を解決し、社会保障機能を担った。

毎回国際金融危機の後には、伝統部門が経済の安定剤として使われる。特に国際金融危機後は、外国の需要が打撃を受け、輸出量が急激に低下し、「四兆元」を代表とする投資計画とそれに伴う金融緩和、伝統的な投資というトロイカが中国経済の増速をV字反転させた。

しかし薬の処方があまりにも激しいと、執行するとすぐ混乱し、盲目的に生産能力を引き上げ、大量の借金を抱えるなどの後遺症をもたらし、経済構造のモデル転換とアップグレードのペースを遅らせるのだ。

現在、皆は更に明確に見えている。土地、労働力などの要素の価格はますます高くなり、資源、環境の制約はますますきつくなる。「ゾンビ企業」は自己造血能力がさらに不足しており、財政補助金、融資、資本市場への融資や借金による「輸血」に頼るしかない。

リスク

中共中央がこのように「ゾンビ企業」への対応を重視するのは、そこに潜むリスクのためだ。二〇一六年三月、初の地方国営企業による違約事件である東北特殊鋼違約事件が発生した。東北特殊鋼は二〇一五年第1期の八億元の短期融資債権がデフォルトとなり、七月までに七件の債権が連続で違約した。十月、東北特殊鋼は破産再建の手続きに入ったのだ。これは地方国営企業の苦境の氷山の一角を明らかにしただけでなく、債務の違約の暗雲が投資家の心を覆い始めた。その後、山東省、山西省、内モンゴル、安徽省などの多くの地域の国営企業の債務返済にリスクが生じ、さらには危機が生じた。「地域金融リスク」とはこれのことだ。

リスクはあるが、銀行、政府、企業の特殊な関係の中で、地方政府は行政手段を通じて「ゾンビ企業」を保護する傾向があり、債務リスクを隠している。たとえば、二〇一六年五月には、河南省は「貸付金の早期回収・企業への貸し出しを遅らせる告知制度を確立し、正常に返済して利子を支払い、全体の与信条件が変化していない企業に対して、各銀行は原則的に貸付金の早期回収、企業への貸し出しを遅らせること、あるいは信用条件を増やすことで融資を続けないことを行わない」という措置を打ち出した。河南省の一部の石炭、電解アルミニウム、鉄鋼企業は、このような政策を通じて信用貸付の規模を維持した。

リスクを処置するには、レバレッジを下げなければならない。中国国家統計局のデータによると、ゾンビ企業の平均貸借対照率は72％で、一般企業の平均51％を大きく上回っている。たとえば鉄鋼業界では、二〇一六年の中鋼協会員の平均負債比率は69・6％で、そのうち負債比率が低いのは中小企業で、大企業十一社は90％を超えている。

中国国家貸借対照表研究センターのデータによると、二〇一六年、実体経済部門のレバレッジ率は227％にまで達した。二〇一五年には、中国の実体経済部門の利子支出はGDP増加量の二倍これは、中国の経済債務返済によるプレッシャーがすでに相当なものであることを示している。また、二〇一六年に中国政府の債務負担がGDPに占める割合はすでに55・6％に達した。非金融企業の債務のうち、また70％程度が国営企業と地方の融資プラットフォームの債務だ。国営企業の中には、石炭、鉄鋼、有色、化学などの過剰生産の産業が含まれている。

どのようにこのような債務負担を解決するかは、多くの地方の管理者に対する厳しい試練で、特に中央政府が地方債に対して剛性の買い戻しを破り、中央政府が最終の借金返済を保障しない政策を提出した後なのだ。

どうするか

「ゾンビ企業」への対処は膨大なシステムの工程だが、その中で「人はどこへ行くのか」、「お金はどこから来るのか」、「借金はどう返済するのか」というのが最も基本的かつ重要な問題だ。

習近平総書記はかつて中央財政経済指導小組（グループ）会議で、「転職、就職、再就職訓練などの各仕事をしっかりと行い、社会保障と生活救助の底を突く役割をうまく発揮しなければならないのである。様々な状況を区別し、効果的な債務の処理方法を積極的に検討し、モラルハザードを効果的に防ぐ必要がある」と強調した。国務院人社部の尹蔚民部長は三月、二〇一六年に鉄鋼と石炭の過剰生産能力を解消するために、二十八省の千九百五社の企業が関与し、七十二万六千人を雇用し、二〇一七年に過剰生産能力を解消するには、約五十万人の労働者を雇用する必要があると示した。

「ゾンビ企業」への対応は当然必要だ。歴史を振り返ってみると、二十世紀八十年代の中国国有企業の改革は、計画モデルが自主経営、自己損益の道に向かっている。二十世紀九十年代末には、M＆Aと再編、出資転換やリストラ、人員削減、増効などの措置を通じて、多くの国営企業が総合力を高め、国際舞台に向かったのだ。

しかし、同様に「ゾンビ企業」への対応も「同一の方式でばっさりと処理する」ではいけなく、「管理を厳しくすると死ぬ」現象を引き起こすのだ。一時的に経営困難に遭遇したが、管理、ブランド、技術の面で一定の競争力と成長性がある企業に対しては、合併、混合所有制の改革を通じて、企業に活力を取り戻させることができる。連続赤字、構造調整・モデルチェンジアップに合わない「ゾンビ企業」に対して、「権威人士」が人民日報で指摘してように、「確かに救いようのない企業は、閉鎖すべきものは断固として閉鎖し、破産すべきものは法に則って破産すべきであり、ともすれば〝出資転換〟をしてはならず、〝抱き合わせ販売〟式の再建をしてはならない」のだ。

その意味では、「ゾンビ企業」への対応が中国経済の最重要課題になっていることも理解できるかもしれない。

第一に、「ゾンビ企業」を処置し、M＆Aと再編で過剰な生産能力を淘汰し、集中度を高めることは、サプライサイド改革を実現するために有利だ。宝鋼と武鋼を代表とする中央企業の合併は、過剰な生産能力を淘汰し、またリードの優位性を強化し、周期的に業界の淘汰を加速させると同時に、真に「新エネルギーに向けた転換」の要求に合致する戦略的新興産業により良い発展空間をもたらすのだ。

第二に、国営企業の「ゾンビ企業」を処置することは、金融資源を国営部門と民間部門に均等に配分することに役立ち、実体経済に役立てる金融の効率性が高まる。過去の「ゾンビ企業」の過剰な吸血は、民間企業の融資に「クラウディングアウト効果」をもたらし、民間部門は経営効率や雇用創出に有利だ。

第三に、システミック・リスクの防止に有利だ。国営企業の「ゾンビ企業」に対して自発的にレバレッジを除去し、市場化方式が優勝劣敗であれば、政府と企業関係を合理化し、要素価格の歪みを是正することができる。同時に、政府と市場の関係を整理し、各級政府の無理な買い戻しを打破し、地方政府の暗黙的な債務負担を抑制し、規範的な債務融資を実現する。厳格な債務償還の打破のもう一つのメリットは、社会全体のリスクフリー金利の低下を促進し、実体の資金調達コストを下げることだ。

先日、人民日報はシステミック・リスク防止の記事で、「ブラックスワン」も「グレーリノ」も防ぐべきだと言及し、市場で広範な議論を引き起こした。「ゾンビ企業」も、地方債務も、ある意味では「グレーリノ」と言えるだろう。リスクとは、突然の災難やあまりにも小さな問題から来るものではなく、長らく目を背けてきたことから来るものが多いのだ。

中国全国を覆う大督察が、なぜ地方を震わせるのか

二〇一七年八月二十八日
雲間子

環境保護と経済成長の選択は、確かに多くの中国地方政府の難題だ。両者は互いに補完し合い、共に進歩するのが望ましいが、経済モデル転換に陣痛があれば、どのように調整すればよいのか。最近、インターネットでは論争が絶えない。

論争

環境保護を督察する勢いが盛んだ。二〇一七年八月十五日から二十四日にかけて、第四陣の中央環境保護督察チームは八省、自治区に進駐し、累計で一万三千八百二十六件の摘発通報を寄せた。関連地域の立件処罰件数は二千百十五件、処罰金額は九千四百四十九万二千四百元で、百二十二件を立件し、百四十六人を拘束した。面会千百十三人を約談し、千七百九十七人を問責した。

一方では一部の人から非難されている環境保護の「一刀切」[1]問題だ。一部のネットユーザーによると、一部地域の汚染企業の閉鎖・操業停止は農業生産と生活サービス業に大規模に波及し、農民の生産収入と

(1)（実情を無視して）一律に処理する。

住民の正常な生活に影響を与えている。一時、養豚場が閉鎖されたとか、農家の（中国式の）オンドルが撤去されたとか、わが家の魚池が埋められたとか、様々な反対の声があった。

ある人はマクロ分析を行い、環境保護の生産制限は短期的に一部の周期性消費品の価格を支えるかもしれないが、環境保護制限による供給ショックは中期的にはファンダメンタルズにマイナスの影響をを及ぼすだろうと考えられている。

しかし、国務院環境保護部は「制限すべきものは制限すべきだ。今の環境情勢は依然として厳しく、法律を守らない企業も多いからだ」としている。

まさか、環境保護と経済発展は、どちらかを選ぶしかないのだろうか。

データ

二〇一七年六月五日、国務院環境保護部が発表した『二〇一六中国環境状況公報』によると、二〇一六年、中国全国三百三十八の地級市(1)のうち、二百五十四市の環境大気の質が基準値を超え、75・1%を占めた。三百三十八の市のうち、七割以上が基準に達していない。そして京津冀(2)の十三の都市は三大地域(3)の中

（1）中国の行政単位。地区、自治州、盟とともに二級（地級）行政区を構成し、「地区レベルの市」の意味から名づけられた。中国の行政区分は、省級（第一級行政区）、地級（第二級行政区）、県級（第三級行政区）、郷級（第四級行政区）の四段階制度である。
（2）北京市、天津市、河北省の総称。
（3）北京・天津・河北地域、長江デルタ地域、珠江デルタ地域。

で空気の質が最も悪かったのだ。二〇一六年、京津冀十三都市の平均基準超過日数の割合は43・2％で、このうち重度の汚染が7％、深刻な汚染が7・2％だった。国務院環境保護部が発表したデータによると、京津冀地域十三都市の一億ほどの人口は、二〇一六年の一年間で、半分の時間が基準値を超えた空気の中で生活している。専門家らによると、現在の状況では、汚染企業の排出が全て基準を満たしても、必ずしも空気の質が100％基準に達するとは限らない。また基準を超えた排出がある場合、特に悪天候が現れた時、空気は必ず汚染されるのだ。

しかし、依然として一部の企業は、大っぴらに違法をしている。法制日報の記者はかつて環境保護部が組織した現場監視に何度も参加したことがあるが、一部の都市の「散らかった汚い」企業の汚染が目に痛いだけでなく、一部の相当規模の企業は監視チームがいる時に規則を守って生産を停止し、監視チームが帰るとすぐに規則違反の生産を始めたことを発見したのだ。

「このような違法や違反の企業には〝一刀切〟すべきで、閉鎖・操業停止しなければならない」

中国人民大学法学院の竺効教授が見るには、法治の精神は選択的な法執行を避けなければならず、いわゆる「一刀切」とは、法の前ですべての人が平等に法治の原則を守ることだという。これまで違法や違反の企業に対して「一刀切」のやり方をとらなかったからこそ、彼らは常に様々な口実を見つけて処罰や監督・管理を回避することができたと彼は考えている。その結果、不公平になるだけでなく、「騒ぎさえすれば、処罰を避けることができる」という後の祭りを残し、法の厳粛さと威厳を傷つけることになるのだ。したがって、環境法違反企業に対しては、相談や駆け引きの余地があるべきではなく、法に基づいて処罰すべきだ。

管理

八月二十三日、国務院環境保護部の定例記者会見で、環境保護部政策法規司の別涛司長は「一刀切」の問題に対し、管理を怠って汚染を黙認する「不作為」に反対するとともに、普段は不作為、監督検査の前に乱暴に処理する「濫作為」にも反対すると述べた。

つまり、汚染企業を切り落とすのは間違っていないが、同時に長期的かつ全面的な仕事をし、科学的かつ合理的に「切る」べきだということだ。実際には、環境保護の仕事は、環境保護部門に関連してるだけでなく、通信、開発、水利、国土、都市建設などの多くの部門と密接な関係があるのだ。もしノルマだけを環境保護部門に振り分けて、監督チームが来たら臨時に工場を閉鎖し、データを安定させて、形を作るのは、当然一部の人には理解してもらえないだろう。

筆者の考えでは、「一刀切」自体が問題ではなく、切れ味がよくないこと、不器用で、精力が足りないのが問題なのだ。この問題を生じたのは、二つの原因があるのだ。

一つは気が早い。中央監督チームが来ると、急いでいくつかの工場を閉鎖したり、臨時に労働者を他の場所に追いやることで、現地の環境指数を上げているのだ。これは、末端政府が政策に慣れていないこと、企業に慣れていないこと、技術に慣れていないことを示している。環境保護が必要なのは総合的に管理することで、臨時的に工場を閉鎖してすぐに全体の品質を高めることができるのではないということを知る必要がある。工場を閉鎖しても、労働者たちは長い間、ある仕事に従事しているため、助けがなければ技術転換が難しく、結局、汚染の高い職場に戻ってしまう。たとえ遠くに移動しても、汚染物質は大気循環を通じて再び地方に戻ってくる。環境保護は一時しのぎでできるものではないのだ。

二つは役人の不作為だ。環境汚染問題に対しては「塞ぐ」だけで「整理」はしない。環境データが向上してよくなるのは、環境保護活動の勝利への小さな一歩にすぎない。古い産業の改造のアップグレードこそが持久戦なのだ。自力で標準を達成する能力のない中小企業をどのように支援するのか、どのように小企業を助けて石炭炉を改造するのか、どのようにアヒルや牛、羊を放し飼いしている農家を移転・補償するのか……「一刀切」に対応するのが、精密な管理であり、地方政府への高い要求水準だ。

陣痛

このため、これは「環境保護戦」であるだけでなく、産業のグレードアップのための「経済戦」であり、環境保護で産業のグレードアップを迫る必要がある。環境保護にばかり気を使って、産業のアップグレードにもかかわらず、庶民の根本的なニーズには合わず、環境保護監察の本来の趣旨にも反するのだ。インターネット上での環境保護への「一刀切」の苦情は、ここに根源があるのだ。

「汚染でGDPを交換する」というのは、多くの地方で故意ではなくまたは意図的に行われていた。しかし、現在の経済社会の発展状況では、我々の共通認識は、この成長モデルはもはや継続することができず、ますます民衆の反感と批判を招くことになるだろう。同時に、汚染によって得られたGDPは、往々にして産業全体の質を低下させ、「悪貨が良貨を駆逐する」という悪循環に陥っているのだ。「地条鋼」[1]な

(1) 鉄スクラップなどを中周波誘導電気炉と呼ばれる電炉で溶かして製造した、成分や品質の安定しない、粗悪な鉄鋼・鋼材。

ど高汚染、低品質の製品を例に取ると、そちらは市場に入って、低品質低価格、不良品を良品と偽り、低質だが高値で、同類の正規企業に対する衝撃だけではなく、更には全体的な市場経済秩序をも破壊するのだ。同様に、これまで多くの企業が汚染対策設備を設置せず、稼働させなかったのは、環境規制を回避している同業者とコスト面で競争するためだった。

このままでは、産業はどうグレードアップするのか。このため、これらの高汚染産業に対しては「一刀切」で対応すべきであり、中央環境保護督察は短期的な嵐を巻き起こすだけでなく、「汚染生産能力の立ち入り禁止」という市場共通認識を確立し、先進的で効率的な生産能力の発展を保障することがより重要だ。これが二〇一六年に始まった中央環境保護監督察の趣旨でもある。すなわち長期的・根本的に改善されない環境管理体制に対して、中央レベルの高規格監査を通じて、地方を威嚇し、問題点を提示・検出し、末端の管理能力を高め、環境の質を改善し、国民の環境問題に対する関心に応えるとともに、環境規制を通じて立ち遅れた生産能力の淘汰を加速し、経済構造を調整し、持続可能な成長を実現するのだ。

この過程に陣痛はあるのか。もちろんある。四川省綿竹市を例に取ると、同市にはリン化学工業企業が四十九社あり、リン化学工業の総生産額、税収総額などの主要指標はすべて工業全体の45％以上を占め、少なくとも三万人が産業チェーンで就業している。長期に渡って、高汚染のリン酸化工業は地元経済の命脈だった。段階的に産業のアップグレードを実現しても、短期的にリン化工業への投入を減らすためには、それに伴うＧＤＰの下落、一部の労働者の失業などの問題は避けられないのだ。そして、中小企業やベンチャー企業の場合、生産制限や生産中止は、企業を死に追いやってしまうのだ。地方政府にとってみれば、環境保護の仕事がうまくいくと、経済成長が制限され、安定を維持するプレッシャーが重くなることは、転換期に必ず出現し、それに直面しなければならないのだ。

アップグレード

環境保護の高圧的な監督・管理の下で、もともと高汚染産業の生産能力の急速な縮小は、すでに関連工業製品の市場価格を大幅に押し上げたのだ。楽観的な観点から見れば、厳格な監督管理が真に長期的なメカニズムとなる場合、低公害で高品質の良質な生産能力が自発的に新たに追加、拡張し、あるいは環境の基準に満たない生産能力を買収、合併、改造し、新たな需給バランスを徐々に実現していくのであろう。一部の失業者や中小企業も、新しい業態の中に新しいポジションを見出せるだろう。

二〇一四年、中国の新しい「環境法」が公布された後、筆者は昔の同級生からの電話にでた。この同級生はある汚染業界の同族企業で働いており、私に汚染設備の設置と管理技術の研究開発についての情報を尋ねたのだ。彼のボスは新法の後ろから二つ目の条項に驚いて、巨費を投じて内部改造とグレードアップを行った。結果はどうなったのか。同社のアニュアルレポート（二〇一六年）とアニュアルレポート（二〇一七年）を見ると、純利益はそれぞれ22％、50％上昇していたのだ。

「第十二次五カ年計画」期間中、山東省の製紙業界は基準改善と業界のアップグレードをほぼ完了し、水質汚染排出濃度を大幅に低下させ、中小企業が淘汰・統合され、生産能力が大型企業に集中し、業界全体の収益性と市場競争力の大幅な向上を実現した。中国政府の環境管理が厳しくなればなるほど、これらの早期アップグレード企業に有利になるのだ。

四川省のある末端の環境保護職員はかつて筆者に「環境保護督察が始まり、環境保護ののんびり気ままな生活は終わり、環境保護事業は雨後の筍のように発展が始まった。高汚染産業の春が終わり、優良産業の春が来たのだ。もし地方政府が環境保護督察の精髄を真に理解し、積極的に経済モデル転換を実現すれば、高汚染産業に対する〝一刀切〟の痛みはすぐに過ぎ去って、経済発展を推進し、環境保護を促進する新しい産業発展モデルが到来するだろう。もちろん、思い切って〝一刀切〟しなければ、産業の転換とアップグレードもここまで早くなく、順調でもなかった」と感想を述べた。

多くの企業や商店街では、関羽は武財神として祀られている。『三国志演義』では、関羽は麻酔なしで骨を削って毒を治療し、談笑していた。あの骨を削って毒を治療した手術では、痛みを恐れない関羽も大事だが、執刀医には大胆さと繊細さが必要だったのだ。力が少しでも多くなれば、関羽の腕はそのままだめになるだろう。力が少しでも少なければ毒は減らないのだ。今の中国の環境保護事業は、関羽の骨を削るように、「一刀切」は必要で、この一刀がうまくいけば、勝利は目前だ。

「環境保護は経済に影響する」という論調は、数年前の「反腐敗は経済に影響する」という論調を思い起こさせる。もちろん、我々は結果を見ている。

監視層は非情な手を打ち、金持ちの夢は破れるだろうか

二〇一七年九月六日
庖丁騎牛

二〇一七年九月六日、金融市場で一つの大事件が発生した。中国人民銀行と中国銀行業監督管理委員会、中国証券監督管理委員会、中国銀行保険監督管理委員会、中共中央ネットワーク安全・情報化委員会弁公室、国家工商行政管理総局、工業・情報化部が、これまで「狂気」と表現されるほどの大ヒットを記録してきたＩＣＯ（新規仮想通貨公開）は、「不法な公開融資」「不法な仮想通貨の発売、不法な証券発行および不法な資金集め、金融詐欺、マルチ販売などの違法犯罪」に該当すると発表した。

その後、ビットコインなどの仮想通貨は暴落し、四日間で30％も下落した。「金持ち神話」から不法行為へ、投資熱からバブル崩壊へ、市場の混乱と人間の貪欲を反映しているのだ。

一

ＩＣＯ(Initial Coin Offering)は、株式におけるＩＰＯ(株式の新規上場)と似ている。ＩＣＯも融資だが、人民元やドルではなく、ビットコインやイーサリアムなどの仮想通貨を調達するのだ。例えば、筆者の会社がＩＣＯをするのであれば、発行するのは株式ではなく、仮想通貨という「デジタル通貨」だ。あなた

がこの「デジタル通貨」を買いたければ、ビットコインなどの仮想通貨を、一定の規則と割合で買う必要がある。株式との違いは、デジタル通貨はエクイティではなく、株式や債権の承諾を意味しないということだ。

株式を発行するには取引所に行き、デジタル通貨を発行するには仮想通貨のプラットフォームに行く。現在はＩＣＯ専門のプラットフォームがあり、このような取引所があるのだ。融資側はプラットフォーム上でホワイトペーパーを発表してロードショーすることができ、投資家はプラットフォーム上で仮想通貨を購入することができ、プラットフォームは投資家が購入したお金を企業の成長に使うことができるのだ。

取引の仲介（仮想通貨）を変えたり、新しい取引プラットフォーム（デジタル通貨プラットフォーム）で取引したりするようにしか見えない。もしあなたがＩＣＯをしている会社を見るなら、それらのプロジェクトや構想、ビジョンを見ていると、ごく自然に不気味な匂いを嗅げるであろう。

一般的に、あるプロジェクトがＩＰＯを行う際には目論見書があるが、ＩＣＯのプロジェクトにはホワイトペーパーがないか、理解できないほど「高度」なものであり、当然信じられないようなものもあるのだ。例えば、「テゾス（Tezos）と呼ばれる汎用的で自己進化可能な暗号化されたデジタル台帳」、「Status というイーサリアム（分散アプリケーションのためのプラットフォーム）」、「ＥＯＳという商用分散アプリケーション向けに設計されたブロックチェーンシステム」

そう、これらは全て実際のプロジェクトだ。ある投資家はかつてこのような評価をした。

「もしベンチャーキャピタルの基準に従うと、ほとんどのＩＣＯプロジェクトは基準に合わなく、参入の基準にすら達していない。その技術や市場などに欠陥があり、創業者は単純・幼稚で、同時に十倍、二十倍、三十倍の利益を狙う投機者も混入している」

二

これだけ頼りないように見えるアイテムても、買う人がいるだけでなく、とても人気がある。たとえば、何のホワイトペーパーもない状況下で（ある人があなたに、兄弟、あなたが十元出して私に世界を変える項目を一つ作らせるなら、十億元の融資が予測できる。しかし私はその項目を教えてやらないよ、と話すのを想像してみてくれ）、中国で「ビットコイン首富（一番の金持ち）」と呼ばれる李笑来は、「プレスワン（PressOne）」(1)というアイテムで、四時間で五億元を調達することに成功したのだ。

また、「Achain」(2)のプロジェクトは、一分〇一秒に二一八九・四七ＢＴＣ（ビットコイン、当時のビットコインの市場価値は、二一・七万人民元程度）と一万四百三十六・三十四ＢＴＨ（イーサリアム）が集まった。「ダオ（The DAO）」プロジェクトの融資額は一億三千万ドルを超える。「バンコール（Bancor）」プロジェクトは、数時間で一億五千三百万ドルのイーサリアムコインを調達……。

中国国家インターネット金融リスク分析技術プラットフォームの『二〇一七上半期国内ＩＣＯ発展状況報告』によると、中国国内向けにＩＣＯサービスを提供する関連プラットフォーム四十三社が完了したＩＣＯプロジェクトの累計融資額は、人民元に相当する二十六億千六百万元で、累計の参加人数は十万五千人に達したのだ。サンプルデータを見ると、男性が八割を占めている。ユーザーの年齢層は主に二十～四十九歳の間だ。

（1）デジタルコンテンツのクリエイターとエンドユーザーを繋ぎ合わせるためのプラットフォーム。
（2）様々な人がブロックチェーンやアプリケーションを作ることが出来るプラットフォームを兼ね備えた仮想通貨。

ある分析によると、これまで多くの「不正資金調達」がターゲットだったユーザーとは違って、現在ICOに参加しているユーザーの多くは教育レベルが高いという。これらのICOを行うプロジェクトや会社には、世界を変えるコアテクノロジーが本当にあると信じている人もいる（権威ある統計では実際のプロジェクトを持っているICOは1％にも満たない）

しかし、飛び込んできた多くのユーザーが狙っているのは高収益率だ。昔を思い返せば、年20％の収益率は既にP2Pプロジェクトのピークだったが、今のICOプロジェクトは200％や400％の収益率でさえも叩き出しているのだ。結局のところ、ビットコインの創富神話は活きいきと目の前に置かれており、当初はあまり知られていなかったこの仮想通貨は、八年で五百万倍に膨れ上がり、時価総額一千億ドルを突破したのだ。先ほど話した李笑来も、ビットコインを買うことで急に金持ちになったのだ。

イーサリアム（Ethereum）の背後にある暗号通貨ETH（イーサ）は、二〇一七年の上半期で四十一倍に増加した。イギリスのブロックチェーン会社ストラティス（Stratis）が二〇一六年八月に行ったICOは、一年足らずで時価総額が百万ドルから十億ドルへと百倍に上昇したのだ。中国国家インターネット金融安全技術専門家委員会によると、七百以上の仮想通貨を監視した結果、二〇一七年上半期には半分以上の仮想通貨が十倍以上に増加した。

市場が急成長すると、「ニラ効果」[1]が現れ始めた。「一コインは一別荘を買う」というのは、ビットコイ

（1）中国のネット用語。ニラは株式市場用語で、切られるのを待っている者、株式市場で損をしている者を指す。もともとニラは成長速度が速く、収獲後すぐにまた生えてくる特徴があるため、現在の社会ではよく「ニラを刈る」という言葉を使って株式市場の一部の人が損をして市場を離れることを形容する。ニラの生命力が強く、また生えてくるのが新しい株式の形式という意味合い。

ン界で流行っている言葉だ。「クアンタム」のプロジェクトを例にとると、二〇一七年三月頃のクラウドファンディングの公募価格は三元未満だったが、四月のテンセントＱＱ[1]ユーザーによる非公開取引では十元まで高騰し、その結果、上場終値は六十元近くになり、最初の二十倍だ。中国では、ＩＣＯプロジェクトの融資はかなりの投機的な行為だ。ＩＣＯプロジェクトが融資を受けると、投資家に仮想通貨を発行する。一方、ＩＣＯトークンの一部は、オンライン取引所を通じて流通市場で取引することができるのだ。これは、先行者が流通市場で仮想通貨を売って利益を得ることが容易であることを決定付けている。監督管理当局によると、現在、中国のＩＣＯ発行した仮想通貨の流通市場は一千億元を突破したのだ。

監督・管理が欠如している上で、「インサイダー取引」「株式を相互に保有」「価格操作」などの伝統的な金融市場での株価操作手段は、いずれもＩＣＯプラットフォーム上で小口個人投資家を陥れようとする常套手段となっていることに他ならない。これはつまり、北京、上海、深セン、杭州などの大都市でさえ、ＩＣＯのロードショーやオフラインの説明会では、エンジニアから主婦まで、帰国子女から小売り商人まで、皆追いやらされているのだ。ほとんどの投資家は、これらのプロジェクトが何であるかにはまったく関心がなく、有名人のプラットフォームがあれば、「取引所」に入って二次市場に入ることができると思い切って購入するのだ。

三

ＩＣＯの特徴から見ると、なぜ監督管理当局が非常な手を打ったかが分かるだろう。比較と分析から、

（1）中国のテンセントが運営するＳＮＳアプリ。

ＩＣＯの資金調達プロセスでは、発行者は伝統的な資金調達ツールの厳格な資本規制を回避することができ、投資家への参入障壁も低いことが分かるのだ。ＩＣＯは、資金を調達した後、資金の使途を管理することも規制することもなく、資金の行方は謎だ。このようなプラットフォームはどれくらいあるのだろうか、規模はどのくらいだろうか、どんな人が参加しているのか、どれも知らない。この金を何に使うのか、マネーロンダリングなのか、違法使用なのか、国境を越えた移動なのか、それもわからない。

つまり、ＩＣＯプロジェクトの敷居と監督・管理が空白である中で、参加者数が多く、金額は大きく、範囲も広く、業種も比較的集中しているのは、多くの潜在的リスクがあるのだ。プロジェクトの技術的な失敗のリスク、ランニングによる資金損失のリスク、仮想通貨が高騰する取引のリスク、詐欺や不法資金調達などの違法犯罪のリスクなども無視できない。

現在、中国国内のＩＣＯ（実際は中国国内だけでなく、アメリカやシンガポールで同様の規制が行われている）が、新技術の名のもとにお金を巻き上げているのは紛れもない事実だ。不正業者が金融マルチ商法で「何度も試行しても間違いがない」のは、彼らが人間性の中の「欲」という字をちゃんと理解しているのと同じように、複雑なＩＣＯ融資では、投資家が個々のＩＣＯの背後にある真実性や妥当性を見極めることが難しいため、この市場では無秩序な投機に満ちていて、「偽札」が横行しているのだ。

結局のところ、現在中国全体の経済環境は減速・調整で、流動性と規制が厳しくなっており、実体は振興するのを待つが、20％、30％、さらには一時間で二倍の収益は、詐欺でない限り、投資の法則とは一致しないのだ。もちろん、一部の「経済学者」や「業界の大物」が良心に背く、言葉を巧みに使って小口個人投資家を惹きつけるのも、目新しいパターンではないのだ。

ここ数年、新技術、新モデルに直面して、規制当局の政策制定は学習研究のプロセスを必要とし、革新的な業態に対しても適度な寛容を維持してきた。例えば、先行するオンラインの車の配車、共有経済、ネットローンなどである。しかし、監視層も学習する時間があまりない。この前に盛んに行われたP2Pや「e租宝」[1]事件、「泛亜有色金属交易所」（本部は昆明）倒産事件[2]などは、イノベーションの衣を着た金融リスクと違法な資金調達がますます激しくなっていることを示している。したがって、監督・管理に遅れは許されず、執行を更に引き延ばしてはならないのだ。

結局のところ、二〇一七年七月の中国全国金融活動会議では、「リスクがあることをタイムリーで発見しないことは職務怠慢であり、リスクを察知して適切に対処しなかったのも職務怠慢であるという厳しい監督管理の雰囲気を醸成しなければならず、リスク監視の早期警報と早期介入のメカニズムを健全にしなければならない」と強調した。

実際、金融の歴史を振り返ってみると、ずっとリスクを防ぐことを第一としてきた。銀行が何十年も培ってきたリスクコントロールのノウハウは、簡単に破壊されるわけではない。一部のブロックチェーンやビットコインの起業家は、「連続（失敗）起業家」であり、先天的に専門性やリスクコントロール能力が不足しているため、エンジェル投資家も見抜けずに先に賭けにでている。ネットローンをはじめとするネット金融をダメにした人は、「フィンテック」に転身した。しかし、テクノロジー・ファイナンスであれインターネット・ファイナンスであれ、本質は金融であり、その中心にあるのは「経営リスク」だ。もし多くの投

(1) 中国最大のP2P金融プラットフォーム「e租宝（Ezubao）」が七十六億ドルを詐取した疑いで幹部二十一人が逮捕された。

(2) 雲南地方政府の「泛亜有色金属交易所」（本部は昆明）倒産事件では、会員が二十二万人、融資金額が四百三十億元（約七千三百十億円）にのぼっている。

資家に失敗のコストを負担させすぎたり、投資家教育が不足したりすると、社会全体のための金融という本来の目的から離れてしまうのだろう。

金融イノベーションには、金融規制に対する畏敬の念が必要だ。テクノロジーは万能ではないし、破壊的なものでもない。金融の監督管理もイノベーションとリスクのバランスを把握し、リスクに対して科学的に防止し、早期に識別、早期警報、早期発見、早期処置を行い、中国金融工作会議が指摘した「すべての金融業務を監督管理に取り入れる」「金融監督管理の専門的統一性と透過性を強化する」ことを徹底しなければならない。

中共「十九大」の前に、中共中央はなぜ「企業家精神」を守るのか

二〇一七年九月二十七日
明日綾波

二〇一七年九月二十五日の夜、中共中央と国務院が「企業家が健全に成長する環境を作る」、「優秀な企業家精神を発揚する」、「企業家の役割をより良く発揮する」という意見を発表し、反響を呼んだ。これは中国共産党が初めて中央文書の形式で、企業家の地位と役割を「肯定」し、また全局の視角から、いかによりよい環境を作り、公平な競争を促進し、企業家の役割を奨励、発揮するかについて制度的手配を行ったものだ。

中共「十九大」を目前にした時点でこれを公に発表したことは、とても意味深いのだ。

一

筆者から見れば、この「意見」は三者に向かって「声をかけている」のだ。

企業家にとって、「意見」は彼らに「安心」させ、安全感を持たせ、安定を期待させた（民営企業家だけでなく、国営企業家も含む）。政府にとって、中央文書の意味は境界を明確にし、政府の役割をよりよく発揮することにある。社会的には、企業家を尊重、鼓舞し、良い世論と社会心理を醸成していかなければ

ばならないのだ。

なかでも「期待」は根本的な問題だ。これは、少なくとも「政策の不確実性」に対する懸念を減らすために、後顧の憂いがない、あるいは少ないことを意味するのだ。企業が安定的に投資し、安心して技術を改善し、設備をアップグレードし、人員を雇用し、拡大再生産するためには、政治、経済、法律、社会など、さまざまな面で安定した環境が必要だ。成長の前提は安定であり、安定の核心は安定への期待だ。

したがって、文書の「全体的要求」の次に「企業家の合法的権益を法で保護するための環境づくり」が優先されてもおかしくはないのだ。

実際、これは昨日になって出てきたことではない。

二〇一六年五月、人民日報一面の「権威人士」が経済を語る記事では、「企業家に〝恒産〟[1]と〝恒心〟を持たせる」、「盲目的に昔からの問題を言い争い、創業者に安全感を持たせるな」と市場に呼びかけている。二〇一六年十一月末、中共中央と国務院は「財産権保護制度を完備して法による財産権保護に関する意見」を発表し、最も重要な財産権保護から始め、「社会的反響の強い財産権紛争の訴え事件を選んで是正し、財産権侵害の事例を解剖し分析する」と提案した。同時に、「改革開放以来、各種企業、特に民営企業の経営過程に存在する不規範的な問題を前向きな目で客観的に見て、法律に基づいて適切に処理することが必要であり、「歴史的財産権の善処」を初めて提起したのも、事業家の「原罪」を処理する方向性を示したものとみられる。二〇一六年末の中央経済活動会議で、「民営起業家に安心させ」及び「企業家精神の保護、企業家の革新と創業への専念の支援」が強調されたのだ。

(1)　田畑、家屋など比較的固定的な財産、産業。

結局のところ、市場活動の主体である企業や企業家の期待が不安定になると、社会・経済的に影響を受けるからだ。

二

国民経済の全体にとって、企業の最も基礎的な役割は雇用を解決し、税収に貢献し、経済をけん引することにあるのだ。既に二〇一一年には、中小企業だけで中国のGDP（国内総生産）の60％以上、税収の50％以上に貢献し、中国の都市部雇用の80％を生み出しているのだ。財経作家の呉暁波によると、二〇一六年十二月の時点で、中国の民営企業、中小企業を合わせて、中国の税収の55％、製造業の工業生産の70％、雇用の95％に貢献しているのだ。

過去十年間、民間投資は中国の急速な経済成長の重要な活力源だった。二〇〇六〜二〇一六年で、中国の民間投資の伸び率は30％〜50％の高い水準を維持しているのだ。固定資産投資全体に民間投資が占める割合は、二〇〇六年には36％、二〇一五年十二月には64％となってる。

そのため、二〇一六年の民間投資の大幅な下落を経て、十年ぶりに民間投資の伸び率が総投資の伸び率を下回った後、国務院は民間投資を促進する政策の実行状況に対して特別監察を実施し、その後多くの部と委員会が施策を推進したのだ。まさにこのような基礎の上で、二〇一七年上半期、民間固定資産投資の成長率は回復し、再び7・2％の水準に達し、前年同期比で4・4ポイントも加速し、二〇一七年上半期の中国経済の良い表現を後押ししたのだ。

これまで民間投資の伸び率はなぜ落ちたのか。企業はなぜ自信がないのか。多くの学者の分析によると、

「財産権保護への不安」「人身や資産の安全への懸念」が目立つ理由だという。また、海外での永住権の追求、資産の流出、さらには「移転」が、一部の企業家の「理性的な選択」となっていることを懸念する声もある。しかし、複数の経営者と話をしていると、彼らの「不満」や「心配」には共通点が多く、それもいろいろな要因が絡み合っていることがわかるのだ。

例えば「経営環境が悪い」というのは、行政の効率性の低下につながることもあれば、地方政府の誠実さの欠如、「指導者の交代」による政策の繰り返し、企業を「肥えた羊」のように屠殺するというグレーの手法であることもある。「不安全感」の多くは、法律の不備や、現実に企業や企業家の利益を侵害している否定的な事例の「モデル効果」など、財産権への懸念によるものだ。

不合理な海外投資を防ぎ、資本の速すぎる流出を抑制するのは、中国経済のより健全な成長のためだが、根本的な問題の解決には制度的な仕組みが必要だ。その意味で、法治による保障は最も根本的な保障だ。法治を守られなければ、グレーの手は遠慮できない。法治が成立すれば、各当事者の権利義務が明確になり、ビジネス環境、競争環境が成立する。そのため、人民日報への寄稿文の中で、経済学者の厉以寧は「第一は法に基づいて企業家の財産権を保護し、第二は企業家の革新的権益を保護し、第三は企業家の自主経営権を法に基づいて保護する。この三つの内容は密接につながっている。〞恒産ある者は恒心ある〞という古語は今も有効だ。もし社会上の個人の財産権が侵害された場合、或いは民営企業の財産権が侵害された場合、法律の財産権に対する保護が不足し、それは避けられないことになって人々の予想が乱れることをもたらし、一度予想が乱れると、イノベーションや起業が動力を失うことになるのだ。そんなことはよくあることだ。……多くの国民、多くの企業経営者に財産を安全にしてこそ、社会の安定と経済の持続的成長を保証することができる。財産権を公正に保護するためには、法の最高権威を確立することが何よりも重要だ。法律は平等に扱わないで、法律法規は公有財産と非公有財産を一律に保護させて、公衆に財産の安全感を持たせて、全国上下いずれも良好な期待があるために働力と活力を生み出すのだ。政府にとっては、企業や投資家を活性化、保護するためには、必ず信頼を守り、信頼を実践しなければならないのだ。各地の政府が政権交代や指導者の交代などの理由で約束を破ってはならず、公権力を法治の上に置いてはならない」と指摘した。

三

経営者に「安心」させ、経営者に仕事やイノベーションを奨励・尊重することは、「一時しのぎ」ではなく、「権道」でもない。歴史の視角から見ると、改革開放以来、無数の企業が中国経済の奇跡を支え、巨大な社会進歩を推進してきた。現実的な視角から見ると、中国の経済と社会を継続的に進歩させるために、企業の成長、科学技術の探求、産業のアップグレードも根本的な原動力だ。

二〇一六年十月には、山東省長を務める郭樹清（後に中国銀行業監督管理委員会主席となる）は、人民日報に「企業家の役割はかけがえがない」と題する文章を寄稿し、こう指摘した。

「企業家は起業とイノベーションの主体であり、経済と社会の発展を推進する中堅の力であり、社会主義市場経済においてかけがえのない重要な役割を発揮している……これらの企業家は特に苦しみに耐えることができて、普通の人が堪えれないことができない苦しみを堪えて、普通の人が耐えられない罪を受けて、市場の競争の中で風雨にさらされて、世の中を知り、能力を伸ばすのだ。彼らは普遍的に強烈な社会での責任感を持っていて、深い祖国を愛する気持ちがあって、終始同郷の人を率いて一緒に豊かになることを忘れない。私たちは、企業家精神とは、決して満足せず、革新し続け、卓越した業績を追求することだと理解しているのだ」

企業家は他の社会人と同じように、欠点があり、過ちを犯したり、規律違反をしたり、罪を犯す人もいることは否めない。しかし、改革開放以来の企業家の貢献ぶりを否定することはできないのだ。社会主義市場経済の構築と改善は、我々が絶えず認識し、絶えず調整し、絶えず向上させる過程であり、企業家たちもその過程で成長し、進歩してきた。どうしても誰かがつまずいたり、落伍したりすることは避けられない。ある企業家は過去に過ちを犯したが、主観的な要因もあれば客観的な原因もある。全面的かつ歴史的に分析して対処すべきで、このようにしてこそより良い教訓をまとめることで、問題を根本的に解決することができるのだ。

習近平総書記は以前、「市場の活力は人から、特に企業家から、企業家精神から来ている。市場を活性化させるということは、置くべき権限をきちんと置き、つくるべき環境をよくつくり、つくるべきルールをよくつくり、企業家が能力を発揮できるようにすることだ」と強調した。国際的な視野を持ち、高い立場に立って、現代的な経営を推進し、社会的な責任を果敢に担う企業家が必要だ。戦略と全局からこの問題の重要性と緊急性を高く認識し、力を入れてこの方面の仕事をしっかりと行い、企業家により強い学習能力、より強い法治意識、より多くのイノベーションのチャンス、より広い成長空間を持たせ、より大きな役割を発揮させなければならない。

このような論述は、今、そして未来にも適合している。

第三部　反腐敗編

エネルギー系多事多難の時期

二〇一四年五月十五日
公子無忌

中国国家エネルギー局は、副部職級の国家機関で、同局の石炭司は、副庁職級だ。石炭司副司長は、正処職級で、県委員会書記、県長と同じ職級だ。二〇一四年五月十五日、財新網の記者は近日落馬した中国国家エネルギー局石炭司の魏鵬遠副司長の自宅で二億元の現金が発見されたことを多方面で確認したと伝えた。調査チームは、従来のマネーカウンター機十六台を持参し、お札を数えている際に四台も燃えて故障したのだ。

汚職官僚は常に私たちの認知の上限を更新している。

四台のマネーカウンター機を壊すとはどういうことか

何事も実証しなければならないので、「侠客島」の記者たちは全方位的に多角的な実地調査を行った。

一枚の赤い「毛沢東」(百元札)は、縦一五・五センチ、横七・七センチ、厚さは約〇・一ミリだ。一万元は、縦横は変わらず、厚さは約一センチだ。一万束の万元札を立てて畳むこの匠な技術が要求され、百メートル近くの高さで、三十階建てのビルの高さを超えるのだ。百元札百万枚を端から端までつなげて並べると、百五十五キロになる。北京から天津までの距離よりも遠いのだ。

一万元の束で、重さは約百十五五グラム。一万束だと、一・一五トンだ。ある銀行管理者が「侠客島」に、彼の「巧みな札数えの手」の速度によると、毎分二百五十枚で、一時間で十五束、一日八時間労働で百二十束、一億はだいたい十日かかり、不眠不休でやるならおよそ三日はかかるそうだと話した。しかし悲劇的に焼かれたマネーカウンター機は、市場で比較的通用するものだとすれば、その銀行管理者の約四倍の速さでお札を数えることができるのだ。機械は眠らず、一台で一億元を数えるのにも十七時間はかかる。十六台のマネーカウンター機を持ってきた調査チームの決定は賢明だったようだ。仮に四台のマネーカウンター機が半分数えた時点で燃え尽き、残りの十二台でしか仕事を続けられないとしたら……ああ、そこの君、今日の数学の宿題はこれにしようか。

北京市の正処（長）職級公務員の五千元の月収から計算すると、一億元という数を稼ぐことになるのには、ああ……千六百六十年余りはかかる。つまりこの人らは一人で千六百人以上の同級幹部の年収を稼いでいるのだ。ほぼ五連隊くらいの規模だ。「一人が一つの部隊のようにならなければならない」。魏司長はここではまったく欺いてはせず、信じるのが笑えてくるのだ。

エネルギー系の問題が多い時期

知識を増やして、トレンドを見てみよう。最近、エネルギー関連で落馬した官僚は少なくない。魏鵬遠とほぼ同時に連行されたのは、同僚の国家エネルギー局原発司長の郝衛平だった。情報によると、郝氏が調査を受けた原因は妻が経営する企業にある可能性があるという。

石炭関連で落馬した官僚はさらに多かった。現在マスコミの報道で、四台のマネーカウンター機を損壊させた魏鵬遠の落馬の原因はまだ分からないが、通報の材料によると、一部の不正石炭貿易商を見分けて引き入れる神華グループの運販会社と第三者検査機関の関係者が、不正の手法を通じて、低品質の神華の石炭価格で高品質の神華の石炭を購入し、巨額の利益を手にしているそうだ。神華グループは世界で最大の石炭グループで、一日の運営で一億元以上の利益を生むことを知ってほしい。この奇怪な買収の中には、二〇一四年に落馬した初の正部（長）職級官僚の申維辰が、利益輸送のチェーンの中に見え隠れしているのだ。

もう少し考えを広げてみると、聡明な監察官は落馬したばかりの中共中央規律検査委員会第四監察室前主任の魏健を思い浮かべたに違いない。彼の履歴書によると、二〇〇八年から二〇一二年まで、魏健は中共中央規律検査委員会第五監察室主任を務めた。現在、中共中央規律検査委員会のウェブサイトに公開されている情報によると、監査業務の連絡を担当するのは国務院国有資産監督管理委員会と中央企業だ。この間に繋がりがあるのが興味深い。

周に四回、王岐山は中央企業に警告を連発した

五月五日から十二日まで、王岐山（中共中央規律検査委員会書記）はずっと会議を開いていた。

中共中央規律検査委員会のホームページによると、王岐山は今週、四回の会議を開いた。参加者は、「一部の中央国家機関や中央企業、国有金融機関の担当同志」であり、原稿の行間から核心的な情報を読み取

ることができた。

たとえば、王岐山は、「収束せず、手を引かず、問題の手がかりの反映が集中し、大衆の反発が強く、今重要な役職に抜擢される可能性のある党員幹部」を重点的に取り締まると述べた。王岐山の警告はさらに「業務だけを重視して党風を軽視し、成長指標だけを重視して腐敗の処罰を軽視してはならない」という意味がある。

二〇一四年五月十五日、人民日報評論部の「党報評論君」はウィーチャット[1]（Wechat）で中共十八大以来の「病（問題）を伴う抜擢」幹部の顔ぶれをまとめた。蒋潔敏、劉鉄男、冀文林、李春城、郭永祥……それぞれの名前は聞き覚えがある。

王岐山の意見表明に協力したのは、中共中央組織部の「12380番」通報サイトだ。通報サイトでは二〇一一年から採用ルール違反と規律違反を通報している。二〇一一年には三件が通報された。その後、二〇一三年までは二年の間隔を置いていたが、中共十八大以降は通報頻度が著しく高まり、二〇一四年にはわずか五カ月で十一件が掲載された。中共中央組織部の通報サイトで採用ルール違反事案の通報ペースが加速されていることも注目される。魏鵬遠が自宅に隠していた一トン余りの百元札を、誰に与えたのか、誰に渡そうとしたのか、その紆余曲折の秘密が彼の口に隠されている。唯一確実なことは、公開に掲示される日を待つ日々で、魏氏のような「病（問題）を伴う抜擢」の役人が、まだまだおそるおそる夜を過ごさなければならないことだ。

(1) 中国の大手IT企業テンセントが開発したインスタントメッセンジャーアプリ。

中紀委(1)の鉄拳で効力を失った四つの反腐敗「偽法則」

二〇一四年七月十五日
独孤九段

「わからないわけではないが、世の中は変化が速い」

民間がまとめたさまざまな「反腐敗の法則」で現実政治を読み解くことを好む人は、自分たちがまとめた「反腐敗の法則」は一見上手そうに見えても、現実のシナリオはさらに素晴らしく、もはや「賢者」の手には従わなくなっていることに気がつくだろう。

筆者はこれを「反腐敗偽法則」と呼んでもいいと考えた。嘘をついた以上、役人はあてにするな。

「偽法則」その一——退職や職場の第一線から第二線に転じたことが「安全な着陸」だ

この法則によれば、役人は定年退職したり閑職に退いたりすれば「安全に着陸」することになる。しかし、現実的な根拠はないのだ。

「侠客島」の観察によれば、中共中央規律検査委員会は「出てきたらいつも返してくれよ」という態度

(1) 中共中央規律検査委員会。

をとっている。省長・部長職級の高級官僚であれ、ごく小さい下っ端役人であれ、行いがきれいでなければ、一切例外がない。その根拠は「中国共産党規律処分条例」で、「党員は党紀の前で平等であるという原則を堅持する。党内には規律の拘束を受けないいかなる党組織と党員も許されない。党紀に違反する行為は、すべて追及されなければならない。党紀処分を受けるべき者は、相応の処分を与えなければならない」と規定した。

【事例】二〇一四年五月、退職から一年近く経過した湖南省政協[1]の元党組副書記、副主席の陽宝華が重大な規律違反の疑いで組織調査を受けた。同年七月十五日、彼が姦通罪で除名されたことが明らかになった。一線から退く政協副主席、人民代表大会副主任のたぐいは、さらに多くなるだろう。

「偽法則」その二――党の機関紙、マスコミに顔を出すなら、もう危険はないのも同じだ

これまで、ある官僚はもし自分に対して「事件が起きた」という様々な噂を証明しようとすれば、往々にして非常に婉曲な方法を採用し、例えばどこかに行って調査研究レポートを、党報（党機関紙）に掲載したり、あるいは派手に立ち回って新聞の「一面トップ」に登場をしたりして、このような顔を「公開」で見せる方法で「私は大丈夫だ」という様子を示している。反腐敗の動向に関心のある人は、マスコミで役人の動向の変化を噂するのも好きだ。特に党機関紙は「風向計」とみなされてきた。

これは、過去に何度試みても失敗しないようだが、二〇一三年以降の多くの汚職摘発事件では、中共中

(1) 中国における人民民主主義統一戦線の機能をもった政治組織機構で、人民政協とも略称される。

央規律検査委員会の摘発スピードは大衆を驚かしただけでなく、多くの地方党機関紙に口をあんぐりさせるほど震わせたのだ。昨日ないし今日の新聞が、ある書記の視察談を報じたかと思うと、今日には書記は連れ去られたのだ。

【事例】二〇一四年六月二十七日午後十五時五十五分、中共広東省委員会の元常務委員、中共広州市委員会の万慶良元書記が重大な規律違反の疑いで組織の調査を受けていることが、中共中央規律検査委員会監察部のウェブサイトで発表された。現地の官営メディアの報道によると、万氏は前日午前に会議を主催し、前日午後には広州市天河区で「安定成長・構造調整」を推進するための特別調査研究を行った。さらに天河区では二十七日午後にも会議を開き、万書記の指示を実行したが、万慶良事件のニュースを受け、会議はあっけなく終わった。

「偽法則」その三——中央規律検査委員会の幹部は一般的に身内を調べない

大衆の印象の中で、規律検査委員会、監察系統の人はすべて「黒い顔の包公」(1)で、腐敗防止のレベルはもちろん普通の役人よりも自然と高くなるはずだ。しかし、「刃は刃のつかは切れない」ということは、「黒い顔の包公」も「灯台下暗し」(2)になりやすいのだ。現実的には、規律検査組織の役人は真空の中で生活しているわけではない。汚職分子は規律検査組織の役人を敬して遠ざけるのではなく、あらゆる手段で規律

(1) 包拯は北宋の名判官、清廉潔白な役人の典型で「包公」「包青天」とも呼ばれる。黒い顔は公平無私の意味がある。
(2) 灯火をともす照明具の下の辺りは、周囲よりも暗い。世間のことをよく知っている人も身近な事柄に意外にうといことや、近くにあるものには案外気づきにくいことのたとえ。

検査組織の役人を悪に引きずり込むのだ。

中共中央規律検査委員会書記の王岐山は就任早々、全国の規律検査組織で「整風」(1)を推し進め、職員所持の様々な会員カード（会員権）を解約したのだ。ささいなことのように見えるが、実は隊列を粛正することだ。中共中央規律検査委員会はまた、「規律検査監察幹部監督室」を新設し、身内の規律違反に対する監督を担当することにした。

【事例】二〇一四年五月九日、中共中央規律検査委員会第四監察室の魏健主任は、重大な規律違反の疑いで組織の調査を受けた。魏健は以前、金融系の腐敗摘発を統括し、南西省区を担当していた。十日後、中共中央規律検査委員会の副局長職級規律検査員で、監察専門委員の曹立新が重大な規律違反の疑いで組織調査を受けた。

「偽法則」その四——「反腐敗」は「政治的影響」を考慮し、ほどほどにしている

組織的な腐敗事件や、さらに大きな「トラ」の落馬に関連して、中共中央の取り締まりは慎重になるのは当然だろう。しかし慎重にかこつけて「反腐敗は国民の与党に対する信頼に影響を及ぼし、政権基盤を揺るがす」という主張も出ている。このように「政治的に正しい」ように見える論調は、実は「人に言えない下心を持つ」のだ。

「公正な道理は自然に人の心の中にある」という。中共十八大以来の反腐敗効果を見ると、汚職官僚を

(1)（中国共産党が政治キャンペーンとして）思想・活動のやり方を点検・矯正する。

摘発した数が多いにも関わらず、民間世論は依然として肯定的であり、これが反腐敗の巨大な民意だ。

【事例】二〇一四年三月十五日、中共中央軍事委員会の徐才厚元副主席が規律違反の疑いで組織調査を受けた。六月三十日、中共中央政治局会議は徐才厚の党籍を除名することを決定し、収賄犯罪の疑いのある問題及び問題の手がかりを最高人民検察院（最高検）に移送し、軍事検察機関に法に基づいて処理することを決めた。あとは何があるか、わかるよね。（注――後に徐才厚は拘留中に病気で亡くなった）

実は、これらの反腐敗「偽法則」が流行すれば、南米のワールドカップで欧州チームは絶対優勝しない「怪談」のように、ただ、過去の経験や過去の事例をわかりやすくまとめただけで、一時期の予測効果があったのだ（二〇一四年のブラジル大会ではドイツが優勝）。結局、今年はこれらの法則が通用しなくなった。

「偽規則」の流行は、「明規則」（党紀・国法を含む）には不信感を持ちながらも、「暗黙のルール（潜規則）」には興味を持ち、あらゆる「暗黙のルール」が法と規律の上に存在すると信じていることを示している。その結果、人々は「腐敗は必ず捕まる」とは信じなくなり、汚職が捕まるのは「運が悪い」、ひいては政治闘争の「犠牲」にほかならないと考えるようになった。このような判断は白黒を問わず、正邪を問わず、是非を混同し、さらには暗黙のうちに社会心理や大衆認識にまで影響を及ぼしているのだ。

今期の中共中央指導部が就任してから巻き起こった反腐敗の嵐は、確かに多くの官僚を畏怖にさせ、官界には「不平」と「消極」が充満していたのだ。しかし、改革には陣痛があるのだ。これまで一部の庶民に苦痛を与えてきた改革の痛みを、今度は汚職官僚に負わせてはならない。中共中央は反腐敗を通じて新しい官風を樹立し、社会に正しい価値観を伝えたのだ。

「（私益に対して）手を出すな。手を伸ばせば必ず捕まる」。実は、反腐敗の本当の鉄則は、これだけなのだ。

二十四史(1)を読んで、今回の反腐敗は本当に「史上最強」なのか

二〇一四年七月二十二日
公子無忌

今日のキーワードは「二月河」だ。

凌解放と呼ばれた河南省出身のこの作家は、「帝王シリーズ」の作品で名声を博し、おそらく現在最も多くの中共中央政治局常務委員クラスの「ファン」を持つ作家でもある。

例えば、「私はテレビであなたの番組を見た。あなたの作品も見た。とても上手に書いている。私はとても好きだ」というような「ファンの告白」式の言語は、習近平主席の口から出てきたものだ。

読書好きの王岐山は、彼のことを「知音」と呼んでいる。

「私は彼のことをよく知っている。彼が私のことを知るよりも知っている。彼の書いた『帝王シリーズ』をよく読んだ。彼の本を読めば、彼を読むことができる。知音とは何か。知音とは、音楽を聴くことによって、その作曲家が何を伝えようとしているのかが分かることだ」

今日「二月河」を書いたのは、二〇一四年七月二十二日に中共中央規律検査委員会のウェブサイトに、中共中央の今回の反腐敗に対する彼の評価があるからだ――「我が党の反腐敗の力は、二十四史を読んで

(1) 『史記』から『明史』までの二十四部の正史。

も、今ほどの反腐敗の度合いはない」

本当に「史上最強」なのか

本当にそうだろうか。それは何を基準にするかによるのだ。

ただどちらの腕が冷酷で、殺せる貪官が多いかだけでは、そうではないかもしれない。歴史書をめくってみると、これよりもずいぶん冷酷なものがある。

中国では歴代にわたって汚職に対して厳刑を施してきたが、罪に何等を加えて重く処罰するのが一般的だった。例えば漢代には、二百五十銭を着服すれば免職になったが、当時はこれっぽっちもまともな衣服を買うことができなかったという。もし「十銭を盗んだ」なら、首切りの「見せしめ」にされるのだ。宋代になると、「五貫銭の公物を盗む官吏は死刑に処す」と定められた。五貫銭はいくらか。当時の役人の俸禄でいえば、県令[1]の月給の半月分ほどだったのだ。

それが「和尚皇帝」という朱元璋のところにくると、それはさらに恐ろしい意味を帯びて、洪武十八年（一三八五年）、朱元璋は「人民を害する天下の官吏を余すところなく捕まえよ」と命じた。詔書は、銀六十両以上を横領した者は「梟首し、皮を剝く」と規定していた。

銀六十両は、当時は従九品官（ほとんど最下位の役人）の俸給だった。このわずかな金を貪ると、どんな刑罰が適用されるのか。人前で首を切るのではなく、貪官の皮を剝いで草で詰め、役所の玄関に吊るさ

（1）中国で県の長官。

れて「役人の心を震え上がらせる」のだ。歴史家の推計によると、朱元璋は二件の汚職事件で八万人の貪官を殺した（その多くはもちろん誤殺だ）。

このような「子供も老人もだまさない」恐怖の程度は、戦国時代の斉威王に匹敵する。この田忌と同窓の競馬負けした人は、直接悪徳者を鍋に投げ入れて「煮込む」のだ。

「二月河」が最もよく書かれた清代になると、反腐敗の手段も印象的だ。例えば、「人を殺すのはつまらない」と思っている人は、死んでしまえばいい。しかし雍正帝から乾隆帝にいたるまで、汚職官僚を死のうともせず、とことん追及し——汚職さえすれば、罪を恐れて自殺したとしても、子孫の家財を差し押さえ、彼らを刑罰するのだ。

明らかに、反腐敗が徹底しているかどうかは、ずっと単純に誰のほうがより冷酷かどうかで計算、比較することではないのだ。

歴史の鏡

現在の反腐敗は、ただ「酷い」の程度で以前に及ばないのであれば、「二十四史を読み、今ほど強いことはない」という反腐敗の度合いの評論は、まだ成り立つのではないだろうか。

「侠客島」から見れば、そうだ。

もし腕の上がった皇帝を見続けるのであれば、その端倪がわかる。例えば朱元璋は、このように「極悪非道」で汚職を取り締まり、自分の反腐敗のルールを本に書いて知識人に誰よりもよく覚えさせたが、晩年になってそのルールをすべて廃棄した。明代中後期以降の腐敗と官場の暗さは、誰もが知っている。

清代になると、「英明な圣武」の名に値する康熙は、厳しい取り締まりを行ったが、死んだ時、雍正に「爛攤子」（手のつけられないほど乱脈なところ）を残した――国庫には八百万両の銀しかなかった。「朕はこのような男」と自称した雍正帝は、十数年も反腐敗を行い、ついに五千万両の国庫を乾隆帝に残したのだ。ただ、何十年も太平（昇平）した後、乾隆帝の後も、大清は腐敗の侵食を避けなかった。世間では当時の世相を「和珅は失脚、嘉慶は満腹」[1]「宰相合肥（李鴻章の官位と出身地）で天下痩せ、司農常熟（翁同龢の官位と出身地）で世間が荒れる」と揶揄したように、大清国はこのように内から外に空っぽになったのだ。

なぜなのか

簡単に一つの原因を出すならば、反腐敗のためで、これまでずっと「一時的」で論ずることはできないのだ。封建王朝の反腐敗は、もちろん一時的な手腕と凶暴を実行することができるが、監督管理の欠乏と法治の失位を補うことができない。その成否と持続性は、支配者の一身にかかっている。映画「建国大業」[2]で蒋介石が蒋経国に「反腐亡党、反腐せずして国を滅ぼす」と嘆息したのはそのためだ。だから、「最後まで反腐敗を行う」ためには、そのことを常態化し、永続化し、不可逆化することだ。今度の反腐敗がやったのはこの事だ。

その意味で「史上最強」という結論が成り立つのだ。

（1）清の嘉慶四年、嘉慶皇帝は軍機大臣・和珅を免職し、その家財を没収した。その金額は白銀八億両もあったと言われ、国の総収入の十数年分にも相当するのために、「和珅は失脚、嘉慶は満腹」という言い方もあった。

（2）二〇〇九年公開の中華人民共和国による建国六十周年記念映画。

反腐敗はいずれ常態化する

「靡不有初、鮮克有終（初めあらざること靡く、克く終わりあること鮮なし）」。人は、リスクがあるかもしれないこと、人を怒らせるかもしれないことについては、傍観しがちだ。反腐敗の件は、特にそうだ。では、本当に「もういいよ」「ちょうど適当なところでやめる」はあるのだろうか。

いや、ない。

二〇一四年上半期に摘発された官吏は三百七十五人で、二〇一三年の通年をすでに上回っている。二〇一四年七月にスタートした新たな巡視が終了すれば、中国全国三十一省区市をすべて巡視することになる。そのスピードは、いつもの倍以上になった。

二〇一四年六月に落馬した官吏の多さ、職級の高さ、取り締まりの速さは誰もが知っていることであり、嵐が吹き荒れた。

ある分析者は、「習近平が鄧小平の政治的遺産から求めているのは、直接的な経験ではなく、政治強攻の論理だ。鄧小平がやったのは、実は強人政治を採用し、改革を不可逆的なレベルに追いやることだった。このような境地に達すると、誰かが改革に反対すると、国民は立ち上がってそれに反対するようになる。……〝習式反腐敗〟が求めているのは、腐敗撲滅キャンペーンを不可逆的なレベルに追いやることでもあり、その境地に達すれば、反腐敗をやめるどころか、反腐敗の力が弱まっても、国民は立ち上がって反対する」と話している。

これが習近平の反腐敗に対する「最大の保険」であり、つまり今後も反腐敗を「常態化」させることだ。これこそが、「二十四史を読んでも、今ほどの反腐敗の度合いはない」という評価が成り立つ論理だ。

山西官界の「地震」、資源省の資源型経済転換の痛み

二〇一四年八月二十九日
公子無忌

二〇一四年八月二十九日午後、「侠客島」の斥候記者から「今日の中共中央規律検査委員会は大きな動きがあった」という情報がもたらされた。午後五時過ぎ、元中共山西省委員会常務委員で統一戦線部長の白雲が落馬した。その後、白恩培・元中共雲南省委員会書記も落馬した。「まあ、またまた」との早く便りが届きた。

三時間もしないうちに、元中共山西省委員会委員の任潤厚副省長が落馬した。

今日を含めると、中共中央規律検査委員会が山西省の高官二人を一日で摘発したのは三度目だ。「晋善晋美」(1)の山西の大地に、未曽の嵐が吹き荒れている。

群れて鳴く

一九五九年に出版された金庸の小説『神雕侠侶』は、今でも何世代にも影響を与えている。その中に十

(1)　山西省は春秋戦国時代に大部分の地域が晋国に属したため、略称として「晋」と呼ばれた。「晋善晋美」は成語「尽善尽美」(完璧)の語呂合わせで、山西省の観光をテーマにした宣伝スローガンだ。

人の組織があって、頭領の者は数尺の白い髭を何十年も切っていない。この樊一翁という老人は、昔、絶情谷主の公孫止に仕えていたが、後に独立して、江湖の侠客十数人と晋南に横行した。風貌は怪しいが、義理人情に厚い。その後、郭襄と楊過に出会ったのは、後の話だ。その名を「西山一窟鬼」という。

武侠の人物を政治家にたとえると、やや厳粛でない。しかし、すでに落馬した山西の役人を列記すると、

金道銘——北京市出身、山西省勤務八年、中共山西省委員会常務委員、中共山西省規律検査委員会書記、中共山西省委員会副書記、省人大常務委員会副主任を歴任。

申維辰——山西潞城出身、山西省勤務三十一年、中共山西省委員会常務委員を務め、同省委員会宣伝部長、中共太原市委員会書記も歴任。

令政策——山西平陸出身、山西省勤務三十六年、中共山西省委員会委員、省政協副主席まで歴任。

杜善学——山西臨猗出身、山西省勤務三十八年、中共山西省委員会常務委員、副省長まで歴任。

聶春玉——山西侯馬出身、山西省勤務三十四年、中共山西省委員会常務委員、同省委員会統戦部長、省委員会秘書長を歴任。

陳川平——山西平陸出身、山西省勤務三十二年、中共山西省委員会常務委員、中共太原市委員会書記まで歴任。

白雲——山西省五台出身、山西省勤務三十八年、中共山西省委員会常務委員、同省委員会統戦部長まで歴任。

任潤厚——山西代県出身、山西省勤務三十五年、中共山西省委員会委員、副省長まで歴任。

わずか数ヶ月の間に、十三人の常務委員を擁する省委員会の陣容は、前後して五人が解任された。半年余りの間に、山西で長く働いていた省長職級の高官八人が落馬したのだ。

この（落馬の）テンポと比率は、全国的に見ても「笑い自慢」だ。
それだけではない。人民日報傘下の雑誌『民生週刊』の統計によると、山西省は落馬した庁長職級幹部を合わせて全国三位にランクインした。

「護官符」は効力を失った

賈は偽りなく、白玉は堂金の馬とし。
阿房宮は三百里、金陵には住めない。
東の海には白玉の床がなく、竜王が金陵王を招いた。
豊年は雪のようで、真珠は土のようで、金は鉄のようである。

『紅楼夢』[1]第四回の「瓢箪僧が瓢箪案を乱判する」で、応天府の府尹に就任した賈雨村は、人を殺した薛蟠を裁く。部下の子が、地元の豪族の名前と官爵を書いた、所謂「護官符」を差し出した。上の四句は謎の民間スラングで、賈、薛、史などの大戸を暗に指すのだ。

今日の山西省では、「護官符」も丹書鉄券、尚方宝剣ではない。

上述の八人の高官の略歴を見ると、金道銘がよその土地から来た高官であることを除いて、残りの七人は、いずれも生っ粋の山西育ちの高官で、地元のパイプなどが縦横に交錯している山西の「老吏」である

（1）清朝中期乾隆帝の時代に書かれた中国長篇章回式白話小説。

ことがわかる。

このうち令政策と陳川平は、同郷であり、「侠客島」の情報によると、二人は一定の交際があったという。申維辰の村に近いこの斥候記者は筆者に、申維辰はこれまで毎年帰省して墓参りをしており、地方の役人も先祖の墓の世話をしていると噂されていた。申維辰と陳川平、聶春玉と白雲は、いずれも同じ職位に就いていた。

さらに各高官の職歴を見ると、太原、運城、大同、陽泉、呂梁などのナンバーワン、ナンバーツーの要職も、これらの落馬した高官が務めたポストだ。

その中で、省都としての太原は、その地位は言うまでもなく、その他のいくつかの市は、すべて山西の資源豊富な重鎮であり、また昔から「官を出す」地方でもある。二〇一四年の山西省の「反腐敗の嵐」では、省長職級の「トラ」だけでなく、県長・市長級の落馬した官僚でさえ、これらの地方で経歴を持っている人が多い。

「侠客島」はある細部に注目した。中央巡視組のフィードバックが終わってから、二〇一四年四月、山西の整頓・改革フィードバックの中で特に「省党組織がそれぞれ四月十四日、二十日と二十五日、運城市や太原市、大同市で、人選び・任用不正を懲らしめる懇談会を開き、全国の人選び・任用不正対策懇談会の精神を伝え、問題点の対策や意見を検討し、さらに整頓・改革を推進する」と言及した。

その他のフィードバックは、すべて省全体に対するものだ。ただ「任用不正の風潮」の組織問題について、この三都市だけを選んで座談会を開いて前述の精神を伝えた。このなかの現実的な背景は、想像に難くない。

「成長モデル転換」の痛み

人は山西の景色が良いと言う。「晋善晋美」は、山西省が近年努力を惜しまずに作り上げた観光ブランドだ。

北京大学中国文学部の韓毓海教授の『五百年誰来著史（五百年間誰が歴史を書いたのか）』という本の言葉を用いると、山西は「懐の広い天下」の地方だ。「晋南と晋北は、昔から中華民族が大融合した文明の創生地であり、北上して塞外[1]に出ても、南下して中原に出ても、山西は一つの転換点であり、着地点でもある。多くの偉大な帝国や王朝がここで立ち上がり、衰退していた」という。

そう、ここはかつて「春秋五覇」の一人となった晋の文公を出たことがあり、韓・趙・魏が自立して晋を三分したところで、李唐王朝が挙兵したところで、五代十国時代の戦乱があって王朝がかわったこともあるし、明代の宗王が出てモンゴルの金戈鉄馬に対抗したこともある。晋商と切符の番号はかつてここから全国に名声を得て、抗日戦争の時期ここでもかつて英雄たちが頻出した。

今日までに、山西はまた「石炭の海」と「石炭のボス」で外部の固定観念になっている。鉱山事故、盲立坑、黒いレンガの窯などもメディアの注目を集めている。

石炭も黒ければ、そこから派生した利権も黒い。

これまでの多くの地方の落馬した高官と違い、山西省で落馬した高官には、エネルギー従事の経歴を持つ者が多かった。陳川平は製鉄所の技術員から太原鋼鉄の会長になった。任潤厚は更に国務院の政府特別

（1）（古くは）万里の長城以北の地、（現在は）国境の外。

手当を受給した「専門家」だ。彼は普通の炭鉱労働者からスタートし、事故が頻発する三つの鉱山をきちんと管理したことで「消火大将」の名を獲得し、潞安鉱業グループ会長のポストから山西省副省長までに登り詰めたのだ。

これらの人々は、能吏(1)の名に恥じないことは明らかだ。しかし、これまでの功績は、豊富な地下資源に恵まれている山西省における官商関係の混乱を覆い隠すことはできなかったし、政財界を渡り歩いた手際の良さを勘定することもできなかった。既にメディアの報道によると、落馬した官僚の背後から連れて行かれたのは、山西省で雨風を呼んだ名だたる商人たちだったという。

メディアの報道によると、二〇〇五年、当時の山西省長は、同省には四千二百の合法炭鉱があり、不法炭鉱がこれより多いことを知った。しかも「(それは)山西の難症で、二十数年もこのままで、手入れが非常に難しく、触ることができない」という。

なぜ触れてはダメなのか。同省長は「抵抗は数千人の違法鉱山所有者だけではなく、背後に幹部がいる。それぞれの違法な鉱山は、末端の党政幹部と法執行・管理部門スタッフの保護傘(後ろ盾)を持っていないと、やっていけない」と指摘した。

これはまさに英雄を輩出した「良い場所」の山西省は今日では言いにくい「成長モデル転換」の痛みだ。政界でいえば、落馬した山西の高官たちが熟知していた「エネルギーで政績を取りかえる」、同郷のよしみで人脈を経営し、権力と金を取り換える「進歩の道」はすでに断たれている。経済でいえば、血のついた黒金に代表される乱暴な成長方式で、もはや後戻りせざるを得ないところまで来ているのだ。政治と

(1) 官吏としての能力のある人。

経済が掛け合わさった利益集団こそ、山西省の成長モデル転換の実現を阻む最も現実的な抵抗だ。

「朱色のビルが建っているのを見たこともあるし、その中で招待客をもてなすのを見たこともあるし、
　ビルが崩壊するのを見たこともある」

清代の孔尚任の戯文『桃花扇』の中で、老芸人蘇昆生の弾き語りには、王朝の興亡の悲歌が歌われている。今日の山西省官界のいわゆる「地震」も、「鉱難」も、実は同じ「山西を哀れむ」曲だ。

反腐敗は、ただ世論のお祭り騒ぎではない。大乱の後どのように治め、どのようにこの歴史的な伝説に満ちていても現実的な悲しみに満ちた土地に真の「晋善晋美」を実現させることが、この「反腐敗の嵐」の本当の真意なのだ。

水道の蛇口一つで、一億二千万元を貪ることができるのだろうか

二〇一四年十一月十三日
司徒格子

河北省のマネーカウンター機がどんなに強固でも、この試練はかなり厳しいものだった。

二〇一四年五月、中国国家エネルギー局石炭司元副司長魏鵬遠の自宅で現金二億元が発見され、調査チームが持ち込んだマネーカウンター機十六台をその場で四台が燃えて壊れた。

二〇一四年十一月十二日、河北省規律検査機関によると、秦皇島出身の副処長職級幹部馬超群は、一億二千万元の横領額で世間の目を驚かした。おかしなことに、彼に大きな権力があまりないし、ただの水道係なんだから。

〝超群〟がいたら、「流水は腐らない」という言葉が冗談になる。

蛇口を開けて、一億二千万元を数えた

例によって、次は数学の問題の時間だ。

筆者はこのニュースを見て本当に悔しがっていた。今まで見たことのないお金の量で、何の概念もなかっ

たから、思い切って家の中のすべてのお金を数えたのだ。全部で五千元、十七秒使って、もう一度数え、家に一万元あるのを装い、他の者に一万元数えるのに三十四秒かかる、と驚いて言った。銀行職員のお金を数えるスピードは一分当たり二百五十元と言われているが、一億二千万元ではあまり意味がないのだ。

だからやっぱりマネーカウンター機の力を借りたい。筆者が調べてみると、ふだん銀行で使っているマネーカウンター機は一分に一千枚を数え、つまり十万元だ。三十分の計算の後、私は大きな結論を出した。一台のマネーカウンター機は、燃え尽きない状況下では、馬超群の家のお金を数えるのに二十時間かかるのだ。

ニュースによると、馬超群の主な職務は北戴河給水総公司総経理で、いくつかの地区の日常給水を担当している。筆者は家の蛇口に目をやり、ミネラルウォーターのボトルを持って行った。公平性を確保するために試行を重ねた結果、この流れが正常な蛇口は、五百ミリリットルのボトルを三秒で満たすことができた。

三十分たって筆者が計算したところによると、二十時間でこの蛇口からは十二トンの水が出る。もしバイドゥ（Baidu）[1]が私をだましていないならば、それは秦皇島市の工業、行政事業と経営サービスの用水価格によると、これは、この二十時間の流出水が五九・二八元の値になることを意味する。

水道の水を六十元受け取る時間で、自分の家のお金が一億二千万元になるなんて、彼みたいな役人になると、本当に一攫千金だ。

（1）　中国の代表的なサーチエンジンの一つ。

「小官巨腐（小さい官僚が大きく腐敗）」してるのはどれだけ酷いのか

ここまできたら、今夜の算数の時間は延ばしてもいい。

成功した男性の背後には偉大な女性がいたと言われているが、ジャック・マー（馬雲）[1]の成功の背後には「浪費妻たち」がいたと言われている。ちょうど過去の二〇一四年の「双十一（シァンシーイー）」[2]で、彼女たちはまたジャック・マー社長を助けて世界最大の電子商取引ショッピングフェスティバルを作り、一日の売上高は世界記録を打ち立て、驚くべき五万七千百十二億元に達したのだ。ニュースによると、「売上総額の数字は最初からクレイジーだった」という。

全中国の「浪費妻たち」の狂気の二十四時間、合計しておよそいくらに相当するだろうか。計算してみると、「双十一」当日の天猫[3]での売り上げ総額は、四百七十六の馬超群で足りる。注意して、ここでは人の窮状や弱みにつけ込んで痛めつけることを避けて、公平を保証した筆者は、「自宅から押収した現金」だけを計算した。押収した黄金三十七キロと住宅六十八軒の金額はまだ計算しなかった。

今あなたは「小官巨腐」がどれほど深刻なのかわかったか。

「小官巨腐」という言葉は、二〇一四年初頭に中央監察チームが最初に使い始めたもので、北京では「田舎の幹部の腐敗問題が顕著になり、〝小官巨腐〟問題が深刻だ」という意味だ。この言葉が有名になった後、中央巡視チームは、北京のようなところを狙ってこの問題を指摘したという分析も少なくない。しか

（1） 中国の起業家。アリババグループやアントグループの創業者・元ＣＥＯ・元董事長（会長）。

（2） 中国では毎年十一月十一日に様々なＥＣサイトで大規模なセールを実施している。

（3） 中国の最大手アリババグループが運営する、中国向けのオンラインショッピングモール。

し、すぐに天津は「農村の末端の腐敗は軽視できない」、海南は「末端の反腐敗闘争の情勢は比較的厳しい」、チベットは「一部の末端幹部の腐敗問題は比較的顕著」、江蘇省は「末端権力の探索の機会が多く、空間が大きい」、広西省は「ハエ式の腐敗」……河北省でこのような大事件が発生するまでは。

それからみんなは、河北省水道担当の副処長級幹部の家に検出されたお金は少しも北京の「小官」より少なくなくて、さらに毎日全国各地からの誘惑に囲まれている部長級の貪官より少なくないことを発見した。馬超群は例外ではない。筆者の印象では、北京市朝陽区孫河郷元党委員会書記の紀海義は九千万元あまりを収賄し、海淀区西北旺鎮皇后店村の会計・陳万寿は一億千九百万元の資金を流用した……メディアの統計によると、二〇一三年初頭から二〇一四年末にかけて、中国全国の規律検査委員会と検察機関が摘発した村役人の違法や規律違反事件のうち、金額が一千万元以上の事件は十件余りに達している。

なぜ馬超群なのか

お分かりになると思うが、インフラ工事の管理職、もしくは地方役所のナンバーワンは大金を貪っている可能性がある。しかし、一つの水道係の役職というと、公務員募集試験の時は応募者にとっても人気がなく、上水道の蛇口から水が二十時間流れても六十元しかかからず、どこからそんなに大金が来ているのか。

だから彼の担当する仕事は精査に値するのだ。

ニュースによると、この会社は、秦皇島市都市管理局の傘下の国有独資企業で、北戴河区、南戴河観光リゾート、北戴河新区の日常的な水の供給を担当している。同時に、北戴河は中共中央の夏期オフィスの所在地であるため、会社はまた夏期中央指導者、国内外の観光客の安全な水供給の仕事を担っているのだ。

彼は評判が悪く、「誰からでも金をもらう。どこからでも金をもらう」とニュースで伝えられた。どこまで進んでいるのか。「馬超群は手にした権力と資源を利用して不正蓄財し、北戴河の中央直轄部門で水道管を通そうとしたが、彼は手を伸ばして金を集めようとした」、「金を出さなければ水を出さず、金が少なければ断水する」とも言った。

この馬超群の貪欲さと大胆さは、本当に抜きん出ている。

実際には、水道水を管理することは、つまらない事ではない。水道水と同じくらい小さくないものはたくさんあり、例えば電気、ガス、車、教育……一人ひとりの生活にかかわることは、想像以上の権力や破壊力を持っていることがあるのだ。

二〇一四年十一月十三日、新華社のニュースによると、記者が中国全国の多くの省の末端公務員を訪ねてみたところ、給料はかわいそうな二、三千元で、しかもある公務員は「私の収入が通常の給料だけだとは誰も信じていないが、年末のボーナスを除いては、福祉はまったくない」と惨憺たる様子で話した。筆者にも末端公務員の友人が多く、彼の言っていることは基本的に真実だと思っている。

一方では小官はお金がなくて、もう一方では小官は大きく腐敗しているのだ。前者には、公務員の給与についての真剣な議論が必要であり、後者には、効率的な権力監視が必要だ。

今回の数学の授業はここまでだ。ここからは政治科目の先生のやることだ。

中紀委の年末報告はいかに興味深いか

二〇一五年一月七日
東郭栽樹

二〇一五年一月七日、中共中央規律検査委員会（中紀委）と国務院監察部は発表会を開き、監察部部長である黄樹賢は、一年間の汚職との戦いの戦果を知らせた。例えば二〇一四年十二月二十二日、令計画が「重大な規律違反」で通報された後、七日には立案審査が発表された。今年の中共中央規律検査委員会の「打虎（トラを叩く）」スピードが落ちていないだけでなく、手続きなどでスピードを上げる可能性があることを示している。

発表会の原稿はまだ長い。「侠客島」は、あなた方により楽しい形式で中共中央規律検査委員会の過去一年を感じさせることにした。

「紀偉」（中紀委を人間とみなす）という友達を招き、分かりやすく発表した。

皆さま、こんにちは。私は「紀偉」と申します。特別なボクサーだ。今日は私の二〇一四年の話をしよう。聞くところによると、私は現在有名だそうだ。実際、有名かどうかは気にしていない。本当だ。老子は「名の名とす可きは、常の名に非ず」と言った。実際、私の本名は何かわかるか。これはまたとても複雑な問題だ。

川は水をたたえ、それぞれが異なる月影を宿している。知っておくべきなのは、初心は変わらず、ただ身の化身が変わっているだけだ。

私の職業はボクサーだ。もちろん、街に出ることもある。会場やホテル、空港、高速鉄道を利用することもある。無影脚(1)でも秘宗拳(2)でもいい。とにかく、私の跡はつけにくいと思う。

多くの人は私を好んでいるが、私を恐れる人や憎む人も多いのだ。なぜなら、私の役目は、政界、いや拳（権）法界でゲームのルールを守らない人を見つけ出すことだ。男でも女でも、拳（権）技が強いか、背景が厚いのか、舞台で退いたのか、休んで孫を抱いているのか。

そして、違反者をKO（ノックアウト）するのだ。

話すには少し残酷だ。しかし、私は引き受けなければならない。例えば、昔「康師傅」という者は「変化に付いていけない」というあだ名があり、凶暴で背景が大きく変化に追いつけなかった。だから何だというのだろう？

やむを得ず、引退を取り出さなければならない。俗に言う「因果応報」、「後悔先に立たず」なのだ。

鉄の跡を掴んで踏み石に印を刻むのも私のルールだ。

決まりがなければ、何事も上手くいかない。国には国法があり、党は党紀がある。例えば「八項規定」(3)は小さいように見えるが、三国時代の劉玄徳は「悪は小さいからず」とした。人が誰も管理しない場合、「割れ窓論争」が生まれ、悪い風が吹き込むと環境は壊れてしまうのだ。

（1） 武術家・黄飛鴻の代表的な（伝説的な）技。

（2） 河北省などに伝わる武術。

（3） 二〇一二年十二月四日に中共中央政治局会議で採択された、勤勉倹約の励行等を含む規定。

これらの破れた窓を張りなおしたいので、私は今年はかなり尽力した。劉玄徳も「どんなに小さな善事でもしようと心掛けよ」と言っていた。そのため、私は二〇一四年は五万三千八十五回の試合を経験し、七万千七百四十八人を打ち負かす。そのうち二万三千六百四十六人が処分された。平均数で計算してみてください。二日に一人のペースで庁長級の相手をKOした。

これらの戦果も当然天下に広めなければならない。一人を処罰しても他者に見せしめをしなければ効果はない。古人は「事前に説明がなかったと言ってはならない」と、この抑止効果について語っていた。規則に従わない人たちを、違反させないようにすることが私の短期目標だ。

今の拳（権）法界には人が多く、ルールを破る悪人も少なくなかった。悪人たちを探すことは、確かに技術的な仕事だ。

しかし、幸運なことに、多くの人は私を支持してくれた。サイトを開設し、毎日結果を載せ、皆さんからの通報の手がかりをもらっている。このサイトは話題になり、一年で九億を超えるアクセス数があった。メディアの影響もあり、仕事も忙しくなった。例えば、メディアの影響として、湖南省大浦では三百人以上の子供が環境汚染で血鉛（血液中の鉛の量）の基準値を超えたと報道した。このような事に対して責任を追及しなければならない。すぐに十一名の責任者を処分した。

通報を受けること以外にさらに重要なことは、自発的に歩き回ること、「巡視」だ。

通常巡視は、省市ごとで視察する。二年間、私は中国全国を歩き回ったが、過去五年間の仕事量程多いものだった。現在、各省市でも視察が始まり、二〇一四年は効果が良く、二〇一五年はさらに明らかになると思う。

「一地一地回って行く」以外に「特別回り」もある。学名は「特定項目の巡視」と呼ぶ。二〇一四年に私は十九の中央機構と事業所を訪れ、部下、建設プロジェクト、特別経費を巡視した。

これはかなりひどいものだった。雲南の白恩培、広東の万慶良、天津の武長順、江蘇の楊衛沢……どれも有名な地方の「豪強」（権勢を笠に着て横暴にふるまう者）だ。巡視で彼らの弱点を把握し、初めて一戦で落馬させた。山西「塌方式腐敗（塌は倒れるような体系的な腐敗）」が発覚できたのは、言うまでもなく巡視の成果なのだ。

この仕事は大変だが、私は疲れてても幸せだ。時々摘発資料を読み終わると、「回馬槍[1]」の術を使ってやっつけよう、いや、体の向きを変えてパンチを放つ。それらの悪人に対処するために、あなたの意志や目力、聴力、戦闘能力、必要な時の演技を含めて修練を続けなければいけない。そうすれば、最後は必ず正義が勝つ。

そうだ、見回っている間、私は時々脅されることがある。しかし、私はこれが戦いで、負けることができない闘争だと言いたい。「誰が誰を恐れているのか」と言いたいのだ。

悪党たちを簡単に分類し、彼らの名札を動物で表す。

それらの未熟な連中を「ハエ」と呼んでいる。数量が比較的多く、毎日ブンブンと鳴り、もっと厳しくしなければならない。

一部の悪人は狡猾だ。私が来ると聞くと逃げるのが速い、なんと海外に逃げてしまったので、彼らをキツネと呼び、彼らを捕まえることを「キツネ狩り」とした。彼らは「海外は安全だ」と思ったのだろうか。私が出国できないと思わないでほしい。そして、私は海外でも一緒に働くパートナーがいる。結果はどう

（1）退却中に突然馬の向きを変え追撃者を槍で突き刺す昔の騎馬戦の戦術の一つ。

だろうか。一年に五百人以上を捕まえ、盗品の回収は三十億元以上もしたのだ。

「トラ」と呼ぶ者は修練レベルはかなり高い方だ。トラは相手にしにくいから、時には二年戦ってやっとKOできる。この二年間トラと六十八戦を経て、中央任命の幹部六十八人を捕らえた。その中で「康師傅」など三十人はすでに法に基づいて処分された。もちろん、私は彼らと話したことがある。普通はテレビで公開しない。その過程は、中国武侠ドラマ「小李飛刀」の李尋歓と上官金環の決闘と似ている。彼らは私の必勝の決意と速度を信じていないから、もちろん必ず負けるであろう。

いろいろなことを知っていたにもかかわらず、相手の不思議な出来事にビックリ仰天した。

公権力を濫用し、私利を得るのは必須だ。

親戚や部下、秘書がついてくるようにするのはよくあることだ。

違法または不当な手段により公権力を濫用し、不当な利益を得ることは、全く話にならない。水道会社の役員は公権力を濫用し、自宅に一・二億元の現金があった。人民元紙幣の最高札は百元だから、これを縦に畳むと、高さは約百二十メートル、四十階建てのビルを超える。またある時、国家エネルギー局の貪官の家に行って、うわー、ぱっと四台のマネーカウンター機も燃えちゃった。予想外だった。

そして、話すのは本当に難しい。政界、いや拳（権）法界では有名な男女の姓があるが、多くの人は不倫をするそうだ。不倫しないとどうして拳（権）法界に生きていけようかという。君たちがこんなに先輩に敬意を表すなんて、西門慶[1]を笑わせてしまう。

とにかく、私の役目は、この人たちを捕まえて、検察機関に移すことだ。罪と量刑について言えば、そ

（1）中国の小説『水滸伝』に登場する無頼漢で、武松の兄嫁潘金蓮と密通して武松に殺された。

れは裁判所の問題になる。法の支配は私から始まる。それもやはり規則だ。ルールなら守らなければならない。

ルールを守らない人がいれば、相談せずに処分する。

なに?「泣いて馬謖を斬る」[1]に匹敵する。笑わせるな。彼らは馬謖とは言えない。たとえ馬謖であっても、私は諸葛亮ではなくて、彼らのために一滴の涙も流さないだろう。「鉄を鍛えるには、やはり自分自身が硬い」「他人に正しいことを要求する前にまずは自分を正す」という。私は二〇一四年に千五百七十五人の事案を片付け、その内、庁長・局長級三十四人、県長・処長級二百二十九人を処分した。

もう話そうとしない。二〇一四年は本当に忙しくて、「トラを叩き」「キツネを狩り」だけでなく、「ハエをたたき」「かごを作る」もしなければいけない。忙しくてよくインスタントラーメンを食べ、大晦日の夜に餃子も食べられなかった。さらに「灯台下暗し」を防がなければならない。二〇一五年もきっと忙しいだろう。

私たちも忙しいが、一緒に読書やテレビを見なければいけない。コーチが長編歴史小説『大清相国』とテレビドラマ「一代廉吏于成龍」を推薦してくれた。あの互いに暗闘する宮闘劇は一番素晴らしいものだ。

最後に、私を支えてくれた皆さまにもう一度感謝しよう。

（1） 馬謖は三国蜀の武将で、丞相諸葛亮の軍令にそむいて街亭において張郃の率いる魏軍に大敗したため、斬罪に処せられた。

仇和は落馬！権利の「緑林時代(1)」は終わりを迎える

二〇一五年三月十五日
東郭栽樹

「誰か会議に来るなら、帰れないかもしれない」

二〇一五年三月十五日正午、中共中央規律検査委員会公式サイトに公開された「猛料（驚愕のニュース）」から、段子(2)は段子だけでなく、事実そのものである場合もあるということが瞬時に分かった。

帰れない人は仇和で、元中共中央候補委員、中共雲南省委員会副書記だった。午前中に「両会」（全国人民代表大会と全国政治協商会議）の閉会式に参加したばかりの全人大代表の仇和は、閉会後に雲南省代表団構内の「職員の家」に戻った後、連行されたという。

メディアの報道によると、彼は初日（十四日）には雲南省代表団の総会に出席していたが、前日（十三日）朝のグループ議論では、彼の言行は従容としており、そして「私たちのような体制は、中央政府から地方政府まで世界一の廉政であるはずだ」と考えていたそうだ。

（1）英雄豪傑。

（2）中国の漫才の用語で、一つの作品の中の一節或いは一部を指す。今はその応用範囲が広くなって、中身も変わってきて「段子」はもともとの意味のほかに、ストーリーや笑い話の省略した言い方となっている。

――四十八時間後、「ドゥアン（duang）」[1]という響きや音に伴い、仇和本人が重大な違反の疑いで中共中央規律検査委員会に引き取られた。「重大な違反」の詳細はまだ明かれていないが、世論は彼が腐敗問題に関与していると考えていた。

筆者の雲南省にいる友人は、「昆明はもともと螺螄湾卸売市場があって、仇和はそれを壊して、新しい螺螄湾を再建し、ディベロッパーの背後にある資本は江蘇省と浙江省からのものだ」と言った。この江蘇省と浙江省からの開発資本は、仇和の出世コースに伴うのだった。宿遷から昆明までついていくと、これらの強力な江蘇省と浙江省のボスの影がある。その背後には、権力とお金の暗黙の取引から逃れられない。昨年まで、これらのボスたちは続々と取り調べを受け、これを糸口にして事件の根源を追究すると、仇和は摘発された。

午後、史書のような紀伝体でこの事件を列記した『史記・仇和列伝』はインターネットに登場し、「世間で言われているニュータウンの造営者は、仇和の郷党に他ならない」と指摘した。

このことから、仇和が土地と都市インフラ工事の腐敗にかかわっているという説は、明らかに狭い範囲で流布しているわけではない。

もう一人の「能吏」[2]は人々を失望させた

江蘇省の宿遷市から雲南省の昆明市まで、「最も物議を醸す党委員会書記」として、有名な「スター官僚」

（1）ジャッキー・チェンが出演したＣＭから流行した擬態語。
（2）官吏としての能力のある人。

として、仇和の施政スタイルは少なくとも十年前から中国にその名が聞こえている。仇和の施政には多くの物語があり、『政道――仇和十年』という本があり、ネットでも買えるだろうし、ネット上には彼の文章も少なくない。

「政績工程」[1]を行い、「常軌に合わない」、「覇道」、「理想主義」、「酷吏」などは典型的な仇和のイメージだ。一方で、厳格で迅速な施策や「腕前がよい」、「現実的な実りのある仕事をする」など肯定的な評価も少なくなかった。

バランスを重んじ、穏健を求める中国の官界では、仇和のように大きな議論を起こす人物は少なく、議論を起こして出世する人はさらに少なかった。あるメディア関係者の暴露によると、旧正月前に仇和が電話で「私の仕途でずっと摘発・通報されたが、（思わぬ栄転に）非常に驚き喜んだ」と話した。

なぜか。人脈や背景などの不明な要素は別として、彼を支持する者が人前に出ても恥ずかしくない理由がある。それはあなたが彼を好きでも嫌いでも、彼の施政スタイルを受け入れようが拒絶しようが、少なくとも彼は執行力があり、仕事が良くできる役人、いわゆる「能吏」であるからだ。

一般的に、上級指導者は「能吏」を使うと、時には「寛大」に使うこともある。一方で、「能吏」というのは、庶民にも特別な評価がある。「能吏」は鉄腕で権力を駕馭するのが一般的なので、鉄腕が官を治めることが前提となる。

沭陽の人々は、仇和が工作してあえて地位が自分より上の貪官・宿遷市副市長黄登仁（元沭陽県委員会書記）を失脚させたのを見て、拍手をしないわけにはいかない。宿遷、昆明の人々によると、仇和は宿遷、

（1）幹部の業績評価を高めるためのプロジェクト。

昆明で政務を執る時、各級の役人は会議に遅刻したり居眠りをしたりする勇気がないという。そうすると罰を受けてしまうような話は、宿遷、昆明の民衆もきっと楽しいだろう。

民衆は貪官を憎み、好むのは誠実な役人であり、天下国家は公のものであるべきで、やはり「能吏」が増えてほしいという願いがある。そのため、無能で純粋な貪官は役職から外され、谷俊山（兵站を統括する解放軍総後勤部のナンバースリー）のように、戦功をあげず、功績はほとんどなく、現在ではすべて否定的なスキャンダルしか聞かず、世論は窮地に陥った彼に全く情け容赦しないようだった。しかし、もし一人の「能吏」が貪官になると、かえって民衆を「失望」させるだろう。

仇和はまさに人々を「失望」させた「能吏」の一人だ。

仇和という反面教師の意義

仇和の落馬は、まさに現在の中共中央が全面的に法に基づいて国を治め、全面的に厳格に党を治める決意と決断を証明した。例外もなく、上限もなく、「当事者」の「スター像」を考えず、党紀に従ってやればいい。

しかし、仇和にも反面教師の意義がある。

彼の在任二十年は中国の改革が最も激しい時代で、彼自身は「異端官僚」という姿勢で、「権力のわがまま」というやり方で、多くの役人が直面している同様の問題に対処してきた。腐敗の泥沼に陥ったなら、地位と名誉の喪失を対価としたが、彼の政務経歴に反映された普遍的な観念と考えの筋道は、むしろ反省に値する。

例えば、仇和は都市発展事業などの資金問題を解決するため、幹部たちを「招商引資（企業誘致と資金導入）」に行かせ、「招商引資」の任務を終わらせなければ、自ら辞職することになる。しかし、「全員で投資を誘致する」の背後には、官僚システムの機能区分が破壊され、つまり「本来の職務を投げ出してやらない」ということだ。同時に、各業務部門の管理する資源は異なっており、企業誘致の任務を達成するために、あれこれと知恵を絞って考え、自分の手元にある権力と資源を使い切ってしまい、悪性競争と権力のレントシーキングが起こりやすい。その結果、底なしの優遇政策、土地の低価格分譲が先行し、低水準のプロジェクト、手抜き工事が多く見られた。このように目の前のことばかり、あるいは任期の業績にばかり気をつかうのは、明らかに科学的な発展の理念に合わない。

二〇〇八年三月、北京大学中国経済研究センター教授の姚洋があるフォーラムで「仇和の企業誘致パターン」について懸念を示し、GDPを一方的に追求する昆明のやり方を厳しく批判した。その後、仇和は姚洋を昆明に訪問させ、姚洋は仇和に二冊の本──『国家の視点：人間の状態を改善しようとするプロジェクトがどのように失敗するのか』と『アメリカの大都市の死と生』を贈った。一年以上たった後、姚洋はメディアのインタビューで、「今のところ、この二冊の本は何の役にも立たなかった」と言った。

このようなやり方は、幹部全員を動かそうとしているのかもしれないが、実際の効果は破壊的で、一見にぎやかだが、実際には管理の基本原則に反し、非常に粗末な統治モデルだった。例えば、仇和は昆明の市政を握った後、社会に向けて市指導部メンバーの電話を公表したが、すべての要求が直属の上司を飛び越え市の指導者に向けられた時、官僚システムの運行論理が乱れた。これは世論から見れば官僚主義に対する宣戦だが、実際は仕事をする基本的なルールを破ることで、より大きな混乱を招くことになった。

世間から指弾された仇和の「売り切り」政策は、さらに警戒すべきだ。仇和は宿遷の市政を握った後、

「五百十五万人の住民が住んでいる八千五百五十五平方キロの土地では、現金化できる資源や資産さえあれば市場で取引できる」と述べ、病院と学校を売りだすほどだった。この極端な手段で国有資産を処分し、「孫は祖父の田畑を売っても心が痛くない」と言い、国有資源資産を売り払って「現金化」すれば、任期中のGDPや政績はもちろんいいが、再生不可能な資源や土地などは個人・利益集団の手に握られており、その後の経済・社会の発展は誰が管理するのか。市政の後継者が社会を治める資本は何か。これは「先祖の田を売り、孫の飯を食べる」「私が死んだあと、洪水になっても構わない」ではないか。

改革に「緑林風格」は不要

このような政府が全員で投資を誘致し、国有資産を売り払ったことは、実は特別な事例ではなかったが、仇和がより勝手な気炎を上げ、より度を超し、より「破釜沈舟」(1)し、より堂々としているだけだ。仇和の落馬のニュースが伝わった時、筆者の友人が「仇和の落馬は、改革の『緑林時代』が終わったことを意味する」と感嘆した。

「緑林」とは何か。法律を無視し、ルールを無視し、人を殺したり、火をつけたりして、政権に投降・帰順する。

このようなずさんなガバナンスの考え方は、中国の改革初期で固有の体制の束縛を破るのに少なからず役立った。古い体制を壊す過程は、ますます勝手気ままな権力を伴っている。権力は「もろ刃の剣」のよ

(1) 決死の覚悟で出陣すること。

うに、自由を与えることで社会変革をもたらすこともあれば、大きな問題を引き起こすこともある。

このような現象は、仇和や役人などにも影の形になっている。勝手気ままな権力は彼らを「改革先鋒」に変え、また偏執の「権力の盲従者」に堕落した。そのため、改革を全面的に深化させる段階では、権力のわがままを抑え、法治の軌道で権力をスムーズに動かすことを迫られている。

李克強総理は記者会見で「法に基づいて国を治めねばならない。法の前にはすべての人が平等であり、誰であれ法の外で権利を使うことはできない。……権力を日差しの下で動かせ、社会の監督を受ける。この過程で、私たちは乱作為を処罰しなければならないが、不作為や行政の怠慢も許されない」と強調した。改革と法の支配は対立するのではなく、二者の方向を一致しなければならない。法の支配の枠組みの中で改革を進め、改革の過程で法の支配を完備しなければならない。これは改革を全面的に深化させる新しい時期に、改革者が身につけなければならない原則だ。

この意味では、新時代の改革に必要なのは賢明な建設者であり、勝手気ままで向こう見ずな人ではない。仇和はかつてこう言った。

「腐敗には三つの種類があると思う。一つ目は横領で、二つ目は意思決定のミスによる経済的損失だ。三つ目はむしろ仕事を少なくし、ひいてはなすべき事を故意にしない、平穏で事故を起こしない、年齢と順序に従って昇格を待ち、事業のチャンスを失い、地域経済・社会の発展に悪影響を与えることだ。後者の二つが最初の被害より更に大きく、憎むべきものだ」

見たところ、仇和は、自分の腐敗は少なくとも後者ではないと考えているようだ。しかし、彼は「スター」として自分を過大評価していたのかもしれない。

中紀委が排除した「党内の隠れた重大な政治的危険」は誰なのか

二〇一六年一月十四日
鉄甲依然

二〇一六年一月十四日、中共中央規律検査委員会（中紀委）は六回全会を閉幕した。筆者が要点をストレートに言う。

一　形勢判断

歴代全会の公報や習近平の演説を比較すると、二〇一六年、中共中央の反腐敗情勢に対する判断に変化がある。

具体的には、「厳しく複雑」から「圧倒的な態勢が形成されつつある」になっている。しかし、すでに圧倒的な態勢を呈し始めているとしても、反腐敗は同様に「長期」、「困難」、「永遠の途中」ということだ。

「圧倒的な態勢」とは何か。筆者から見れば、力の対比で変化が起こった。これまで反腐敗に対抗し、妨害しようとしてきた勢力はすでに消滅しつつあり、少なくとも反撃する力はなく、反腐敗の態勢はもはや不可逆だ。

この判断はデータによって支えられている。

二　反腐敗の三年間

多くの人が注目しているのは、今回の全会がこれまでと著しく異なっていることだ。

これまでは、毎回一年間を振り返るが、今回は、最初に過去三年の総合的な評価を行った。

この三年の反腐敗は、(仕事・生活の)態度を改め、中共中央規律検査委員会が主に行ったものは皆が知っている。「打虎(トラを叩く)」、「八項規定」、巡視、犯罪容疑者の追跡逮捕を実施したことだ。

二〇一三年、二〇一四年、二〇一五年のデータを見れば、明らかになるだろう。

「八項規定」違反の処分に関して、二〇一三年には二万五千件の問題を取り締まり、三万人が処分された。二〇一四年には五万件を取り締まり、七万二千人を処分した。二〇一五年までの十一カ月間で、三万二千件を取り締まり、四万三千人を処分した。合わせると総計十一万件の事件を調査し、少なくとも省長・部長級十人、庁長・局長級六百三十九人、県長・処長級六千四百四十八人を含む幹部十四万五千人を処分した。

二〇一五年、中共中央規律検査委員会の公式サイトに新しく開設された特別欄「大衆周辺の〝四風〟と腐敗を取り締まる」によると、二〇一五年だけで中国全国で八万件の問題を調査し、九万一千人を処分した。

「打虎(トラを叩く)」に対する態勢はどうなのか。幹部の中核である中央任命の高級幹部の中に、二〇一三年には三十一人、二〇一四年には三十八人、二〇一五年には三十七人を取り締まり、これは落馬したものだけで、懲戒処分を受けたものは含まれていなかった。

巡視に関しては、二〇一四年までに三十一の省・自治区・直轄市と新疆建設兵団の巡視が完了した。二〇一五年には、中央管理の中央企業・金融機構の巡視も終了した。これは中共中央で定めた五大巡視区域（地方、中央管理の中央企業、金融単位、中共中央と国家機関、国家の経費で運営される非営利的な事業単位）のうちの三つは終了し、残りの二つは中共十九大前に終わるだろう。

犯罪容疑者の追跡逮捕に関しては、二〇一四年には五百人余りを追跡逮捕し、三十億元余りを取り戻した。二〇一五年までの十一ヶ月で八百六十三人、一日平均二・五八人を追跡逮捕した。注目すべきなのは、二〇一五年一月から十一月にかけて追跡逮捕された中共党員と国家工作員が百九十六人、（海外へ逃げる）高飛び犯人が二十人余りで、「追跡逮捕」が初めて「高飛び」を上回ったことだ。

言い換えれば、上記のデータと、それに対応する全体のデータ（中国全国幹部の総数、各級指導幹部の数など）を比較すると一目瞭然で、中共中央が中央規律検査委員会の過去三年間の効率的な仕事を肯定した。

「圧倒的な態勢」を支えるのは数字だけでなく、さらに多くのチームとメカニズムの支えがある。中国全国の規律検査機関は機構を簡素化し、規律検査チーム内の違法分子を調査して処分した（二〇一四年だけで千五百七十五人を処分した）。新しい「中国共産党清廉自律規範」、「中国共産党規律処分条例」が実施され、仕事の軸足が「案件調査」から「規律を守って事件を処理する」に移り、案件処理の効率も上がった。

三　独特な表現

同様に注目すべきのは、全会の公報にあるこれまでにない表現だ。周永康、令計画などを処分したことで、

「党内の隠れた重大な政治的危険を取り除いた」という表現だ。これまで「党内の隠れた重大な政治的危険」という表現は少なくなかった。腐敗、「四風」、政権能力の不足などの問題を取り上げる時も多かった。しかし、「党内の隠れた重大な政治的危険」を具体的な個人と結びつけることは、非常にまれだ。

単刀直入に言うと、これは「圧倒的な態勢が形成されている」という論拠の一つだ。

なぜこのように表現したかというと、これまで習近平の演説の中で、「これら人は、政治野心が膨張し、利己のためか小団体の利益のためか、党組織に背いて政治的陰謀活動を行い、党を分裂、破壊する政治活動を行う」と述べていたからだ。彼らを排除するのは、実際には党内の派閥や「利権結託」を排除するのだ。

四　末端に拡大する

中共中央規律検査委員会は二〇一六年の業務についていくつかの施策を講じた。

しかし筆者が最も注目したのは、「全面的に厳格に党を治めることを末端に拡大する。末端の腐敗及び法執行の不公平などの問題に対して、真剣に是正し、厳しく取り締まり、大衆の切実な利益を守り、大衆に反腐敗の成果をより多く感じさせるべきだ」だ。

言い換えれば、中国共産党の反腐敗は一歩一歩推進された――「打虎（トラを叩く）」で貪官をおびえさせる。巡視は全域をカバーする。小さいことから作風を正す。高飛び犯人を捕まえ、逃げ道をふさぐ。「案件調査」から「規律を守って事件を処理する」まで規律検査体制を改革する。ルールを設け、やり方を制度化する。

以上ができた時点で、（厳格に党を治める）圧力が末端に広がり始めり、大衆に本当の成果を実感させ、

「反腐敗」「規律を守って事件を処理する」に対する一般民衆の共感も一段階と上がるのだろう。

実際、中共中央規律検査委員会が二〇一五年に公表したデータから、それを実証した。

上記で述べたように、中共中央規律検査委員会の公式サイトに特別欄「大衆周辺の〝四風〟と腐敗を取り締まる」を新設した。この特別欄では、中共中央規律検査委員会は千三百五十五人の問題を公然と暴き出し、中には村（居委会）幹部七百七十六人が含まれ、過半数を超えている。その中でも村、居委会級の党支部書記、主任も半数を超えた。

なぜこのようなことをするのか。現実的に言えば、末端組織を巻き込んだ汚職事件のうち、57％は土地の取立、貧困救済、高齢者扶養、医療保険、農業補助金などで、直接的に住民の末端組織への信頼に影響を与えたからだ。接客態度が悪い、不作為、金品要求、民衆を威圧し、規定に違反して不正なお金を受け取るなど問題も、30％を超えた。

上層指導者の取り調べ摘発は、党内で改革の政治的抵抗をなくし、官界全般を粛清できるとすれば、末端腐敗の処理効果は、反腐敗の戦争が真の「圧勝」につながるかどうかに直結するだろう。

五　動向――かなり少数

ユニークな表現があれば、共通の表現がある。前回の全会公報に比べると、今回の全会では、反腐敗には「風を吹かず、運動をせず、一時期ではない、歩調を変えない」が必要だと重ねて強調した。

中共中央規律検査委員会から見ると、答えの論理は、ストックを減らし、増量をコントロールすることだ。既存の問題を解決しながら、新たな問題の発生をコントロールする。その上で、問題を早く解消し、小さい時に解消しなければ、「今日の良い同志は、明日の囚人」という不正常の状況を完全に変えることはできない。

どうすればいいのでしょうか。これは、規律検査委員会の監督と「規律を守って事件を処理する」形態の変化に関連している。

これまでの考えでは、規律検査委員会は事件を調べるもので、その役割はそこにあった。しかし、今後の傾向としては、規律検査委員会が司法と分離して「党内の公安局・検察庁・裁判所」を担当しない、違反したかどうかを直接調べ、違反の手がかりを見つけた場合、速やかに司法機関に移管することだ。このままでは、規律検査委員会の「規律違反を調べる」機能が完全に実現すれば、次のような変化が起こるだろう。日常組織生活が規範化されたら、(民主生活会[1]のように)思想の交流や批判・自己批判を行うことは常態だから、民主的に問題の芽をいち早く摘み、将来を戒める軽い処分と職務調整が処分内容の大半を占め、重大な職務調整が行われるのは少数であり、重大な規律違反で立件されたのはごく少数だ。

これは、理想的な監督と「規律を守って事件を処理する」形態だ。そのためには、やるべきことがまだまだたくさんある。

---

(1)　党・政府・諸団体などの特定の部門に属する同じ等級の人々が開く反省会。

「ただの」副市長はなぜ六億四千万元を欲しがるのか

二〇一六年三月七日
公子無忌

ここ二年の「両会」（全国人民代表大会と全国政治協商会議）で、山西省代表団は常に話題となっていた。理由の一つに、当時中共山西省委員会書記である王儒林がメディア公開日にエピソードを話すことを好んだからだ。例えば二〇一五年、汚職問題を説明した時、王儒林は、「山西の汚職は個別的な事件や孤立したものではなく、〝団子状〟で、調べれば汚職グループを挙げた。動けば崩れてしまう。省長・部長級から村の幹部まで多くの事件があった」と述べた。二〇一六年、彼は一気に三つのエピソードを話した。

一つ目は、（財界などの）ボスが庁長に用事をお願うする時、紙片に「三千万元をあげます。やりますか」と書いた後に紙片を飲み込んだ。二つ目は、ある幹部の生活は奢靡で、オーナーたちを集めて飛行機を買い、毎日海外から自己のために牛乳を空輸した。三つ目は、ある副市長の汚職は六億四千四百万元に達しており、山西省の下位九つの〝貧困県〟の一年間の財政収入を合計した額よりも多かった。

これらの話を聞くと、山西省の『官場現形記』[1]が活き活きと聞こえてくるようで、官界に詳しくない人の想像力も広がる。

（1） 官僚・胥吏の習性や腐敗を描いた中国・清末の白話長編小説。

今日は三番目の話をしようと思う。

エピソード

王儒林がエピソードを話すときは名前を伏せるが、メディアは全力でそれを掘り出した。信頼できる情報源によると、六億四千四百万元を貪った汚職官僚は、江湖（世間）で「呂梁教父」と呼ばれ、呂梁市の石炭産業を長年担当した張中生副市長であることが確認された。

張中生は呂梁で生まれて育った。二〇一四年、六十二歳だった張中生は捜査を受け、二〇一六年一月に逮捕された。裁判が近づいているように見えた。（二〇一八年三月二十八日、張中生の裁判事件に対して、裁判所の第一審は、贈賄罪で張中生の死刑を宣告し、また終身の政治権力を剥奪し、個人の全財産を没収した）

張中生のエピソードについては、すでに多くの記事で語られている。たとえば、中陽県の大小の炭鉱では、張中生がさまざまな手段でコントロールした炭鉱が八割近くある。副市長を務めている間、工作して当時の呂梁市委書記の聶春玉を棚上げにしたり、排除したりした。聶春玉は数年後に省委員会秘書長の職位から落馬した。たとえば、張中生は「度量が狭いで、目をむいてにらむようなちっぽけな恨みでも必ず仕返しをする」「高慢で横暴をほしいままにする」だ。また、張中生と呂梁の有名な石炭社長・邢利斌は密接な関係がある。後者はその年に七千万元で嫁を貰ったことが騒動となり、張中生が落馬したのと同時期に取り調べられた。さらに、一部の実業家たちは張中生に不正な賄賂を供与する際、銀行から大額の為替手形を使用していた。

反腐敗の嵐で落馬した官僚の報道が相次いでいるため、張中生の汚職事件が目を引く「エッジ効果」が落ちているのかも知れない。反腐敗は見物する劇ではなく、落ち目の悪人に痛撃を加えるのも本編の目的ではない。ここで、いくつかの深い問題を考えてみましょう。

呂梁

王儒林が中共山西省委員会書記に転任した後、省内調査の最初の拠点は呂梁だった。

新任の役人は「三本のたいまつを燃やすほどのエネルギー」がある。一般的にはある新任の就任後の調査路線を見れば、その考え方を垣間見ることができる。

王儒林は日程の選択についてこのように説明した。

「私は山西省に就任してから、調査研究の第一地点を呂梁に選んだ。正直に言えば、一部の同僚は、呂梁の状況が複雑で、最初に呂梁に行かない方が良いと提案した。私は真剣に考えたが、やはり呂梁を選んだ。主に四つの理由がある。第一に、呂梁は革命の老解放区[1]である。第二に、呂梁は腐敗問題の深刻な被災地である。第三に、呂梁は〝天下廉吏第一〟の于成龍[2]の故郷である。第四に、呂梁は現在の経済発展と社会安定の矛盾が目立つ地域である。私たちは矛盾と問題を回避しない」

呂梁の状況は確かにかなり複雑だ。二人の市委員会書記、聶春玉、杜善学はいずれも後日に副部長級の

（1） 中華人民共和国成立以前に既に解放されていた地区。
（2） 清朝初期の廉使として名高い官吏。

職位で落馬した。元中共山西省委員会常務委員、統戦部長の白雲もここで三年間市委員会副書記を務めた。元副市長張中生、元市人民代表大会副主任の鄭明珠も取り調べられた。中共十八大以来、山西省で落馬した七人の省長級幹部の多くは呂梁と関係があった。賄賂の供与で地元の影響力のある十人以上の企業家は連行された。しばらくの間、中共山西省規律検査委員会が調査した幹部の中で、落馬した時に呂梁で務めた数も山西省地級市のトップだった。

呂梁は、山西省の腐敗の典型だ。数字だけでも驚愕する。二〇一四年九月から二〇一六年一月に山西省全省で立件が二万八千件を超え、三万一千人を超えた役人が処分された。このうち、庁長・局長級の幹部は百二十九人、県長・処長級の幹部は千五百人を超えた。過去一年間、反腐敗による落馬で省管幹部（任命権は省委員会組織部にある）だけでも三百人の欠員が生じた。もしあなたは官界の規模に十分に熟知し、一省にこの職級の幹部が何人くらいいるかを知っていれば、この取り締まりの比率に驚くだろう。

呂梁は革命の老解放区であり、張紀中[1]はそのために『呂梁英雄伝』を撮影した。王岐山に褒められた廉吏、多くの英雄が出たところだが、石炭によって「塌方式腐敗（塌は倒れるの意）」をもたらし、その原因は興味深い。

レントシーキング

二〇一四年、呂梁市のＧＤＰは千百億元を超えた。全市総面積の54・３％が四大炭田の範囲だ。中国最

（1）　中国山東省煙台市 生まれのドラマプロデューサー。

大の石炭産地・山西省の石炭埋蔵量の15・26％がここにあり、その埋蔵量は四百億トンに達する。

石炭業界の景気の良い時期で、大小の炭鉱はエンジン全開の印刷機のようなものだ。現在の、中国および世界の石炭市場の不況によって、山西経済も苦境に陥っている。

データを見ればわかる。二〇一二年には、山西省のGDP成長率は依然として10・1％で、二〇一一年には13％だった。それ以降三年間で、成長率は年々低下し、8％、4・9％から2・7％に転落し、全国最下位となった。

生産能力の過剰や市場の不況は、経済難の背景にある。しかし、汚職は経済破壊には致命的だ。その意味では、「汚職が経済成長のために適切な潤滑油を提供した」という主張は論外であり、たとえ過去の「暗黙のルール」がGDPの数値を増加させたとしても、経済の深層への破壊をさらに長引かせる。

王儒林は「石炭資源の配置は、特に資源の統合や企業の合併・再編の過程で、政府が決定した方式を採用している。このようなやり方は、政経癒着、巨額の利益輸送、不正利得などの深刻な腐敗の土壌と条件を容易に提供した」とこの破壊作用を要約した。

例えば、炭鉱を利用してレントシーキンを行う。張中生は左手の権力と右手の紙幣を使い、側近に炭鉱を経営させることもできるし、賄賂を受け取って炭鉱の事故を揉み消すこともできる。炭鉱の閉鎖・生産停止を主宰しながら、中間評価を抑えるなどの手段を用いて、炭鉱統廃合の中で安価な買収・利益輸送を行うことができる。

「侠客島」の二〇一四年八月の記事によると、山西省の落馬した高官の大部分が、エネルギー関連に従事した経験者だったという。

どうしたらよいのか。王儒林の考え方は、市場主導型に変化し、公開化・公正化された市場環境を作り出し、発行市場（一次市場）で異なる所有制の鉱業企業に対する差別を無くすというものだ。二〇一六年の「両会」で王儒林が言ったように、これらの事件や「暗黙のルール」が破られるまで、常に「悪貨は良貨を駆逐する」だから、優秀な企業が資源を得るのではなく、お金を送れる企業が資源を得るのだ。「暗黙のルール」を破った後は？「山西省の急速な成長は巨大な圧力に直面し、長く苦しい時期を経験するはずだ」といい、石炭産業だけでなく、その後の構造転換が難しいからだ。

幹部

「悪貨は良貨を駆逐する」という「グレシャムの法則」は政界でも存在する。

十年前、当時の山西省長は「抵抗するのは数千人の不法鉱山主だけではなく、裏にいる幹部であり、不法鉱山は末端の幹部や法執行・管理部門のスタッフを保護傘（後ろ盾）にしなければ、やっていけない」と違法の炭鉱を整備する難しさを感じた。

一つの例だけで十分に考えられる。二〇一五年の「両会」で王儒林が提起した「重災区の市」は、二〇一〇年から二〇一四年九月までの五年間で厳しく処罰された事件はわずか四件だった。その中で司法機関への移送は一人で、事件に関連した金額は五万元だった。

報道によると、この「重災区の市」は呂梁市だ。六億四千四百万元を貪った張中生の前で、五人、五万元という数字は、いかにもブラックジョークに見えた。新任の規律検査委員会書記は、「過去は事件の処理が少なかったので、規律委員会の多くの監査官は事件の処理に精通していない」と話した。

反腐敗の力がこれほど強いのなら、幹部の心態にも変化は起こった。呂梁市で八年市政を握った聶春玉が落馬すると、地元の役人たちはうろたえていた。

最近の調査データは明らかにそれを示している。

呂梁市の柳林県は、石炭の主産地の一つだ。調査によると、「未来に自信がある」と答えた幹部は31・4%で、28・5%の幹部は自信はなく、25・7%の幹部は「ぼんやりとして先行きが見えない」と答えたという。

他の県の調査結果は、32・9%の幹部が企業と取引することを恐れ、11%は経済発展の面で「ちょっと待て」を選択し、27%の幹部が改革・革新に関して「後回しにして待つ」と答えた。

李克強総理は二〇一六年の「両会」で「今年は、中央政府が幹部の不作為問題の解決に力を入れる」と強調した。呂梁市の調査データはまさに李克強総理の発言に対する注記だ。

そのため、王儒林の三つの話を聞いてみると、習近平が語った「新型官商関係」という言葉に深い感銘があるかもしれない。

「新型官商関係」は、「親（親しい、仲が良い）」と「清（清廉、潔白）」という二文字にまとめられる。

指導幹部にとって、いわゆる「親」とは、素直に民営企業と交流し、特に民間企業が困難や問題に直面した場合、積極的に、前向きに奉仕し、民営企業家に強く関心を持ち、指導を深め、困難解決を助けることだ。「清」とは、民営企業家との関係は清潔で、欲張らず、権力を利用して不当な利益を謀ってはならず、権力と金銭の取引をやってはいけない、ということだ。

民営企業家にとって、いわゆる「親」とは、各級の党委員会・政府及び部署との交流を積極的に行い、真実や実情を語り、はばかりなく直言をし、熱心に地方発展を支援することだ。「清」とは清潔で、正しい道を歩き、法令を遵守し、光明正大に企業運営することだ。

道はまだまだ長い。

遼寧が安寧でない

二〇一六年八月二十六日
独孤九段

二〇一四年七月七日は、ウイークデーだ。

この日、中共中央第十一巡視チームは正式に遼寧省に巡視状況をフィードバックした。六十四歳の王珉・省委員会書記は遼寧省を代表して、「巡視の報告はずばり端的に要点を突き、急所を突いている……遼寧省の実際にぴったりだ」と態度を表明した。

半月後、遼寧省政治協商会議の陳鉄新・元副主席は、落馬した遼寧省の「首虎」（最初の省長級幹部）になった。彼の罪名は主に朝陽市党委書記を務めていた時に賄賂を受け取ったことだった。当時、「トラを叩く」の勢いはたいへん猛烈で、山西省は連続して何人の省長級の「トラ」を落とし、腐敗グループを挙げ、世論が一時山西省に焦点を合わせた。それに比べて、遼寧の「首虎」は目立たなくなった。

それから一年余り、遼寧省に省長級の「トラ」が落馬したというニュースはなかった。

震源

二〇一五年七月、王珉は全国人大に転任した。一部の人から見れば、これまで吉林省、遼寧省の書記を歴任した「封疆大吏」[1]は、すでに「安全に着陸した」という。王珉がどのような気持ちで遼寧を離れたのかは知らないが、巡視チームのフィードバックの中で、二つの叱責があり、二〇一六年の遼寧官界地震の震源地となった。

「党の政治規律を執行する面で、政治の鋭さが十分でなく、選挙で組織活動の規律が出現した問題を重視していなかった。民主集中制の執行と幹部選抜・任用の面では、幹部を選任する際の意思疎通が十分ではなく、幹部を任用する際には指導者が声を掛け、（不正な手段で）票を集めて買収によって当選する問題が際立っている」

これが最初の巡視で残された伏線であり、手がかりだった。

一年半後の二〇一六年二月、遼寧省は中共中央規律検査委員会が「回頭看（振り返り）」の最初の省となった。第一回目の巡視が中共中央規律検査委員会の「小試し」に過ぎなかったとすれば、二〇一六年初の今回の「振り返り」は、「票を集めて買収によって当選する」という手がかりを追っていき、四人の省長級高官を連続して落とし、高潮が次から次へと起こる。

三月四日、王珉が落馬した。

三月十六日、遼寧省人民代表大会常務委員会の王陽元副主任が落馬した。

四月六日、中共遼寧省委員会元常務委員、政法委員会書記の蘇宏章が落馬した。

八月二十六日、遼寧省人民代表大会常務委員会の鄭玉茹元副主任が落馬した。

最後の三人に関する通達では、いずれも「拉票賄選」（票を集めて買収によって当選する）が取り上げ

（1）中国、古代に一省または数省を管轄した長官。

られた。

少し前に落馬した瀋陽市の祁鳴元副市長、中共鉄嶺市委員会書記の呉野松も、贈賄事件に関与していると指摘されている。二人に先立って、盤錦市政治協商会議の劉鉄鷹元副主席も「公金を使って人民代表大会代表に賄賂を渡す」と通報された。

遼寧省は、湖南省の衡陽、四川省の南充に続き、もう一つの「大規模な賄選」が陥落した地だ。二〇一三年前後の今回の贈賄疑惑は、遼寧省の第十二期全国人民代表大会代表選挙、第十二期遼寧省人民代表大会常務委員会副主任選挙を含む多くの選挙、さらに以前の中共遼寧省委員会常務委員選挙にも関わっている。二〇一二年十二月～二〇一三年一月に行われた第十二期全国人民代表大会代表選挙では、遼寧省の百二人の人大代表のうち、少なくとも十人が関与した。

一省の全国人民代表大会の代表選挙、さらには政府の役人、党委員会常務委員の選挙はすべてお金が浸透して、湖南衡陽、四川省南充の賄選案に勝るとも劣らないと言える。当時、中共遼寧省委員会書記で、省人民代表大会常務委員会主任だった王珉は、「主な指導者の責任と直接の責任がある」とし、責任を免れない。

選挙贈賄が、遼寧省の官界乱象の縮図にもなった。

最下位

二〇一六年八月二十六日に公表された「中共遼寧省委員会の巡視〝振り返り〟整頓・改善状況に関する通報」は、遼寧省の官界乱象について、「遼寧の政治生態がすでに深刻に破壊されているため、一部の問題は積弊が深く、完全な改善にはまだ時間がかかることを我々もはっきりと見ている」と指摘した。

ひどい政治生態は、経済成長に直接影響しているのだ。

先日、中国国家統計局のホームページに公表された二〇一六年上半期の中国全国各省・直轄市・自治区のGDP成長率によると、遼寧省は最下位で、中国全国で唯一マイナス成長を記録した。マイナス1・3%で、下から二番目の山西省を四ポイント以上下回った。「通報」の中でまた「遼寧省全域に経済データの捏造問題が一時期普遍的に存在し、これに対して統計の執行力を強化し、捏造が発覚すれば責任を追及しなければならない」と指摘した。

これはまた、遼寧省のこのマイナス成長のデータをより現実的に表示したのだ。

もう一つの「マイナス成長」のデータは、遼寧省統計局によるものだ。1%人口サンプル調査の推計によると、二〇一五年末までに遼寧省の常住人口総数は四千三百八十二万四千人で、二〇一四年に比べて九万人減少した。遼寧省の常住人口は十七年ぶりに初めてマイナス成長を記録した。人口経済学の観点から見ると、ある地域の人材流出は経済の下落と密接な関係があり、相互作用している。

「侠客島」はこれまで、東北の経済を分析した記事がいくつかあった。遼寧省は古い工業団地で、エネルギー産業や大口商品生産などの伝統工業は産業の柱だ。数十年の経済成長の定式化は、遼寧省でさえ、東北地域の経済全体が「惰性」を生んだ。しかし、この生産の惰性は、市場の変化に敏感ではない。伝統産業の優位性が衰えると、東北地方の工業製品の需要は大きく減少した。第二次産業は最も大きな割合を占め、鉄鋼、石油化学、冶金、造船などもひどい、過剰生産能力の問題が浮き彫りになり、重工業構造の問題がずっと有効に解決されていないのだ。

二〇一六年第1四半期、遼寧省は規模以上の工業成長率がなんと8・4%まで下がった。中国全国の平均水準は5・8％で、遼寧省が構造転換において著しく遅れていることを示している。同時に、これまでの借金による粗放型的な成長も、地方政府に重い債務負担を負わせている。二〇一六年一月～五月、遼寧省の財政収入は前年同期比8・6％減少した。二〇一五年末の遼寧省政府債務残高は八千七百十八億五千万元で、二〇一二年末に比べて三千五百六十九億八千五百万元増加した。関連データによると、遼寧省の二〇一五年末の債務率は157・72％で、二〇一二年末に比べて88％上昇した。このような傾向が続けば、財力収縮による間接的な債務リスクの拡大はさらに続くだろう。

地市の債務率を見ると、盤錦のほか、錦州、鉄嶺、遼陽、撫順などの地級市の債務率が100％を超え、中でも撫順は200％を超えている。遼寧省財政庁が二〇一五年に各市に送った文書で、「現在、遼寧省の債務残高は大きく、債務基準限度額をはるかに超えている」と告白した。

王珉の後に中共遼寧省委員会書記に転任した李希は、「遼寧省経済に現れた困難には、構造的な原因があり、体制メカニズムの原因があり、政治生態の原因もある。いくつかの原因が重なって、遼寧の困窮の足かせとなった」と指摘した。

調べつくす

東北三省経済の長期的な成長を制約する根本的な原因は、市場経済の土壌が形成されておらず、民営経済が市場の主体ではなく、政府が資源配置の主役の座からまだ退いていないからだという見方もある。

実際には、遼寧省の民間投資は、省全体の投資を占める割合が七割に達し、名実ともに投資の「主力軍」だ。しかし、二〇一六年上半期、遼寧省の民間投資の減少幅は60％近くに達し、遼寧省経済の下降をさらに加速させた。なぜだろうか。

市場に最も敏感な民間資本にとって、良好な投資環境は基本的な保障だ。特に景気の下降局面では、投資が慎重になり、ビジネス環境にも厳しい。

資本が全国的にも世界的にも流通している今日、中国各省の投資環境競争がますます激しくなっている。その根底にあるのが官商関係だ。地方政府が清廉で効率的であれば、より多くの投資を受けることになる。逆に、地方政府が不正をしているのであれば、見ただけで恐ろしくなる。

この点から言えば、遼寧省の反腐敗運動は、今後の経済成長のために道路を整理することだ。真実を突き止め、問題を根本から解決しなければならない。モデル転換とアップグレードの過程は、確かに困難だが、長期的な成長のために、挫折は意味がある。中国全国を震撼させた今回の贈賄事件の取り締まりが、腐敗の問題を根本から解決する決意を国民に示すものだ。

中共遼寧省委員会の「通達」の中で、私達は「調べ尽くす」という字句を見た。

規律検査委員会を監督するのは誰か

二〇一六年十二月七日
東郭栽樹

王岐山が再び民衆の前に現れた。二〇一六年十二月五日から六日にかけて、江蘇省鎮江で調査研究を行い、また一部の省（自治区）規律検査委員会書記座談会を主催した。

筆者の心の中でも、中共十八大以降の中国で、王岐山は格別の珍風景だ。

ここには、習近平を中心とする中共中央の王岐山に対する信頼もあれば、担当する力もある。即ち、王岐山は中共中央規律検査委員会書記になってから、「明知山有虎、偏向虎山行（困難と知りつつ、あえてそれに立ち向かう」という勇気と担当があるということだ。何年か後に、諸公が中共党史と中国史を読めば、この一節の「打虎上山（虎をたたいて山に登る）」[1]の意義が深いことがわかるに違いない。

しかし、王岐山が最近繰り返している「信頼は監督に代わるものではない」という言葉も無視してはならない。言葉を換えて言うと、党規律検査委員会の権力は、全党と中央の信頼から生まれるが、監督も必要だということだ。では、党規律検査委員会の権力は誰が監督するのか。どのように監督するのか。

王岐山は最近、答えを出した。

（1）「打虎上山」は現代京劇「智取威虎山」から抜粋したもので、楊子栄が土匪に変装して威虎山に登った経緯を描いている。

ルール

王岐山の今回の行程の一つの重要な内容は、「中国共産党規律検査機関監督執紀工作規則（試行）」の制定について意見を求めることだ。これはルールに従って規則を制定し、党規律検査機関の執紀（規律を守って事件を処理する）行為を監督する一環だ。

ちょっと回りくどい？焦らないで。

国には国法があり、党には党規がある。ルールを作るのは、一人のリーダーが思いつきで決めることではなく、それ自体が制度の産物であり、「ルールに従って」行うことだ。

何のルールによるかというと、「中国共産党党内法規制定条例」だ。この条例はみんながご存じないかもしれないが、実は二〇一三年五月にすでに公布されており、党内の「立法する法」だ。「権力を制度のかごに入れなければならない」という話がよく聞かれるが、この条例は党内のかごをどう作るかを規定したものだ。

この条例を読めば、かご作りの材料となる中共の党内法規は七種類あることがわかる。最も根本的で位階の高いものが党章であり、準則、条例、規則、規定、方法、細則と続く。

簡単に言うと、今回意見を求めた「規則（試行）」は、中共中央規律検査委員会が職域内の監督・執紀業務について具体的に規定したものだ。

意見を求めることは、「党内法規草案が形成された後、広く意見を求めるべきだ。……意見聴取を書面でできることも、座談会、論証会、ネットでのヒアリングなどの形式を取ることもできる」という制度が要求することでもある。なお、「すべき」は「強制的な規範」であり、「できる」は「授権の規範」だ。そこで、王岐山は座談会の形式で意見を求めた。

切実

もう一つ情報量を含んだ言葉があるが、実はカッコの中の「試行」という二文字だ。

この二字にも学問がある。中共党内の「立法する法」（「中国共産党党内法規制定条例」）には「実際の仕事には切実に必要だが、まだ未熟な党内法規は、まず試行し、実践の中で補完した後、再び公布することができる」という非常に明確な表現がある。

つまり、王岐山が意見を求めたこの「規則」は、むしろ未熟な条件の下でも「試行」しようとしており、実際の仕事に「切実に必要」なことが十分にうかがえる。

なぜ「切実に必要」なのか。「灯台下暗し」（身近なものほど気づきにくい）があるからだ。

中共十八大以来、規律検査組織は「トラ」（省長・部長級以上の高官）を若干落とし、「ハエ」（下級幹部）を無数に叩き潰した。データはその証拠だ。

二〇一六年八月末までに、中国全国で「四風」の規律違反問題が十四万件近く摘発され、中共党員幹部十八万人余りが処分された。中共中央任免の（省長・部長級以上）高級幹部だけを見ても、「中共十八大以来、中共中央規律検査委員会は中共中央任命の幹部二百二十二人を立案審査、二百十二人を懲戒処分した。また、口頭注意は八百九十六人、照会は千八百六十三人、結審は二千七百五十三人だった」と明らかにした。中国全国の規律検査・監察機関は計百万件余りを立件し、百万人余りを党紀・政紀処分にした。

このような戦績は、中国政治のために風通しの良い環境を作り、実に大きな功績を残したといえる。

しかし、今回の調査で王岐山が明らかにした一組のデータは、同様に彼を痛ませた。

「中共十八大以来、中共中央規律検査委員会の機関は職員計三十八人を処分し、そのうち十七人を立件し、二十一人を職務調整した。中国全国の中共規律検査機関は職員計七千二百人余りを処分し、四千五百人は照会、二千百人は職務調整を受けた」と明らかにした。

このデータは、一方で中共規律検査組織の「自己監督」が本格的に働き、役割を果たすことを説明している（各級中共規律検査委員会は機関内部に「規律検査幹部監督室」を設置した）。一方で、完全に自分を監督していると、「灯台下暗し」になりやすいということも説明している。

王岐山が「断固とした態度で規律検査機関内部の汚職者を追放しなければならない」という言葉を放ったのもそのためだ。

中共十八期六中全会の後、全面的に「従厳治党」（厳格に党内を管理する）が新たな道のりについた。国務院国家監察委員会が試験的に運営され、中共規律検査委員会と合同で事務を行うことになり、中共規律検査委員会の権力がさらに強化されるものとみられる。このため、鎮江では、王岐山が中共規律検査組織に向けて「制約のない権力は危険であり、制度は抑制と均衡の役割を果たすべきだ」という明確な警告信号を発した。

中共規律検査委員会の権力に対する監視も、今回の「党内立法」を合図に制度化の軌道に乗った。なぜルールを作るのか。中共規律検査組織の「規律を守って事件を処理する」権力を制度の「かご」に閉じ込めようとしているのだ。

中共規律検査委員会の権力に対する監督は、これまで難題だった。「いくら鋭利な刃物でも、刃物自体のの柄を切ることはできない」という「中共規律検査委員会を監督する」難題は、多くの専門家たちが「同体監督」[1]の制度的欠陥として指摘している。中共規律検査組織の自主規制はもちろん必要だが、自主規制だけでは問題が生じる。

中共十八大の後に落馬した「トラ」（省長・部長級以上の幹部）の中で、四川の李崇禧、山西の金道銘は、いずれも長い間規律検査組織に在職し、最後には省委員会常務委員、省規律検査委員会書記の高官に就いた。このような人は、「上級機関を監督するのが難しく、同級機関を監督するのがにくい、下級機関を監督する勇気がない」だ。そのような人たちが自分を律することを期待するのは、「与虎謀皮」（トラに向かってその皮をくれと持ちかける）ということだ。

だから、王岐山は「まず各級党委員会の規律検査委員会に対する監督だ」と強調した。中共規律検査委員会は自己規制を党内監督、民主監督、大衆監督、世論監督を受け入れることと結びつけ、制度の「かご」を締めくくり、「忠誠、清潔、責任」の隊列を建設し、誰が規律委員会を監督するのかという問いに答えなければならない。

監督するには、根拠が必要だ。監督そのものも制度の産物であり、この根拠は、中共全体から言えば、党章を筆頭とする党内の法規体系だ。中共規律検査委員会としては、この根拠がまもなく公布される「規

（1）自分で自分を監督する。

則（試行）」だ。

この党内法規のハイライトは、筆者から見れば、「公開」という二文字だ。

必然

どうやって公開する？

例えば、各段階のリスク点を調べ、報告・指示、手がかりの処置、審査審理、事件がかかる資金管理業務規程の制定、審査全過程の録音・録画、事件に口出し・関与することの登録備案などの制度を明確に確立する。

先ごろ大ヒットした中共中央規律検査委員会のドキュメンタリー「永遠の途中（永遠在路上）」の中で、周本順がこんな独白をしたシーンがある。

「指導幹部に問題があっても、金額が大きくなければ、少し放っておいてもいい、これは私が省規律検査委員会に指示したものだ。ある市委員会書記は本来なら早く捕まえた、しかしずっと引きずって捕まえられない、中共中央規律検査委員会が催促してやっと捕まえた。また、いくつかの市長級・庁長級の幹部は本来すべて捕まえるべきで、最後にすべて私の指示で逮捕しなかった。中共中央の反腐敗の決定を貫徹していなかった」

周本順のように、直接省規律検査委員会に声をかけ指示をする者は、あとで登録して調べなければならず、さらに規律検査委員会審査の全過程を録音・録画しなければならないから、隠し場所もない。手順がはっきりしていてこそ、責任がやっと着くことができる。責任が十分にあってこそ、監督や事件の処理、責任追及の過程でのごまかしの発生を防ぐことができる。

この規則の要義は、必要な作業手順と、規律違反のリスクが発生する可能性のある関節点を、中共党員、ひいては社会公衆にはっきりと説明することだ。そうすれば、「制度の持つ力を十分に引き出す」ことができる。

具体的な操作の中で監督ルールに違反すると、王岐山は「執法者が規律に違反し、職責を果たさないことに対して厳しく取り締まる。やりたくない人、やる勇気がない人、できない人に対しては職務を調整し、深刻な場合は責任を問う」と強調した。

「中国共産党党内法規制定条例」では、「党内法規は承認された後、一般に公表すべきだ」と明文化されている。「一般にすべき」は「すべき」と「してもよい」の間の言い回しで、例外が存在するという意味だ。確かに特殊な党内法規もあるので、公表しなくてもいい。しかし、王岐山はどう言ったのか。「規則は社会全体に公布しなければならない。より厳格な規律を法執行者に要求することをはっきり示し、監督者が監督を受けなければならないことを表明する」。

だから、中共規律検査組織の権力を拘束することも、本格的に行わなければならない。この問題には例外はなく、必然がある。

中紀委の新作ドキュメンタリーには、権力運営の秘密が隠されている

二〇一七年一月三日
公子無忌

二〇一七年一月三日夜、ＣＣＴＶ（中央テレビ）のゴールデンタイムに、中共中央規律検査委員会（中紀委）の新作ドキュメンタリー「鉄を打つにはまずその身も固くなければならない」が放送された。

時間の選択は明らかにステップを踏んでいる。この三部作のドキュメンタリー放送が終わった一月六日は、今回の中共中央規律検査委員会第七回全体会議が開かれる日だ。前回、中共中央規律検査委員会の超大作（ドキュメンタリー）「永遠の途中（永遠在路上）」が終わった日は、全面的に「従厳治党」（厳格に党を治める）をテーマにした中共十八期六中全会が開かれた日だった。

もちろん、この二作品は「姉妹編」だ。「永遠の途中」は、中共十八大以来、中共党内の反腐敗運動が収めた成果とこれまでの仕事を解説し、重点は「総括」にある。「鉄を打つにはまずその身も固くなければならない」は、すべて規律検査・監察組織に焦点を当て、中共十八大以来、規律検査委員会系統が「内部の汚職者を清算する」方面で行った仕事を解説している。

共通の特徴はやはり誠意があり、深く考えさせられる内容があることだ。

ドキュメンタリーの画面

三日に放送された第一話には、魏健、羅凱、朱明国三人の主要人物が登場した。前の二人は、中共中央規律検査委員会に長く在職している司長・局長級の幹部だ。落馬当時、広東省政協主席の地位にあった朱明国は、中共広東省規律検査委員会書記を長く務めた。

ドキュメンタリーの画面はとても震撼している。

まず魏健だ。この人はかつて中共中央規律検査委員会の第五、第二、第四監察室主任を務め、薄熙来、戴春寧などの重大事件を捜査したことがある。しかし、ドキュメンタリーの画面は一転して、魏健が自らの執務室でパトカーに連行されるシーンから始まった。鉄柵越しに、魏健は涙を抑えることができなかった。その夜、魏健の髪は真っ白になった。

クローズアップシーンが魏健の家から押収した財物をかすめた。金仏、玉の腕輪、金の延べ棒、彫刻された象牙、人民元・ユーロ・ドルの束、数え切れないほどの銀行カードやギフトカード……金額は数千万元にも上った。

似たようなシーンが、朱明国と同時に巻き込まれた中共広東省規律検査委員会元副書記・鍾世堅の家に出現した。この人は癖が独特で、「酒は千本、ムシクサは二百斤(1)以上、現金の束などの賄賂を受け取ったら、そこて置いてあり、スタンプは二十世紀九十年代のものもある」という。ドキュメンタリーの映像は朱明国の豪華別荘の一角だけをかすめたが、彼が受け取った賄賂は「一億四千百万元、また九千百四万元の財

(1) 一斤＝五百グラム。

産は出所を明らかにしていない」とされている。

かつては中共中央規律検査委員会第六監察室元副局長級規律検査員・羅凱の収賄事件について、事件の捜査員は「金の延べ棒は一本二本ではなく、一本五十グラムのものもあれば、一本百グラムのものもあり、それを積み重ねると、金の延べ棒はキロ単位で与えられた」と話した。羅凱が監査業務を担当した天津では、海河沿いのかなり豪華な「君臨天下」ビルで、彼は開発業者から四軒の家と二軒の店舗を三割引で購入した。

かつての監督執法者がこれほどの罪を犯したのには、腐敗の手段や権力の「ロジック」が隠されているに違いない。

方式

これらの手段とロジックはすべて関係者自身が口にしたものだ。

たとえば幹部の人選が妥当でない。朱明国の落馬は、元広東省化州市規律検査委員会書記・陳重光の落馬によるものだ。陳重光は率直に猟官[1]・買官の過程を話した。

映像の中で陳重光の言葉はゆっくりだが、一言一言が核心を突いている。たとえば、朱明国と関係をつけるために、どうしたらよいか。「朱明国が毎年清明節に海南の実家に墓参りに行くと聞いた」ので、そこで陳重光は「毎年清明節に朱明国を見に行き、時に五十万元、百万元を贈った」という。朱明国の関係

(1) 官職を得るため奔走すること。

で、陳重光は希望通り茂名監察局副局長から化州市規律検査委員会書記に転任した。

朱明国は「(幹部を任用することは) 最終的には組織が同意し、組織が決定し、指導部が許可する。でも誰が先に言うの?指名権が大事なんだから、指名されないとその候補者の名簿に入れないよ。三十五年間指導部トップを務めてきた私の経験では、指導部トップが口を開けば誰も反対しない」と権力のロジックを突いた。

これがは幹部任用のレントシーキングだ。

魏健と羅凱は別のロジックに精通し、政商のブローカーだ。

例えば、「あるボスが資本金紛争の事件に関わっていて、魏健に解決してもらった。それから魏健は事件関連の材料を、監査室の名義でその省規律検査委員会にまわして、彼らに調べてもらい解決を要求した」という。

多くの場合、彼らは地方政府に働きかけて「昇進、仕事の手配、司法裁判、プロジェクトの受注など」を手助けしてもらうことに慣れている。

たとえば商人の宋志遠が四川のプロジェクトを獲得するために、政府の助けを求めて魏健を見つけた。魏健は李春城に電話をかけて、よろしくお願いした。二、三日後、プロジェクト所在地の県委員会書記は宋志遠に電話をかけ、「宋さん、あなたのこのプロジェクトを私たちが支持しているのに、君はどうして北京にロビー活動を行い、中央規律検査委員会は省の指導者に電話をかけて我々は支持しないと言った。よし、全力で応援する」と話した。

羅凱のやり方は、少し前のドキュメンタリー「永遠の途中」に登場した周本順と似ていて、「宴会」が好きで、「人を呼んだのは、俺たちの仲がいいことをアピールするためだ。俺たちの関係を知っていれば、きっとあなたの面倒を見てくれる。どうやって世話をするのか。何を世話しますか、それは私の問題ではない」という。

何より肝心なのは、工事や土地、司法などは、党規律検査委員会が直接管轄する範囲ではないということだ。では、地方の役人はなぜそんな顔をしてこれを手伝うのか。事件の捜査員は「魏健は監査室主任で、庁長・局長級幹部だが、魏健が話しかける相手は省長・部長級の高官（李春城）だ。では、省長・部長級の高官はなぜ魏健のような庁長級幹部の話を聞くのか」と問題の所在を指摘した。

ロジック

ドキュメンタリーの中では、この捜査員は答えを出した。「背後にあるのは職務の影響力だからだ。中共規律検査委員会の主な権限は、監督や規律執行、問責であり、これは党員幹部の政治生命にかかっている」と指摘した。

何といっても、中共規律検査委員会は「他人を調査する」ものであり、それだけで多くの人を「緊張」「恐怖」させるからだ。

「党規律検査委員会という職業の特徴は、各部門とも連絡でき、顔が広いで、監督機関でもあり、確かに党規律検査委員会の監査委員は、昔の監察御史[1]みたいな〝見官大三級〟[2]だ」という羅凱の話は、かなり

（1）中国で、官吏を監察し、また、地方を巡察して行政を監視した官。秦代に設けられた御史を隋代に改称したもので、清代まで受け継がれ、中華民国成立後は監察院となった。

（2）一部の官職は、職級は高くないが、その権力が大きく、今の官職に比べて三級上である。

代表的だ。

羅凱容疑者と共謀した処長級幹部の申英容疑者は、「ここ数年、党規律検査委員会幹部の努力で、彼らの社会的な影響は確かに大きく、特に役人への拘束力は大きかった。このように一部の人が、党規律検査委員会幹部と親しくなれば、現地の役人にプレッシャーをかけることができる、と考えた」と話した。

「悪い言い方をすると、人は木を植えるのが怖くない、山を焼くだけが怖い。党規律検査委員会書記のある幹部、党員に対する見方は、その人の政治生命、少なくとも一定期間内の出世・栄辱を決定する。そのため、一般的な幹部が党規律検査委員を恐れていることは確かだ」という朱明国の話はもっと直截的だ。

このような「恐れ」によって、広東省規律検査委員書記を務めている間、「朱明国は他の部門に声をかけることで、商人たちのさまざまな要望を解決した」「朱明国が声をかけたことは、多くの人がやらないわけにはいかない」という。

これは、規律検査系統に「灯の下は暗い」、内部の腐敗が発生した最も核心的な論理であり、規律委員会組織が抱えているレントシーキングリスクを浮き彫りにしている。

見どころ

何がこれらの規律を守る人を規律に違反させたのか。「私心」、「商人の巻狩り」、「欲深い心」、「ますます収拾できない」、「自己慰み」……これらの役人がカメラの前で自分の過ちを懺悔し、確かに個人的な理由を語った。しかし、これらの歴史的な問題のなかで、無視できない重要な理由は、かつては、これらの人々の権力は、誰も監視していなかったからだ。「一部の規律検査幹部は、規律検査委員会に入ったら、安全地帯に入ったような気がする」という。

一カ月前、「侠客島」は「(王) 岐山の問い――誰が規律検査委員会を監督するか」という記事を書いた。この問題も、三日のドキュメンタリー映像の中で初めて同時期に寄せられた。「規律検査委員会は他の人を調べるもので、誰があなたたちを調べるのか。この問題も探求的に解決しなければならない」。質問者は習近平本人だ。中共中央規律検査委員会は確かに探索を行った。これに先立ち、彼らは規律検査幹部監督室を設立し、「身内」を専門に監督している。その後、「中国共産党党内監督条例」、「中国共産党問責条例」、「中国共産党規律検査機関監督執紀工作規則（試行）」など制度の「かご」を作った。

データがいちばんわかりやすい。中共十八大以来、中共中央規律検査委員会は機関職員計三十八人を処分し、そのうち立件・取り締まり十七人、職務調整二十一人、中国全国規律検査監察系統は職員計七千二百人余りを処分し、談話・照会は四千五百人余り、職務調整は二千百人余りだった。

監督のない信頼は放任であり、制約のない権力は危険だ。そういう監査幹部たちに権力を畏敬させるには、それをあらゆる監督の下に置くのが一番いい。ドキュメンタリーに登場した多くの優秀な監察幹部の事例も、「忠誠、清潔、担当」の規律検査隊伍に期待を抱かせる。

中共中央規律検査委員会の第七回会議が間もなく開かれるが、その重要な事項の一つが、国家監察体制の改革だ。中共中央政治局が「反腐敗の圧倒的な態勢はすでに形成されている」と判断した後、反腐敗がいかに党内を完全にカバーしてから、国家監察を完全にカバーすることへ移行し、いかにして規律を守り、監督し、全党員幹部が仕事を維持する間にバランスを保つかは、二〇一七年の反腐敗の重要な見どころとなるだろう。

項俊波は落馬！焦らないで、楽しみはこれからだ

二〇一七年四月十日
若溪

二〇一七年は、中国の金融腐敗撲滅の年だ。

四月九日、中国保険監督管理委員会主席の項俊波が調べられ、最初の小さなクライマックスを巻き起こした。同日夜、中国政府網（国務院のポータルサイト）は李克強総理が三月二十一日に国務院第五回廉政工作会議での演説を発表し、人民日報も全面にわたって掲載した。李克強総理は演説の中で、「一部の監督者が自分の管理するものを盗み、金融業界の内外と癒着している」と厳しく批判した。偶然かもしれないが、これからだということを暗示しているのかもしれない。

楽しみ

楽しい物は何度も見ることを飽きない。

三月二十八日に湖南衛星放送テレビで放送されたドラマ「人民の名のもとに（人民的名義）」は、現象級の反腐敗ドラマと言える。中共十九大が開かれる前に、中国の最高検はこのようなドラマを上演し、中

国の政治生態に詳しい人々を楽しませた。項俊波の落馬も最新で最もダイナミックな脚注となった。「ベトナム戦争の老兵」から「北京大学の才子」、そして「監査英雄」、中国人民銀行副頭取まで、最終的に「一行三会」[1]が誕生して以来、初めて調査された指導者となった。項俊波の経歴は、まるで「人民の名のもとに」劇中の侯亮平から祁同偉までの完璧な現実版だ。「人民の名のもとに」の脚本家・周梅森は、現実は永遠にテレビより想像力があると言うのも無理はない。

近年、このような重大案件が、項俊波監督の中国保険業界で頻発している。二〇一三年末、中国輸出信用保険会社の戴春寧元副総経理が調査された。二〇一五年末、中国輸出信用保険会社の馬龠元首席審査官が落馬した。二〇一七年一月、中国人保グループの王銀成会長らが次々と連行された……

中国農業銀行も深刻な被害を受けている。もともと項俊波の同僚で中国農業銀行の元副理事長兼頭取張云は留党察看[2]の処分を受け、同農業銀行元理事兼常務副頭取の楊琨もすでに牢獄中にいた。

証券市場の腐敗は、しばしば億万の個人投資家に頗る嫌がられた。

二〇一五年、株価が大暴落し、中国の個人投資家の平均損失は四十万元を超え、中国証券金融股份有限公司や養老保険基金、社会保基金など中国の国家金融機構が証券市場を救済するために介入し、無数の個人投資家は国家金融機構が火の中で自分を救うことができると首を長くして待ち望んだ。しかし、誰も予想していなかったことだが、多くの機構は表向きには「国家金融機構」という大きな旗を掲げ、水面下で

(1) 中国人民銀行、中国銀行業監督管理委員会、中国証券監督管理委員会、中国保険監督管理委員会という四つの中国金融監督管理部門の略称。

(2) 中国共産党の党紀による処分の一つで、党籍を保留して党内にとどめて観察する。観察期間は一年から二年で、期間中の在党年数は取り消されないが、議決権・選挙権は認められない。

はまず高値でつかまれた自分の資金を救い、また最高点から株を投げ、最低点から吸収する仕業もやっている。この後明らかになった事実は、中信証券(1)の程博明元総経理をはじめとする一部の経営陣と「私募のボス」の徐翔がぐるになって、あらん限りの悪事を働いた。更に人を驚かせたのは、株価大暴落の救済を担当した中国証券監督管理委員会の姚剛元副主席、元主席補佐の張育軍はなんと裏で操る「黒幕」で、更に同証券監督管理委員会の元監管処長、証券発行処長、証券発行審査委員、投資家保護局長、監査総隊副隊長など金融管理監督幹部の腐敗が後を絶たなかった。

中国の金融業界をめぐる汚職摘発の初っ端は、二〇一四年に始まった金融腐敗撲滅の嵐だった。今年三月、中共中央規律検査委員会は新たな機構調整に着手し、第四監察室は金融機関との連絡を担当した。二〇一五年、中央三回目の巡視は「一行三会」、深圳証券取引所、上海証券取引所、中国人保、中国信保など三十一の事業所を対象に特別な巡視を行い、中国の金融業界に潜伏していた「黒幕」が次々と逮捕された。

功罪

反腐敗ドラマ「人民の名のもとに」の中で、祁同偉は孤鷹嶺で麻薬の売人と血戦し、人に敬服させたが、その最后は孤鷹嶺で弾を飲んで自殺し、また人に嘆くに堪えない。

何も起こらなければ、今年六十歳になる項俊波は、自分の人生に完璧なシナリオを作ることができるは

（1）総資産および売上高で中国最大の証券会社で、国務院系統の中国中信集団の子会社。

ずだ。

二〇一一年に中国保険監督委員会が発足して以来、客観的に見れば、項俊波は自称する「中国最大の保険セールスマン」にもなった。中国保険監督委員会が公表したデータによると、二〇一六年の中国保険業界の資産総額は十五兆千二百億元で、二〇一一年の六兆百億元に比べて250%増加した。これまでにもさまざまなイノベーションが勢いよく噴き出すようになり、特にインターネット保険が注目を集めている。二〇一六年に新たに増加されたインターネット保険契約は六十一億六千五百万件で、全体の64・59%を占めた。

『中国経済周刊』の報道によると、項俊波の監督管理改革の方針は二〇一四年を境界にし、それ以前には、リスクの防止・コントロールを主とし、何度も断固たる措置で市場を整備してきた。その後は、イノベーションやブレイクスルーを奨励するようになり、「放開前端（事前の行政許可を減らし、リスク管理の主要責任を市場に任せる）」というのは、むしろパンドラの箱を開けたようなものだった。二〇一四年から二〇一六年にかけて、中国で新たに設立された保険関連会社は二百社余りに達し、保険業界に大量の資本を誘致した。

成るもまた蕭何、敗るるもまた蕭何（成也蕭何 敗也蕭何）。野蛮に成長した中国保険業界は、「保険という名の〝保〟」を忘れ、安価で手に入れた巨額の資金に、平均八倍ほどのレバレッジをつけて、揚水機のように市場の資金を吸い取り、市場の注目を集める獰猛な力として台頭してきた。その後、宝能系と万科は株争いの「乱闘」を演じ、一部の保険資金（保険会社の資本金と準備金）が「野蛮人」に変身し、非難の的になった。

項俊波一人の変質はただ小さいことだが、高レバレッジの保険資金は「脱実向虚」[1]、さらには実体経済を脅かし、それこそ大事だ。二〇一六年五月九日、「権威人士（権威ある人物）」が人民日報に登場した際、「高レバレッジは原罪であり、金融リスクの源泉でもある。高レバレッジを背景に、為替市場、株式市場、債権市場、住宅市場、銀行の信用リスクなどがいずれも上昇している。下手をすると、小さなことが大きなことになる」と警告を発した。

リスク

市場は資源配分の決め手であり、金融はその心臓部である。金融はレバレッジを撤廃し、「脱実向虚」を防止しなければならない。そう考えると、金融腐敗撲滅運動の裏にある深い意味が透けて見えてくる。二〇〇八年から現在まで、中国の広義マネーサプライM2は百兆元余り増加し、大量の資金が金融システムの中で空回りし、右往左往する膨大な資金がもたらした結果は、証券市場の乱高下、債権市場の乱高下、不動産バブルの膨張だ。さらに悪いことに、多くの研究では、中国の金融資源配分の効率も著しく悪化し、さらに浪費されていることがわかっている。「金融が実体経済を支えない」現象が深刻化し、金融業界の「黒幕」がその中で波乱を大きくするよう助長した。

この流れは逆転しなければならない。二〇一六年の中央経済工作会議で「三去一降一補」（生産調整、在庫調整、債務圧縮、コストダウン、弱い部分の補強）が決定され、中共指導部も金融が実体経済にサー

（1）　実体経済の投資、生産、流通から離れ、仮想経済への投資を指す。

ビスを提供することを重ねて強調し、金融のデレバレッジで実体のデレバレッジを促し、資金を金融システム内から実体経済の中に移すため、様々な措置が相次いで導入された。

二〇一五年の株価大暴落から今日に至るまで、株式市場の高いレバレッジは抑制されている。二〇一六年末から二〇一七年初頭にかけて、保険資金の猛威は抑えられた。

狂った不動産ブームについて、二〇一七年の中央経済工作会議は「家屋は住むためのものであり、フリッピングのためのものではない」という方針を決めた。「フリッピング」という言葉が不動産の金融属性を喝破した。たとえば、数億元規模の製造企業が苦労して一年働いたとしても、北京、上海、広州、深圳で住宅を売ったほうがもっと儲ければ、誰が実業をやりたいと思うだろうか。このため、二〇一七年に入ってから、不動産の調整・抑制は絶えず強化している。その後、四月十日、国務院国土資源部は不動産登記情報を二〇一七年末に全国ネットワーク化すると発表した。これは不動産税が基礎データで支えられていることを意味する。

二〇一七年四月初め、雄安新区の開発は急浮上し、不動産投機者は急速に動き始めた。しかし、『中国経済週刊』記者の現地調査と内部情報から、かつての不動産投機の考えは「千年大計」の雄安新区で通用できないことが明らかになった。

また、他の金融分野でも、デレバレッジが展開されている。

金融業界のデレバレッジを実現し、金融リスクを防止・制御するために、金融腐敗撲滅運動を深く推し進めなければならない。この点は、姚剛、張育軍、程博明などの腐敗事件が株価大暴落の救済に与えた影響の中で明らかにされている。

二〇一七年の中央経済工作会議では、「実体経済の振興に力を入れるために、金融リスクの防止・コントロールをより重要な位置に置く必要があり、思い切ってリスクに対処し、資産バブルの防止に力を入れ、監督・管理能力を向上・改善し、システミックリスクを防止しなければならない」と提起された。項俊波が落馬したことで、市場は「監督・管理能力を向上・改善する」という新しい金融監督管理アーキテクチャについてより多くの想像を抱くようになった。

「部屋をきれいに掃除して客を迎える」。中共中央の強力な金融腐敗撲滅の嵐か吹き荒れている中で、新しい金融監督管理時代の訪れを迎える。

反腐敗の次のステップは？ この文章を読むことは重要だ

二〇一七年七月十八日
明日綾波

二〇一七年七月十八日、人民日報の2面に、「巡視は党内監督の戦略的制度配置で、中国の特色ある社会主義民主監督の優位性を顕彰している」と題した王岐山の文章が掲載された。

この六千字の長文は、要聞版の紙面の大半を占めている。文章の情報量は非常に多く、中国政治の行方に関心を持つすべての人がじっくり読む価値がある。

背景

この文章の掲載には明らかにその背景がある。七月一日、中共中央は再び「中国共産党巡視工作条例」を改正した。前回の改正は二〇一五年八月（公布・施行）で、二〇〇九年の試行版から六年が経過している。

つまり、中共はこの二年間で巡視活動を党内規約の高みにまで引き上げ、二度の改正を行った。

前回と比較して、今回の改訂で注目される内容は二つある。第一に、「一期目の任期内に管理する地方、部門、企業の党組織を全面的に巡視する」頻度と範囲を確定した。同時に、中央部門、地方の市、県でも管轄範囲を巡視・巡察するように規定されている。第二に、巡視の内容は、まず「全面的に厳格に党を治める」ということで、これを統轄とし、下記の政治規程・規律、清廉規律、組織規律、大衆規律などを「党内監督条例」と合致させる。

指導思想では、伝統的な「マルクス主義、レーニン主義、毛沢東思想、鄧小平理論、〝三つの代表〟(1)重要思想、科学的発展観、習近平総書記の一連の重要講話の精神と国政運営の新理念・新思想・新戦略、〝四つの全面〟(2)、〝五位一体〟(3)、科学発展観」などが加わった。

退屈そうな言葉の裏にはヒントがある。

たとえば、制度的に「任期内の全面的な巡視」を決めるのも大変だ。二〇一三年五月に一回目の巡視が開始され、二〇一七年六月二十一日に十二回目の巡視のフィードバックが集中的に発表されるまで、中央層の巡視は「全カバー」で終わった。中国共産党史上初めて、一つの任期内に中央巡視を完全に実施したもので、中共中央規律検査委員会・国務院監察部のホームページには、「荘厳な政治的約束を果たした」という定形的な表現が使われている。仕事の量と難度の高さは、考えてみればわかる。

新たな規則によると、一つの任期内に巡視を完了する主体は、「中共中央」だけでなく、「中共省・自治区・直轄市委員会」もある。つまり、中共中央から省レベルの党委員会に至るまで、すべて完成させる必要がある。任務を完成するために、中央から省委員会まで、専門的な巡視機構を設立する必要がある。中

(1) 中国共産党は①中国の先進的生産力発展を終始代表しなければならない、②中国の先進文化の前進方向を代表しなければならない、③中国の最も広範な人民の根本利益を代表しなければならない。
(2) 小康社会の全面的完成、改革の全面的深化、全面的な法に基づく国家統治、全面的な厳しい党内統治。
(3) 経済建設・政治建設・文化建設・社会建設・生態文明建設。

央の部門から市・県まで巡視・巡察の機構を設けなければならない。

つまり、このような濃い密度、高頻度の巡視は、後になって明文で規定され、ルール化され、習慣のようになって人の意志で動かさない。「人走茶涼」(1)「新官不理旧帳」(2)ということではなく、次から次へと行わなければならない。

効率

七月十八日のニュースを見ると、王岐山の「指名」に心を奪われるかもしれない。たとえば、盧恩光（司法省元政治部主任）の場合、巡視チームが档案を検査した結果、一九九〇年の入党当時、なんと一九九二年の鄧小平の演説を引用したことが明らかになり、そこから彼の档案、年齢、学歴などがすべて捏造されたことが明らかになった。あるいは黄興国、王珉などの問題は、まさに巡視チームが「回馬槍」(3)の術で手がかりを発見した。山西省の体系的な汚職や、四川省南充・湖南省衡陽・遼寧省の賄選などの問題も、巡視で手がかりを得た。

これらの成果は巡視の有効性を証明している。問題を見つけるのは、もともと巡視の天職だ。また、王岐山が挙げた一連の数字も注目に値する。この十二回の中央巡視は、全部で二百七十七の行政機関・学校・企業・団体に隷属する党組織を巡視し、十六の省・自治区・直轄市を対象に「回頭看（振り返り）」を行い、

（1）人が去れば茶は冷めると揶揄される世の中が冷やかで、人情が冷やかであること。
（2）指導者が交代した後、前指導者の契約、約束、債務などを認めない。
（3）退却中に突然馬の向きを変え追撃者を槍で突き刺す昔の騎馬戦の戦術の一つ。

四機関を対象に「機動式」の巡視を行った。百五十九万件の投書・来訪を処理し、党員・幹部・大衆と延べ五万三千人の談話を行い、各類の突出した問題八千二百余件を発見した。中共十八期規律検査委員会が規律を守って審査・処理した事件のうち、60％以上の手がかりが巡視で発見された。中央巡視機構は全部で二百二十五件の特別報告を形成し、中共中央と国務院の指導者に巡視状況を五十九回通報し、中央全面深化改革指導小組（グループ）弁公室に特別報告を八十九件送った。

これらの任務を四年、十二回に分けた巡視では、一回当たりの作業量と任務の重さが計り知れない。しかし王岐山の署名入りの文章には、もっと深い意味がある。筆者から見て、一番味わい深いのは二つある。

用例

第一に、王岐山は「巡視の権威は中共中央から与えられる」「巡視の権威は党規約（党章）によって与えられる」と明言し、「党規約では、巡視チームの派遣主体が中共中央と省・自治区・直轄市の党委員会であることを明確にしており、党の集中統一指導の権威を示すものだ」と指摘した。

第二に、巡視の執行部は巡視機関であり、規律機関でもあるが、核心キーワードは「政治巡視」だ。先に述べたように、問題は清廉や仕事、大衆規律などの方面に現れても、「党は党を管理して党を治める」ことだ。王岐山の言葉を借りれば、「このように見て明らかになったすべての問題は、すべて党の指導力の弱体化、党建設の不在、全面的に厳格に党を治めることの不力さ、党の観念の希薄化、組織の弛緩、規律の弛緩を反映しており、その根底には、党内の政治生活が不謹慎、不健康であることがある。ある者は政治を重んじず、理想・信念・宗旨を捨てたのだ。ある者は口先だけの政治をし、中央の精神をスローガンにして、政治が業務とつながりを持たない問題が浮き彫りになっている」と指摘した。

「業務を離れる政治はなく、政治を離れる業務もない」。すべての党組織は、政治を第一に置かなければならない。核心は「中国共産党の指導を堅持する」ことだ。具体的に言えば、すべての仕事は「中共中央の精神を全面的かつ正確に体現し、中央の大政方針を貫徹する」ことだ。

これで、なぜ「回頭看（後ろを振り向いて見る）」の中で「地方党委員会の政治立場、政治規律、政治担当と政治生態などに存在する深層問題」に重点を置いているのかが分かる。例えば、中共中央のウェブサイトでは、「回頭看」巡視を紹介し、次のような例を示している。

「遼寧では、一部の指導干部は勝手気ままに派閥を組んで、程度によっては（個人の利益のため互いに利用し合う）グループやセクトを作る現象が存在している。山東では、小官の汚職問題が突出しており、ある末端党員幹部の作風は簡単、粗暴である。天津では、党の意識は冷淡で、党と思想政治の建設は欠落しており、少数の党員・幹部が理想・信念は喪失し、マルクス・レーニン主義を信じず鬼神を信じる。重慶では、前回の巡視で発見されたいくつかの重点問題の整頓・改善は不十分で、薄熙来・王立軍の思想害毒を取り除き徹底しない……」

思考

実のところ、王岐山のこの文章の重要な意義、そして仕事そのものを超えたエッセンスは、次のような一節にある。

「一政党による政治、全面的に政権を握る我が党が直面する最大の挑戦は、権力に対する効果的な監督だ。党の歴史的使命を実現するには、自己監督という難題を解き、問題を発見し、ズレを是正する効果的なメカニズムを形成しなければならない……わが党は巡視を通じて党内監督を補い、客観的に存在する問題を暴露し、高い自信と強い意志を示した……」

「我々が直面している問題は長期的に形成されたもので、解決に向けては必然的に長期的な過程を経なければならず、政治巡視も実践の中で絶えず改善されるだろう。我々が強く念力を維持すれば、あえて現実と矛盾を直視し、党の自己監督と大衆の監督を有機的に結びつけさえすれば、〝其興也勃、其亡也忽〟(1)という歴史の周期率から脱する自信がある。自己浄化、自己改善、自己革新、自己向上の道を模索し、先進性・清廉性を保ち、党が常に中国の特色のある社会主義事業の中核となることを確保する」

この文章の中から王岐山の考えをはっきりと読み取ることができる。「一政党による政治、全面的に政権を握る」は客観的な現実であり、中共が直面する最大の挑戦は「権力に対する効果的な監督」だ。中共が「中華民族の偉大な復興」という使命を実現するためには、「自己監督」という難題を解き、「問題を発見し、ズレを是正する効果的なメカニズムを形成する」必要がある。

つまり、「権力に対する効果的な監督」という最大の難題を自覚した中共が、自分の道を踏み出そうと決心したのだ。この道は、「あえて現実と矛盾を直視する」「党の自己監督と大衆の監督を有機的に結びつける」ことであり、最終的には「歴史の周期率」から脱出することだ。

過去四年間の全面的な巡視が効果的だったことも、その自信と念力を支えている。

(1) その興隆も急であるが、その滅亡も突然である。

第四部　社会編

さらば、郭美美(1)

二〇一四年八月四日
東郭栽樹

気炎万丈の郭美美もついに倒れた。

いくら立派な人生でも、官からもらった囚人服にはかなわない。刑務所に入ってから、足の力が抜けてへなへなになった。このようなことは、前に薛爺(薛蛮子)があって、後に郭氏があって、まして当時はどんなに威武雄壮で、あるいはどんなに艶麗で、すべてカメラの前でざんげをすることに変わった。三観はそんなに簡単に変わる物なのか。筆者は涙を信じない。

よい事をするには千日あってもまだ足りないが、悪い事をするには一日でも十分だ。これはたいへん道理のある昔からの言い習わしだ。当時、郭氏は赤十字社の名を偽って、国難の日に富むことを誇示し、沢山の非難を受けたが、寸分無傷だ。逆に、赤十字社は横になって銃を突きつけられ、腕までを切断され、赤十字社の信用問題はその後も波紋を広げた。これを経て、郭美美はすでに「問題の少女」の姿を現している。しかし、その後数年間は改心どころか、派手さはさらにエスカレートし、二〇一四FIFAワール

(1) 本名は郭美玲。自らを「BABY」と呼び、ミニブログ(微博)ではぜい沢な暮らしぶりを綴り、全国民からの注目を集めていた「ネット界のスター」で、ブラジル・ワールドカップに絡むサッカー賭博で逮捕された。

ドカップブラジル大会の賭け球で逮捕された。これは筆者がなぜ彼女の涙を信じないと言うのだ。涙がとても安い物だ。だから、郭氏と一夜共にした価格に直面し、涙がとても安いと言わないでくれ、この世界のすべての肉体労働と頭脳労働は、すべてとても安いように見える、そう見えないか。

郭美美は、現代中国の「90後」[1]世代から出てきた一輪の「奇天烈」と言わざるを得ない。売春に出たばかりでなく、しかもこんなに売れた。賭け事をしているだけではない、しかもとても荒々しい賭けをしている。「義父さん」というのは、もともとは多少、いかがわしいとはいえ人間味のある言葉だったが、それを売りつけられ、近親相姦に近い言葉になってしまった。君君臣臣父父子子、伝統的倫理はむろん弁証法的揚棄を必要とするが、「義父さん」と「セフレ」は約等号の境地を描くことができ、郭氏の価値観の最低ラインは、明らかに彼女の高級車のシャーシよりも低い。

売春と賭博は、人類史上、古い二つの職業だという。もちろん、古いのは古い、ほとんど主流に入っていない。カール・マルクスの言葉で言えば、「再生産」が行われなければならないということだ。一つは労働力の再生産だ。つまり、子供を産むということだ。一つは社会の再生産であり、はっきりいって、新しい生産生活手段を作らなければならない。人間が多くなれば、より多くの食糧を生産し、より多くの動物の皮をはいでもよい衣服を作らなければならない。

娼婦業や賭博業は、このような人類の持続可能な欲求に反対するものであり、存在はしても周辺的なものであることはおわかりいただけると思う。行き場がなくなって、売りに出たら、「満楼紅袖招」[2]という

（1） 一般的に一九九〇年代生まれの世代を指す言葉で、80後からの派生語。
（2） 皆は私の英姿に魅了された。

のがあるかもしれないが、大半は青春がなくなってから、自分で「一失足成千古恨」[1]という評語を残している。

しかし郭氏の価値観は、過去のこれらの価値観を逆にすることだ。覇気に富を自慢しても、覇気に賭けても、彼女はすべて十分に彼女の過去の過ちを消費し、このような消費、何も十分に十分で、まったく十分だ。

これは人に考えさせざるを得なくて、いったい郭美美がネットユーザーを愚弄したのだか、それともネットユーザーは郭美美を持ち上げたか。

現実の世界では、郭美美は「奇天烈」だ。しかし、ネットという「新しい」世界において、郭美美という「奇天烈」は本当に唯一無二なのだろうか。薛蛮子のように人前での言動と内心とが相違するのは、どうでしょうか。下品の演出をセールスポイントにした千露露母娘は、いかがだろうか。ネットユーザーが自分たちの好きな人気スポットに向かって、巨大な目玉市場を形成する時、価値観が崩れ、みんなが価値観の難民になる時だと「侠客島」はいつも心配している。郭美美たちは一度にまた三度に賛同のベースラインを下に引き――「わー！それでもいい」「和尚なら触ることができるのに、どうして私は触ることができないのか」。この悪いお手本の力は、良い手本よりも大きいでしょう。ネットの世界は人の感覚を増幅するのが上手で、プラスエネルギーを伝えるのも早いが、マイナスエネルギーを伝えるほうが「楽しい」ようだ。

売春と賭博、どちらもネットの世界では珍しくない。ソフトウェアが「マッチングの神器」として業界

（1）一度堕落し、重大な誤りを犯すと、終生の恨事となる。

の専門家たちに語られるようになったとき、この「新世界」の擁護者たちも、ベースラインではマセラティのシャーシよりもそれほど高くはないことがわかった。これが、「侠客島」が公安部の「ネットワーク環境浄化行動」を必要とする理由でもある。価値観は次の世代、我々の未来に影響を与えるからだ。

郭美美はワールドカップブラジル大会の賭け球で逮捕された。ワールドカップブラジル大会は多くの改革があって、そのうちの一つ、極端なファンが競技場内に突入する時、すべての中継のレンズは空に向けて、彼らにいかなる顔を出してクールな機会を働かしない。昔はこれが球場のディレクターのお気に入りだった。目を引くからだ。一人の女性ファンが裸のまま入場し、ボレーシュートを決めた。これはメッシのハットトリックに劣らない。しかし、ワールドカップブラジル大会は、極端なサッカーファンに見せるチャンスを与えないことを決めた。それに比べて、私達のネットの世界は、「郭美美」たちに多すぎるチャンスを与え、ある程度まで、彼女らにこんな悪い癖があるのも、私達の甘やかしたせいだ。粗野な言い方だが、彼女を無視すれば、こんなに高く売れるとは思えない。逆に言えば、彼女を無視してこれだけ高く売るなんて、売春のように簡単にはできない。

さらばだ、郭美美。

食事会が引き起こした難しい裁判事件

二〇一五年四月九日
司徒格子

中国の国民的人気があったＣＣＴＶ（中央テレビ）司会者、畢福剣をめぐる盗聴の嵐と左右の争いは、惨事と化している。

誰が間違っているの？

子供の頃にテレビを見て、誰が良い人で誰が悪い人かを聞くのが一番好きで、大人になってから気が付いた事、大人の世界の中で、同じようにこのような二元的な対立に満ちている。是非はいつも分けなければならなくて、たとえ分けられなくても、一方がもっと大きい代価を受ける必要がある。具体的には、畢福剣本人がその代価を受けることになる。

夕方、彼がウェイボー[1]（Weibo）で赤面した謝罪声明を発表したのは、その代償の始まりかもしれない。「侠客島」の統計によると、畢福剣はステージの上で一万七百八十五回も狂ったようにパフォーマンスをした

（１）中国のＩＴ企業、新浪公司が運営するソーシャル・メディア・プラットフォーム。

(信じないなら自分で数えてよ)。だが一番観客にはまったのは、なんと彼のプライベートでのパフォーマンスだった。

この件には二つの核心的な争点がある。一つは盗撮して無断でアップロードしたことで、公民のプライバシーに関わることと、「密告」行為に対する見方だ。二つ目に、体制内職員である畢福剣のプライベートな態度は、このように極端で、開国の指導者を侮辱する疑いがあり、罰せられるべきかどうかだ。

ラッセルは、彼の著書『西洋哲学史』の中で、紀元前六百年から今日に至るまでの長い歴史の中で、哲学者たちは社会的拘束を強化しようとする人と、その拘束を緩めることを望む人に分けられると述べていた。畢福剣事件では、それぞれが異なる哲学者の側に立って、いかにも充足感のある道徳的な証拠をあげている。

誰が誰を説得しているのか

見方を変えてみよう。人々が畢福剣の話をする時、いったい何を話しているのか。

文芸青年は世界を踏破して自分を見るという。「侠客島」では、畢福剣事件をめぐる論争は、左右派が見ているのはいずれも自分たちの長期的な主張であり、畢福剣はすでに擂台になっており、論争の対象ではない。公共の事件がここまで来ると、まったく話にならない。最大の特徴は、どちらの見方も予測可能であり、非生産的であることだ。

この点に関して言えば、右派が見ているのは言論の自由、密告の「文化」、政治家がからかわれるかどうかだ。「左」派が見たのは彼が党員として、開国指導者を侮辱したことだ。左右に引き裂いて、結果のない喧嘩をした。

お互いを説得する可能性はないだろうか。

ましてや「説得」については、長年研究がなされてきた。そういう上古の技は、一度持ってしまえば何も心配することはないのだ。そこで何十年も前に、心理学者のホフランは戦場で兵士を洗脳する方法を研究した後、キャンパスに戻ってきて、「イェールコミュニケーションと態度変化プログラム」を携えて十五年間研究した。研究の結果は今でもコミュニケーション学の重要な理論となっている。彼が「相手を説得してはいけない」としているさまざまな理由の中に、「他者に対して敵意を持ったり、精神的な神経症的傾向を持っている人は影響を受けにくい」というものがある。

敵意があると、相手を説得することではないというのが、いまの世論争いではいちばん仕方がないことだ。正常な社会では、議論が必要だが、共感に基づいた理性的な議論が必要だという現実を直視し、慣れなければならない。

議論する必要のないこともある。特定の身分の人が守らなければならないルールがある。ソクラテスのように殉教する必要はないが、カントは道徳律の中で、個人が本来の職務を遂行すべきだと述べていた。これは現代文明の共通認識であるべきだ。

国民の顔の変化

畢福剣自身に戻ると、この温厚な司会者は、過去に戻ることは不可能に違いない。処理の結果がどうであれ、長年彼のことが好きだったおじいさんとおばあさん、中年の夫婦たちは、畢福剣が司会する番組「星光大道」を楽しみにすることが難しくなり、まるですべてがなかったかのように。

しかし無視できないのは、このことによって、畢福剣が突然、かつてなかった支持者を持つようになったことだ。この事件には右派と若者の支持者がいる。今回の事件では、ウェイボーでもウィーチャット[1]でも、人々が畢福剣について議論する際に、「昔、畢福剣はあまり好きではなかった……」という。

もし私たちは視野を少し伸ばして、CCTVのいくつかの有名な司会者の変化の経過を見て、いくつかの驚くべき類似性を発見することができる。

何億、十何億という中国の人々になじみのある顔を、「国民の顔」と呼んでもいいのではないか、と「侠客島」は考えている。二〇〇八年、当時は意気揚々としていた芮成鋼は、アメリカのトップトークショー番組「ザ・デイリー・ショー」で、僕には二億人の観客がいると誇らしげに自慢し、その場で司会者を驚かせた。まさに「国民の顔」だ。

ステージ上では、これらの顔には共通の特徴があり、温かさ、愛国、ポジティブなエネルギーなどと曖昧に要約できる。問題はその場で起きた。有名な司会者がCCTV（中央テレビ）を離れると、彼らは他のプラットフォームでこれまで誰にも見せなかった一面を見せるようになった。たとえば、××はウェイボーで、××は文章で、××はウィーチャットで、芮成鋼は獄中にいる……

そして食事会には畢福剣がある。この食事会の情報はすべて調べられたとはいえ、この舞台はCCTVではない。

このように成功した有名人たちは、かつては政権によって栄華を極め、多くの寵愛を得ていた。それぞ

（1）中国の大手IT企業テンセントが開発したインスタントメッセンジャーアプリ。

れに進路があり、人生の選択肢がある今、ごく当たり前のことなのに、意外なことをしてしまう。普通の人がやることは何もないが、公信力のある顔がこういうことをすると、警戒される。なにしろ彼らは千万人のファンを持っている。

社会認知論者のＩ・フェスティンガーは、自分が好きな人と違う視点を持つと、最終的には彼を嫌いになるか、自分の視点を変えるかという二つの結果になると分析している。どんな見方をしていても、追いかけてくる人は少なくない。

「国民の顔」が変われば、食事の場で起こった議論は、もう一つの局面に入るべきだ。

天津爆発事件の関連企業にはいったいどういった背景があるのか

二〇一五年八月十三日
独孤九段

二〇一五年八月十二日深夜、天津で大きな爆発音が世界を驚かせた。天津浜海新区で起きた危険物倉庫の爆発事故では、短時間で五十人以上が死亡し、真っ先に現場に駆けつけた消防士数人が行方不明になった。現在、現場にある危険物の数や保管方法が不明なため、消火は保留されており、警備員が現場に入っている。

救助が続くにつれ、事故の責任問題が議論されるようになった。例えば、現場の危険物の数や保管数などのデータを得られなかったのか。消防士が真っ先に飛び込んできた時、普通の火事ではないことを知っていただろうか。多くの問題は解決が待たれている。

建築距離について

今回の爆発事件で一つ指摘されているのは、なぜ危険物倉庫の周辺にはこんなに多くの住宅があるのかということだ。事故現場から一キロも離れていないところもある。段取り設計の穴はどれくらいあるのか。

すでに二〇〇一年、中国国家安全監局は「危険化学品経営企業の開業条件と技術要求」を公布した。この中で、中・大型危険化学品倉庫は、周辺の公共建築物、交通幹線（道路、鉄道、水路）、工鉱企業などから少なくとも一千メートル離れた場所に保管することを明確にした。

瑞海国際のこの倉庫の敷地面積は四万六千二百二十六・八平方メートルで、中国国家安全監局の規定では、九千平方メートルは大型倉庫の範囲に属するため、建物の距離は一千メートルのレッドラインで規定されている。

しかし、地図上で見ると、爆発点の倉庫から五百メートル以上離れて、主要道路の海浜高速道路、津浜ライトレールだ。六百メートル以上、万科海港城の三期の住宅ビルだ。これほど近い結果は何だろうか。報道によると、S11高速道路を走っていた一人の運転手が熱波に流された。津浜軽便鉄道が八月十三日に全線運行休止となった。爆心地である瑞海物流倉庫からわずか六百メートル離れた万科海港街の住民たちは、窓ガラスが割れるなど、家の中が騒然となった。

一千メートルの安全レッドライン、なぜ守れないのか。

瑞海国際の躍進路倉庫が危険物倉庫に改造されたのは二〇一四年で、その前に周辺の海浜高速道路、万科海港城、津浜軽電鉄などが完成した。このため、瑞海国際の倉庫改造プロセスは、立地選定から不正に操作され、現地の環境保護部門の環境保護評価を通過した。おかしいじゃないか。

これには規制上の弱点だけでなく、規制上の弱点もある。

現在、中国は危険化学物質の重大な危険源である土地利用計画について、立法の空白が残っている。危険化学品建設プロジェクトの立地計画では、「危険化学品安全管理条例」が都市部計画部門の職責を明確に規定していないため、危険物質の土地利用に対して源から科学的な計画を行う保証は難しい。

同時に、重大な危険源建設プロジェクトの立地計画段階で、安全生産監督管理部と都市・農村計画部門はいずれも重要な職責を担っているが、両者の職責は往々にして関連性を欠いている。たとえば、重大な危険源建設プロジェクトの安全性については、安全保障を担当する安全監督機関がある。しかし、重大な危険源である企業の周辺地域の他の建設プロジェクト（例えば居住区）については、安全許可を必要としないため、安全監督機関は関与しない。このようにして、都市部と農村部の規画部門だけが計画に参加すると、安全の観点から科学的審査を行うことが難しく、安全監督管理の真空が存在する。

「危険化学品安全管理条例」はまた、危険化学品の貯蔵施設は、八種類の場所、区域と一定の距離を保つことを規定している。しかし、条例には「国の基準や国の規定に合致しなければならない」と曖昧に書かれているだけで、具体的な距離の基準が明示されていないため、実現が難しい。

現在、中国では塩素、アルカリ、肥料などの少数の業種だけが衛生保護距離基準を制定している。中国の「消防法」では「防火ピッチ」と書かれているだけで、最大でも百五十メートルが一般的だ。この防火間隔とは、火災体の熱が他の物体に点火する距離のことで、非爆発性火災事故に対して、火災予防や初動救助を目的に設定されており、危険物質漏れによる毒性の危険性も考慮されていない。そのため、液化ガス類の危険な化学品を大量に生産と貯蔵している会社では、防火間隔が十分ではない。同時に、衛生保護距離、防火間隔などの標準もカバー範囲が不十分で、適用性が悪く、議論があり、標準間が互いに衝突するなどの問題がある。中国はまたずっと専門的に危険な化学品企業の外部に対する安全防護距離の標準を打ち出していないので、企業に頼ることができなくて、標準がたどることができない苦境に陥って、不良企業にもつけ入る機会があった。

だから、瑞海国際のように現地の安全監督機関の管理がきかず、都市部企画部の門をくぐった企業であれば、違法経営をするのも「無人の境に入るようなもの」だ。

関係会社

神秘的なのは、この関連会社だ。

公開資料によると、この民間企業は、天津港危険品貨物コンテナ業務の大型中継・集散センターで、天津海事局指定の危険物積載監督の事業場と天津交委港の危険貨物作業許可事業者だ。

しかし、登録情報では、同社の業務範囲は港区内で「荷役、倉庫業務の経営、荷役運搬、分割、包装、簡単な加工、国際貨物輸送代理店（海、陸、空）、コンテナの保管、中継、分解、労務サービス、五金交電、日用百貨店、船舶部品、環境保護設備、ゴム製品、電子製品、机電設備、鋼材、鉄鉱石、コークス、照明設備の卸売り兼小売、貨物と技術の輸出入業務、ビジネス情報コンサルティング」だ。

ここに含まれる「倉庫業務」は、厳密に言えば一般貨物の倉庫だ。しかし、同社のホームページには、倉庫業務の商品タイプが並んでいる。

第二類：圧縮ガスと液化ガス（アルゴン、圧縮天然ガスなど）。第三類：引火性液体（メチレンケトン、ジオキサンなど）。第四類：燃えやすい固体、自燃性の物品と濡れた燃えやすい物品(硫黄、硝化セルロース、電石、ケイ素カルシウム合金など）。第五類：酸化剤と有機過酸化物(硝酸カリウム、硝酸ナトリウムなど)。第六類：有害物質（シアン化ナトリウム、トルエンジイソシアン酸エステルなど)。第八、九類：（腐食品、雑類ギ酸、リン酸、メチルスルホン酸、苛性ソーダ、硫化アルカリなど)。

いずれも危険物だ。

国務院が公布した「危険化学品安全管理条例」の中で、危険化学品を貯蔵する企業は、必ず省級の経済貿易管理部門と区を設置する市級の保安管理部門に申請し、この二つの部門が専門家を組織して審査を行うことが明示されている。危険化学品取扱許可証も両方の部門で発行しなければならない。

それでは、瑞海国際は現地の安全監督部門から危険な化学品の経営許可証を取得しているのか。

管理上の「飛び地」は、瑞海国際がこの許可証を避けることができる。中国国家安全監督総局が二〇一二年に公布した「危険化学品経営管理弁法」の規定によると、港区内で危険化学品の倉庫管理に従事する港経営者は、法に基づいて港経営許可証を取得するため、危険化学品経営許可証を必要としない。瑞海国際は、港経営許可証（津）港経証（ZC—543—03）号を持っている。

では、なぜ港の経営許可証を持って、危険化学品の経営許可証を持っていないことができるか。一つは港での業務の経営許可で、一つは命がかかわる危険品の貯蔵経営で、この二つの業務は互いにカバーしないで、どうして最も重要な許可証を省けることができるか。これは現実的な行政管理体制の問題だ。瑞海国際の登録地は、天津東疆保税港区で、面積は十平方キロメートルしかない。

しかし、この区域は天津市港航管理局の管理下にあり、浜海新区の安全監督部門は港航管理局の管轄区域の安全生産などの監督には手を出さず、この責任は港航管理局に委ねられている。そのため、安全監督部門は港航管理局の管轄区域で危険化学品取扱許可証を発行する権利がない。

しかし、港区内の安全生産はどう管理するのか。

ある港関係者は筆者に、企業の港経営許可証は港航管理局が発行するが、行政上の効力は港に限られると語った。だから瑞海国際は最初、港の区域内で荷役、倉庫などの業務をすることを工商局に登録した。元工商局に登録した業務から見ると、瑞海国際は典型的な埠頭企業だ。荷役は埠頭企業の基本的な機能であり、貯蔵は付加的機能だ。船から降ろした荷物を一気に運ぶことはできないので、埠頭には倉庫基地があり、一時的に荷物を保管する。この中にはもちろん一部の危険物の取外しや保管がある。だから、一般的な港航局はすべて港の経営許可証を承認すると同時に、一つの危険物のストックの経営許可証を添付し、埠頭で一時的にいくつかの危険物を保管するために使用する。

しかし、この倉庫機能は、ただ保管するだけであって、分解と点検の機能はない。もし分解・装入して検査するならば、内陸の格納エリアに運んで、商検、国検、税関などの専門部門で検査する必要がある。地図を見ると、瑞海国際の躍進路付近の格納エリアは、明らかに港から離れており、内陸の格納エリアと見てもいい、現地の安全監督部門の管轄範囲だ。

しかし、なぜ港航管理局の港経営許可証が、内陸の格納エリアを管理し、安全監督部門を堂々と締め出すことができるのか。この「飛び地」には、いったいどこから権利があるのか。

【備考】

二〇一六年十一月七～九日、「八・一二」特別重大火災爆発事故に関わる二十七件の刑事事件の一審は天津市の第二中級人民法院と九つの基層裁判所で公開審理され、九日には、上記の事件に関連する被告機関及び二十四人の直接責任者と二十五人の関連職務犯罪被告を公判した。

「一人っ子」政策を全面的に実施する背景

二〇一五年十月二十九日
今日胡図

北京の木枯しが十月に猛威をふるったが、二〇一五年は例年より暖房が早いという。秋風が吹き荒れる中、中共十八期五中全会の公報が、新華通信社のウェイボーで公開された。

少なくとも二世代にわたって馴染みのある「一人っ子政策」が、そのまま終わってしまった。産む気があろうとなかろうと、もっと自由を手に入れたのだから、とりあえず祝っておこう。

国策

計画出産は中国の基本的な国策だ。基本国策とは、国家が存立するための基本的な指針と保障を意味する。言葉がとても重い。

長い間、計画出産に対する一般人の理解は、事実上、「一人っ子」政策と同じだった。子供を一人だけ産むのがいいというのは、単なる奨励的なスローガンではなく、少数の承認者を除いて、すべての中国人が直面しなければならない現実だ。「80後」世代の頃から、周りの同級生が一人っ子であることに慣れていて、たまにそうでない人に出会うと、どちらかというと家の中が辛くてたまらない。「超生」（計画出産の目標を超過する）のための代価は、多くの家庭にとって、耐え難い重い負担だ。

今のような「喜大普奔」(1)の現象を前にして、「侠客島」は皆と一緒に楽しみながら、やはり一部世論の幼稚な解釈に冷や水を浴びせる。このニュースは、産児制限という基本国策の中止を意味しているわけではない。字面はわかりやすいだが、国がさらに産児制限を大きく緩和しても、一世帯当たり十人の子供を産める上限があれば、それは計画出産だ。計画とは、つまり実行することだ。

スピード

「二人目の出産」という話題が前回ここまで話題になったのは、二〇一三年の少し寒い秋、十一月だった。中共十八期三中全会が採択したのは、「全面的な改革深化に関する若干の重大問題の決定」であり、全面的な改革深化の青写真を画定したものだ。長期計画の青写真は勝手に変えられるものではなく、方向的で、原則的で「頂層設計」（全体計画および立案）のものだ。

「決定」では、夫婦の一方が一人っ子であれば、二人目の出産が許される「単独二孩」政策を導入した。二年後の今日、「二人っ子」政策の全面実施が決まり、「単独二孩」政策が改定されることになった。

一つの事柄は、前後の二回の全体会議で専門的に討論し、かつ改定することが必要であることは、その

（1）中国のネット用語で、「喜聞楽見（多くの人が喜んで聞き楽しんで見る）、大快人心（大いに人の心を喜ばせる）、普天同慶（天下の人々が一緒に祝う）、奔走相告（走り回って知らせ合う）」の短縮形。

重要性を十分に見ることができる。さらに見て取ることは、中共十八期三中全会の後、中国社会の反応が意思決定の期待より低く、高齢化社会が人を待たないことだ。

これまでの報道では、「一人っ子」の夫婦は約一千万組、二人目の子の希望者は、二〇一四年には約百万組とされていた。実際はどうだか。確実に出産できるのは四十七万組にも満たなかった。多くの地方では、「単独二孩」政策は導入されたものの、「叫好不叫座（よい政策だが、なかなか実施するところがない）」現象が非常に深刻だ。例えば、上海では、現在、結婚する年齢に入る女性の90％が「単独二孩」政策に合っているが、二人目の子供を申請する割合は5％にも満たなかった。

二人を生むのは大変だ、一人っ子世代はそう思う。一人っ子世代だけがそう思っているのではなく、彼らの世話をしてくれた祖父母も、二人の子供を育てた経験がなかった。（中国）国民の全体的な出産観念が変わって、今まですでに大きな慣性を持っていた。

高齢化

いうまでもなく、あせっているように見える政策改定の裏には、迫る高齢化の問題がある。金持ちになる前に老い、すでに中国社会の一つのレッテルとなっている。

中国社会科学院の二〇一五年の経済青書には恐ろしい数字が載っている。国際的に公認された少子化の罠は一・三（一人の女性が一生の間に生む子ども数の平均）だ。中国は現在一・四に達しており、正常な人口置換水準は二・一にならなければならない。中国の少子化、高齢化はすでに趨勢ではなく、現実だ。ゼロ歳～二十四歳の人口は中国全人口の約16・6％を占め、世界平均は26・8％だ。中国では、六十五歳以上の人口の割合は8・87%で、世界平均は7・6%だった。

中国では、労働人口に反映される十五〜五十九歳の労働人口の絶対数は、二〇一二年に初めて減少して以来、三年連続で減少している。この三年間、中国を悲観視する国際世論の中で、この理由が繰り返し語られている。

さらに恐ろしいことにこれは始まりにすぎない。かつて誇っていた人口ボーナスは消えつつあり、その代わりに大きな扶養圧力がかかっている。

データによると、中国・東北地方の出生率は、すでに1%台に下がっている。現在の東北地方の情けない経済成長のデータを見て、筆者は暗い気持ちになってしまう。過去、長い冬の夜、東北の大炕の上には他の娯楽もなかった。あなたたちのあんなに努力してきた伝統が、今日どうして跡形もなくなったのか。東北はいったい何が足りないのか。

産児制限という基本国策の影響は、当時の予想を超えているだろう。

だから、若い読者のみなさんに一言、心をこめて言っておこう。あなたたち、やはり行動で「二人っ子」政策を支持しよう。時は私を待たない。

スモッグがどれだけの教訓と試練をもたらすか

二〇一五年十二月二十五日
雲間子

二〇一五年十二月、北京市政府は空気重度汚染赤色警報を発動し、学校の休校、ナンバープレートの偶数・奇数別による自動車走行台数の規制などの対応措置を実施した。効果から見ると、制限期間中の汚染物質指数は確かに低下し、人に「スモッグはそれほど深刻ではない」という錯覚を起こさせてしまう。

もちろん、早期警戒は「晩節」を全うできなかった。

赤色警報が終了した十二月二十三日、北京市民は通勤通学中に、汚染物質指数がまた急上昇した。緊急対策書には、「〇〇日を超える重度な汚染を予測した場合には、赤色警報を発することができる」と明記されているとはいえ、警報が当たっているかどうか。二つ目は、万が一、予測が外れて重度な汚染が続いたらどうするか。赤色警報の継続日数は、臨機応変に対応すべきではないか。早期警報が当たるかどうか、どのように修正すべきか、また大気重汚染が常態化した後に全市の生産、生活、教育などの正常な秩序をどのように保障するかという問題は、近いうちに北京の「両会」（人民代表大会・政治協商会議）できっと最大の話題となるだろう。代表らの智慧を期待する。

「北京市空気重汚染応急対策試案」の中で、スモッグ赤色警報の下で自動車の通行制限が実施され、違反車両に対して特別な罰金基準が付加されていないことに筆者は気付いた。つまり、反則は通常通りで、罰金は百元しかかからない。そんな安い罰金で汚染物質の排出料が別に徴収されるわけではないから、「金を払って公道を走る」という人も少なくないだろう、と「侠客島」の同僚記者はつぶやいた。

案の定、北京で二回目の赤色警報が四日間実施された期間に、計十万台余りの自動車が規制に違反し、罰金収入だけで一千万元余りに達した。さらには、この一千万元の罰金をどう取るかについて、マスコミが議論している。しかし、違法コストが低いため、赤色警報は威力を十分に発揮できない。自動車ナンバー別走行規制ルールを間違えていたり、急な用事があったりした場合を除けば、自発的に違反する車は少なくないはずだ。曇り空では、車のナンバーもカメラに写らない、と誰かが冗談めかして言う。

撮れない?今日、あるニュースが明らかになった。国務院環境保護部華北督査センターが河北省邢台、石家荘などの地区で督査を行った際、政府が何度も命令し、緊急計画案を発動したにもかかわらず、多くの企業は依然としてスモッグの日に違法に工事を行い、脱硫や除塵ができていない排気ガスを密かに排出していることが分かった。

交通違反で赤色警報の日に出かける人と同じように、企業もこのような気持ちを持っている。隣の王さんも生産を停止していないのに、どうして私が止めなきゃいけないの?誰にも気づかれないように、こっそりやってみたらどうだろう、と思う人もいる。見つかったとしても、年末の売り上げを狙うためには、これくらいのリスクは取るに値する。

個人と企業は政府の緩い禁止令の中ですべて僥倖を心に宿し、一度違反しても罰が当たらないと、再び違反したまぐれを助長する。同様に、政府としては、このような重点大気汚染業者に手を出さなかったのも、あくまでも僥倖を望む心理で、このスモッグは空に浮いているのだから、邢台スモッグなのか石家荘スモッグなのか、河北スモッグなのか山東スモッグなのか、誰に見分けがつくだろうか。スモッグの中のカメラみたいにぼんやりしているのだから、見て見ぬふりをしておけばいいし、年末にGDPの目標値を狙うなんて。もう少し待てば、風が来る。風が来たら、スモッグがなくなるじゃないか。

この行為には学術的な表現がある。ノーベル経済学賞受賞者のゲーリー・ベッカーは、人間の社会的行動の多くは、ロジカルエコノミクスの枠組みに組み込まれていると考えている。つまり、独立した判断をすることのできる個体が、自分が入手できる情報や持っている価値観に基づいて行う社会的行動は、ロジカルであると考えている。

個人の利益を最大化するという観点から考えれば、もし良い運転体験がある人に対して価値が百元以上ならば、その後は自発的に違反して道路を運転するのは一種の理性的な行為だ。同様に、GDPのスコアリング係数が環境や住民の健康よりも高い場合には、行政長官が過剰排出などの行動を「無視する」ことも合理的な選択だ。それぞれの自治体が自己利益を最大化しようとするとき、資源と環境問題の「コモンズの悲劇」が起きる。

政府のある問題での不手際を揶揄するとき、私たち自身の影を見ることができる。

中国の環境汚染は新しい問題ではない。中国の高度成長の三十年は、高い汚染を伴っていた。私たちの地表水や地下水、大気、土壌、海洋、あらゆる種類の環境媒質には、さまざまな問題があるが、経済が急速に成長すると、成長の便利さを享受し、身近な汚染を忘れてしまう。

水が汚染されていれば、樽入りの浄水を飲むことができる。土壌が汚染されている場合は、輸入食品を食べることができる。大きな川の汚染も、子孫に残すべき地下水の汚染も、誰もが被害を受けかねない土壌の汚染も、私たちは黙って無視した。最後に、呼吸の痛みに直面しなければならないとき、私たちは立ち上がった。なぜだか？大気汚染のせいで、代替品がなかなか見つからないだ。

ある人は、同じスモッグの下では、富貴か貧乏かを問わず、平等を最も体現していると嘲笑う。なんと悲壮なことか！だから、逃げられないときは、「コモンズの悲劇」に直面するしかない。

中国の国家ガバナンスの中で、地方と中央、地方と地方はとても面白い組み合わせだ。千百年来、権力は地方と中央の間で効率の最も優れたものを探し求めてきた。ある時は中央が権力を引き締めることで更に改革を促進することができ、ある時は適切に地方に権限を与え、地方の活力を活性化させる必要がある。

改革開放の約三十年は、権力の分配過程だった。中央政府は地方に一定の権限を与え、同時にＧＤＰという一つの評価目標に力を入れているが、これは地方高官のの昇進につながるため、各地方ではＫＰＩ（重要業績評価指標）の完成に力を入れており、これが地方と地方との競争関係を生み出している。

どんな競争も、障壁や地域の保護につながる。したがって、このような競争関係におけるパワーネットには、活気に満ちた一面があり、無秩序な競争、悪性の競争を伴う一面がある。これは特に、スモッグのような省域を跨ぐ公共事件において顕著だ。

「上層」の調和を欠いて、汚染防止の権力を地方政府に委譲して各自が完成させ、最後に直面したのは地方利益の消耗、腐食にならざるを得ない。いずれも合理的な経済人であり、実質的なＧＤＰ成長と、空を飛んでどこから来るのか分からないスモッグのどちらがより実利のか、一目瞭然だ。

だから、スモッグを治めるために、中央が統括的な計画を立てる時に、地方の利益を克服しなければならない。事実上、中央政府はすでに地域の総量規制、流域生態の補償、省域を越えた審査などの施策を打ち出し、地方政府間の対立問題を解決することを目指している。

二〇一五年に公布された「生態文明体制改革全体案」は、更に生態文明の業績評価審査を行い、汚染防止区域の連動メカニズムを確立し、指導幹部に自然資源資産の離任監査を実行し、生態環境損害責任の終身追及制度を確立するなどの要求を明確に提出した。ただＧＤＰ論の奇形成長観を変え、国家ガバナンスの現代化をさらに促進することを目指している。これは脳と身体の大手術になるだろうし、思うようにはいかないかもしれない。

意識と行動を変えるという課題が、私たちにも課せられている。ゴミの分別回収にしろ、水道や電気の使用にしろ、車の運転にしろ、私たちのすべての社会行為は、より厳格な行動規範、より高い価格、罰則につながる可能性がある。このようなルールができたときには、誰もが心から理解してほしい。

今回のスモッグは、国民の公共意識の教育であり、同様にガバナンスの現代化のテストでもある。スモッグの中で息をする痛みを、風に忘れてはいけない。

ワクチン事件の背後には、国民の神経が張りつめていた

二〇一六年三月二十二日
秋月春花

五年間、十八の省に及んだワクチン不正販売事件が発覚し、中国の世論が再び盛り上がっている。二〇一六年三月末、「ワクチンの殤」という過去の文章がＳＮＳアプリ「ウィーチャット（微信）」のモーメンツで公開され、すでに緊張している大衆の神経を揺さぶっている。疑義と、デマを打ち消す声が飛び交う中、世論の両方が気をもむことなく悪意で相手を推し量る。重大な公共事件の前には、恐怖と不信が現れる。だからこそ、冷静に、理性的に、事件の本質を認識すべきなのだ。

流通

龐氏親子のワクチン不正取り扱い事件は、いずれも正規メーカーが生産した合法ワクチンだった。問題の本質は生産ではなく流通にある。

中国で二〇〇五に公布された「ワクチン流通と予防接種管理条例」によると、ワクチンは二種類に分かれている。一つ目は、政府が国民に無償で提供し、国民にも予防接種の義務があるワクチンだ。二つ目は、

自費で自主的に接種したワクチンだ。そのため、二種類のワクチンの流通についても規制が異なっている。規定によると、第一種ワクチンは仕入部門が直接ワクチンメーカーまたは卸売企業と政府の仕入契約を結んでおり、契約の当事者は政府部門で、明確な入札プロセスがあり、監督管理が比較的厳しい。また、メーカーと卸売企業に直接疾病管理機関に供給するよう要求し、流通・転売することができず、営利の空間もない。違法なワクチンはそれを悪用できない一方、第二種ワクチンは生産企業またはワクチンの卸売企業が疾病管理機関、接種単位、卸売企業に直接販売しており、ワクチンの供給源が多様であるため、監督管理の死角地帯が生じている。さらに、第二種ワクチンは利益を得ることができ、違法なワクチン流通をもたらした。

今回の事件で、龐氏は病院の薬剤師の身分を利用し、病院で廃棄されるべきワクチンの売れ残りを他の薬品会社に売りつけ、病院と薬監督管理部門の監督が不足していることを示した。龐氏母娘が傘下に入った多くの医薬会社が、卸売業者として正規のルートからワクチンを調達しなかったことにも責任がある。さらに言えば、現場の防疫所や病院はワクチンを購入するには、卸売会社から薬検査機関が発行したバッチごとの検査合格または審査承認証明を請求する必要がある。これらの違法ワクチンは出所不明で、当然、相応の証明を提供することはできない。接種単位がこれらのワクチンを購入するのは、これらのワクチンの安い「目玉」に目をつけ、接種する過程でより多くの利益を得るためだ。

この販売チェーンからは、ワクチンのトレーサビリティの欠如と監督管理の不備が、第二種ワクチンの調達と流通の過程における市場の混乱を招いていることがわかる。莫大な利益は各販売代理店に法規に対して意図的に一部の情報を無視する態度を取らせた。

筆者と予防医学の関係者とのやり取りの中では、多くの人はワクチン温度検査カード（ＶＶＭ）という専門用語に言及したが、このワクチンの自己診断技術は、これまでも多くのメディアで取り上げられた。ワクチンは輸送・貯蔵の過程で、コールドチェーンから完全に離れることは避けられず、ワクチンが変質するかどうかは肉眼では判断できない。ワクチンが熱で変質すれば、このような試験紙は色の変化を反映させることができ、変質ワクチンの接種をある程度防ぐことができる。

しかし、技術的な保障は、根本的な解決策ではなく、ワクチンの安全性が保証されても、混乱した市場は依然として残っている。この問題を解決するには、やはり長期的で効果的で責任のある監督管理システムに頼らなければならない。監督管理のことは何度も言われているが、このときにもう一度言わなければならない。

接種

今回の不正ワクチン経営がもたらした最大の悪影響は、ワクチンそのものを変質させることではなく、ワクチン接種に対する国民の反発と不信だという憂慮が多い。ウィーチャットのモーメンツで最も反応が高かったのは、子どもがまだ小さいの保護者たちで、今回の事件は彼らを動揺させ、中国の新生児予防接種システムに疑問を投げかける声も出始めた。

まず、前にも述べたように、今回摘発された不正ワクチンは、全て第二種ワクチンだ。接種が義務付けられているＢＣＧ、百白ワクチン、ポリオワクチンなどのワクチンは、生産から調達まで比較的正規で厳しい。最も重要なことは、ワクチンが近代に入ってから、人類が病気をコントロール、退治するための有効な方法であるということだ。中国疾病管理センターによると、ワクチンを接種することで年間二百万人から三百万人の死亡を防ぐことができる。私たちがよく知られている天然痘ウイルスは、昔からずっと人類を伴い、何億人が天然痘ウイルスで死んだ。アメリカの進化生物学者であるジャレド・ダイアモンドは著書『銃・病原菌・鉄』の中で、ヨーロッパの植民者が持ち込んだ天然痘が、アメリカ先住民の大規模な死をもたらしたという文明的災難を説明している。牛痘ワクチンの出現は、天然痘の蔓延を緩和した。二十世紀に入ってワクチンの改良が進んだ結果、八十年代に天然痘が完全に根絶された。中国はワクチンの普及に向けてたゆまぬ努力を続けており、二〇〇〇年にポリオをなくすという目標を達成し、ポリオは歴史的な語彙になった。二〇一二年、中国ではしか、百日咳、流脳、乙脳の有病率が一九七八年より99％以上低下し、新生児破傷風もすでに絶えた。

WHO（世界保健機関）によると、中国のワクチン接種には何らかの面で手抜かりがあるという。接種を受けている人から見ると、中国の移動児童は予防接種では不足している。ワクチンの種類別から見ると、世界基準を満たすために、中国の異種ワクチンにヘモグロプス・ワクチンなど三種類を加えることが必要だ。はっきり言ってしまえば、予防接種は権利であり、義務でもある。ワクチン接種という社会的ニーズには、公共の利益、個人の利益、資本の利益の博戯や葛藤がある。公益と私利のバランスを保ち、資本の野心を監視するなら、ワクチン接種は問題ではない。

真相

何より怖いのは、真相がわからないことだ。これはあらゆる推測に反駁できない根拠を与え、あらゆる過剰防御にも理由があるように見える。

李克強総理は、「今回のワクチン安全事件は社会の高い関心を引き起こし、監督管理に多くの穴があることを露呈した。国家食品医薬品監督管理総局、国家衛生与計画生育委員会、公安部は歩調を合わせて協力を強化し、〝問題ワクチン〟の流通と使用状況を徹底的に調査し、社会の懸念に適時に対応し、法に基づいて違法犯罪行為を厳しく取り締まり、関連の職務怠慢行為に対して厳重に責任を問い、絶対にいい加減にしてはならない」と強調した。

私たちが最終的に求めているのは真実だ。監督管理の穴であれ、利益チェーンの連鎖であれ、偶然の事件であれ、システム上の問題であれ、公衆の真の関心に直面するには、透明なプロセスと人に納得させる結果だけが最良の反応だ。

【備考】

二〇一七年五月十九日、この事件は最終的に「不法経営罪」で龐紅衛に懲役十九年、孫琪に懲役六年の判決を下した。

二〇一八年には、長春長生病苗事件が発生し、再び世論事件となった。

バイドゥ元社員の反省

二〇一六年五月三日
西門独客

【侠客島の言葉】

バイドゥや莆田（莆田系の民営病院）は、ネットユーザーの怒りを燃やし続けている。人々の怒りは、簡単に言えば、お金のために命をいたずらにしてはいけない、ということだ。莆田は一言も語らず、その傲慢は唯一無二だ。嵐の目にさらされたバイドゥは、「流出」した内部メールや文章で、困難で効果のないPRを行っている。バイドゥの内部通報が伝えているように、おそらくバイドゥの人々にこんなにつらい思いをさせたメーデーはないだろう。

いったい何があったのか。

「侠客島」は、検索ビジネスに精通しているバイドゥの元社員に、彼の目の中の問題点について話を聞いたが、元社員は観察の結論はあくまでも個人的な見解だと言う。

本文は情報量が非常に多く、おそらく世論の中でこの波紋に対する最も鮮やかな観察だ。

システム

バイドゥに入った時、私は「人々が最も簡単に情報にアクセスし、欲しいものを見つけることができるように」と書かれた名札をもらった。これは後に、「人々が最も平等に、簡単に情報にアクセスし、求めるものを見つけることができるようにする」と修正された。

これは、一人ひとりのバイドゥ社員が入社研修で聞く話だ。それは二〇〇九年前後のバイドゥで、「狼性」文化[1]はまだ言及されておらず、いわゆる「企業文化の建設」も社内コミュニケーションの重要な内容になっていない。入社時には、トレーナーは「バイドゥでは無駄な洗脳の訓練はしない。今日はこのバイドゥのミッションと会社の歴史を紹介するだけでいい。シンプルで頼りになる雰囲気を感じながら仕事をしてほしいし、シンプルで頼りになる製品を作ってほしいね」と称賛した。

キャンパスから社会に出たばかりの私たちにとって、バイドゥのこのような出会いは、まるで春風が吹き始めたような感じがする。インターネット業界は希望の地だと感心するほどだ。

しかし、この素晴らしい感覚は長続きしなかった。グーグルが中国から撤退したことで、バイドゥは公共部門の事業戦略を怠っており、二〇一二年には360サーチ（中国検索エンジンシェア）の直撃を受けて混乱した。このころから、この会社の生まれつきの欠点や原罪が、具体的な仕事の中に現れてくることが多くなった。

外部からはあまり知られていないかもしれないが、バイドゥ社内では、「ユーザー製品部門」と「商業製品部門」は、比較的独立したシステムだ。後にバイドゥも二体系を融合させようとしたが、あまり効果はなかった。これは、プロダクト部門が金銭的な利益ではなく、ユーザーエクスペリエンスやユーザーの利益だけを真剣に考えてほしいという好意的な発想によるものかもしれない。

（1）「狼性精神」を構成員・社員に浸透させ、行動・思考へと繋げる組織文化・企業文化。

しかし、デザインの意図と効果は別問題だ。

バイドゥ検索のユーザー製品チームは、実は使命感を持っている。中には清華大学や北京大学を卒業した優秀な学生もいたし、江湖（世間）の様々な出身者（たとえばかつては営業マンだったとか、労働者だったとか）の頭の良い人や世間の人もいた。初期には、中国のインターネットユーザーの第一世代として、彼らは情報化時代への情熱とグーグルへの好感を持ってバイドゥに加わり、中国人自身の検索エンジンの構築に参加した。有名な兪軍は、バイドゥの多くの拳頭製品（目玉商品）の第一世代の掌門人であり、バイドゥの正統な制品方法論の集大成者でもあり、まさにその時代の代表だ。二〇〇九年はちょうど兪軍が離れる時で、その時イントラネットのウィキ（ＷＩＫＩ）[1]の中で、まだ少なくない彼の総括が沈殿している。偽情報については、ネット上では、遺伝子組み換えをどのように正しく見るのか、妊婦がどのように正しくケアするのか、どのように正しく中国医学を見るのかなど、多くの仕事以外の議論がなされている。いずれも科学的に厳密な態度を持ち、でたらめと愚かさに反対している。

このような真面目な性格は仕事でも顕著で、ユーザーの製品部の人たちは、ビジネスの製品部にメールや電話で「バグ報告」[2]をしたり、検索結果に出てくる販促情報の問題点を指摘したりしている。

ここで説明しておくが、バイドゥの検索結果は、頭の部分の有料プロモーション情報と、下の部分の自然な検索結果から構成されている。当然のことながら、検索結果は理論的にはお金に関係なく、ユーザーの製品部門が守っているラインだ。注意点として、ユーザー制品部はサイトに対する生殺しの全権を持っているが、理論上はサイトそのものの価値と規範性が基準になっている。外部からはサイトが百度の「保

（1）不特定多数のユーザーが共同してウェブブラウザから直接コンテンツを編集するウェブサイト。
（2）コンピュータプログラムの誤りや欠陥。

護費」を払わないと潰されると噂されているが、ユーザー制品部にとっては全く背負うべきものではない。なぜなら、そのような仕組みはないからだ。営業担当者の中には、このような悪い言い方をしている人もいて、ユーザーの製品に被害を与えている人もいますが、それを是正してもらいたいと思っている人もいる。

しかし、360サーチとバイドゥの「宣戦布告」を前に、こうしたロマンを抱いた第一世代、第二世代の検索プロダクトマネージャーの多くがバイドゥを去っていった。役員になって出世する人もいる。残ったのは新入社員との会話の重みが軽くなった。自ら修正し、医療情報の正確さと権威を高めようとした応戦項目「医療知心」も、結局はビジネスに負けるプレッシャーから、笑い話になったという。一方、360サーチはただの一発で、実際には自社でも濁った医療情報を販売するようになり、バイドゥの問題を深く掘り出すことはなくなった。そのため、医療分野では、バイドゥのすばらしい自己誤り訂正のチャンスも無駄になってしまう。

お金を使うものがなかなか儲かるものではなく、ユーザーの製品部は次第に声を失っていった。バイドゥはまたモデル転換と収入の圧力に直面し、美しい財務報告が株価を支える必要に迫られている。社内ではますます商業製品部の行動に青信号がつき、一部の高リスク問題には目を閉じている。かつてロマンを持っていた人々は、ますます小さくなっている。

論理

ユーザー製品の人たちにまったく落ち度がないわけではない。あるいは、検索エンジンの中核的な製品方法論（重要な指標はデータで駆動され、人間的な配慮が欠如している）は、製品担当者が偽情報の真の解決策を見つけることを困難にしていると言ってもいいかもしれないのだ。

実際、検索エンジンであれば、バイドゥであれ、グーグルであれ、必ず偽情報がある。機械的アルゴリズムは大きな問題を解決するだけで、残りの部分には膨大な人的コストをかけて手作業で管理する必要があり、収益性はあまり高くない。一方、中国国内のインターネット環境は相対的に劣悪なので、これはさらに難しい。

製品の意思決定において、最も重要なことは、インプット比を考慮することであり、収益に基づいて求められる緊急度をリストアップすることだ。バイドゥは毎日数億件以上の検索に対応しており、企業の技術開発や運営資源には限りがあり、製品の死活にかかわるが、必ずしも直観的に顕在化しているとは限らない問題が多い。

そのため、偽情報のような問題は、長期的には「中くらい重要」だが「最も緊急」ではなく、個々の問題解決が「優先度が高い」存在であり、体系的に解決することは難しい。そもそも客観的に言えば、本当に害を及ぼす情報は、検索行為全体に占める割合が特に高いわけではない。

このため、検索エンジン業界も一種の「避難港」[(1)]原則を世界の基本的な基準にしようと努力している。グー検索エンジンは情報の直接生産者ではなく、問題が発生すればすぐに修正すればいいということだ。グー

（1）　著作権侵害が発生した場合、ＩＳＰ（インターネットサービスプロバイダ）がスペースサービスのみを提供し、ウェブページのコンテンツを作成しない場合、ＩＳＰに著作権侵害を通知された場合、削除の義務があり、そうでなければ著作権侵害とみなされる。侵害されたコンテンツがＩＳＰのサーバーに保存されず、削除すべきコンテンツが通知されない場合、ＩＳＰは侵害の責任を負わない。

グルは米国でもそのように法的責任を負っているが、バイドゥはこの点では概ね一致している。ただし、多少の緩和は可能だ。このような現実があるからこそ、バイドゥが製品を設計する際に、偽情報に本気で心を入れることはできないのだ。バイドゥは検索事業において、長年にわたって高い利益率を維持してきた。もし、本当に虚偽情報などを手作業でチェックしようとしたら、それにかかるコストで、利益率はどこまで下がるのだろうか。

皮肉なことに、その年、医療情報の普及をしないことを標榜した３６０サーチと捜狗サーチは、すでに医療情報の普及に乗り出している。高利益を前にして企業の意思決定ロジックが断るわけがない。

文化

しかし、最も重要な問題は現場ではなく、バイドゥの最高経営政策決定層によるものだ。「社長」はそれを認めないかもしれないが、問題は自分ではなく現場の実行力や「価値観」にあると考えている。

李彦宏はもちろん、そう考える自信があった。それほど華やかではない家柄で、自分の聡明さと貴人の力で企業を築き、かつてはトップ富豪であり、「ＢＡＴ」[1]のビッグスリーのトップだった彼は、性格的には自負心が強いと伝えられている。バイドゥの内部では、「小王子」（ある年に王子の格好で登場すること

(1)　ＢＡＴとは、中国のインターネット企業バイドゥ（baidu）、アリババ（alibaba）、テンセント（tencent）の三大ＩＴ企業の頭文字をとったものだ。

から由来）や「小公主」などと呼ばれている。これは、李彦宏が批判的な意見や外部からの批判に耳を塞いでいるからだ。彼の最初の反応は「私は何も悪いことをしていない。彼らが私を中傷しているのだ」という。

「技術駆動」を伝統とするバイドゥは、複雑な社会・現実を内包する製品をシンプルな考え方で解析しようとしている。検索結果は客観的で、たとえ料金を払って情報の提示を促進することがあっても、ユーザーは情報を選別する能力を備えるべきで、検索エンジンが無菌の温室を提供するのではない。これは、トップから現場まで、多くの人がモノをデザインするときの暗黙の了解だ。

バイドゥがネガティブなニュースを浴びるたびに（そう、そのほとんどは医療普及からの情報だ）、経営陣の中では常に被害者論が飛び交っていて、反省することがあまりない。さらには、スローガンを叫んでバイドゥへの愛と忠誠心を表明し、「社長」を安心させている。このような雰囲気の中で、イントラネットの中には多少個人的な感情的な形でバイドゥの責任について議論している社員もいるが、このような発言は「会社のためになりたくない」という言い方も出てきている。

バイドゥが中関村で働いていた時代を思い出すと、李彦宏と従業員は、このような「皇帝と太監」の関係ではなく、現場の従業員に近づき、日常的に話をしたり、ちょっとした意見を聞いたりすることのできる管理者の役割を担っていて、常に笑顔を浮かべていた。ここ数年の変化に筆者は少し戸惑っている。

３６０サーチと対戦して以来、バイドゥの「狼性文化」は建設され、最終的には「お世辞の文化」として定着した。李彦宏は、当時の世論が「バイドゥに狼性がない」と指摘したのは、主に従業員の進取精神の欠如ではなく、政策決定層の意思決定が保守的で、業務は守成しかできず、新たな領域を開拓できないことを指していると認識していなかったのかもしれない。

このような「文化」の雰囲気のもと、バイドゥの真の文化伝統（第一段で紹介した時期のような）が提唱してきた反省の精神、独立して考える精神はもはや存在しない。むしろ、問題を覆い隠し、官僚的なことをする中上層部が水を得ている。このことを、「社長」はわかっているかもしれないし、わかっていないかもしれないし、現場やミドルレベルの社員でも、ちゃんと経緯を知っている人はあまりいない。

元社員の私に言わせれば、この文化的な風向きの変化こそが、百度の企業体としての自己修復能力を損なってしまったのだと思う。

能力

医療情報は脂身だが、消化が悪い。バイドゥはこの事業に非常に依存しており、すでに悪臭のする腐肉になっているが、バイドゥはこの事業を捨てることができない。

自社のビジネスロジックと能力構築の失敗により、バイドゥはそれを消化する能力を失ってしまった。自社の事業転換の度重なる失敗も、この腐肉を切り捨てることを難しくしている。

検索製品の大きな特徴は、データ駆動型であることだ。一方、検索製品の善し悪しは、クリック率、クリック分布などのようないくつかのデータ指標によって裏付けられる。一方、製品のコンテンツ表示を検索するには、正確なデータが必要です。医療はこのような特徴を持っており、実は百度も国家保健計画委員会や薬監と連携している。

医療にはこのような特徴があり、実際にバイドゥも国家衛生計画生育委員会や薬監督局などの権威ある部門とデータ協力を行っているが、一方でこれらのデータ自体の品質、完全性には改善が必要であり、一方でバイドゥ自身もこうした専門的なデータを読み取る能力には欠けていた。バイドゥに限らず、市中の医療情報サービスを手がける企業であれば、多かれ少なかれこのような問題に直面している。医療従事者を雇ってデータを精査するか、あるいは国の規制当局と非常に秩序正しく安定したデータ協力を行うことは、実際には難しい。

病院の認証データを例に挙げると、一部の軍病院がアウトソーシングした科室は、実際に三甲公立病院の証明書を提出することができ、バイドゥは例によって審査を通過する。バイドゥの内部では、これらの科が信頼できるものではなく、公立三甲病院と同じレベルであるとは言えないことを知っている人もいるだろう。しかし、営業部門からの圧力で、製品のデータを審査するプロセスも、最終的に提示される設定も、すべてが青信号になったのだ。それは単に、金銭的な利益、つまり、ある部門の「ＫＰＩ」（重要業績評価指標）に振り回されているからだ。しかし、これと同じような資格審査を専門的に担当する人材を配置したいという意欲的なリーダーはいなかった。実際、バイドゥには認証製品があり、最終的にはお金を稼ぐ付加価値サービスになっていた。冗談じゃないか。

バイドゥは無意識のうちに「医療製品」を作っているとは思っておらず、医療情報はインターネット上に存在する膨大な情報のごく一部にすぎない。むしろ、大きな問題を小さなコストで解決できる汎用的な方法で解決しようとしていたのだが、結局は解決どころか、新たな問題を生み出してしまったのだ。

例えば、バイドゥで「妊婦はカニを食べることができるか」と検索すると、64％の人が「食べてはいけない」と答えている。この答えはバイドゥがネットユーザーの意見を計算して出したものだが、これは専門的な医療指導ではなく、世間の迷信にすぎない。このような生産品設計のロジックは多く、その中には非科学的な療法に対する判断も含まれており、プロモーションの材料に対する審査政策にも反映されている。

バイドゥの考えは、私は情報を検索するだけで、正しい医学知識を提供する責任はないということだ。しかし、人々はそれを知らず、バイドゥの検索結果を信じるか信じないかのどちらかだ。

近年、医療問題をめぐる世間の批判が絶えない中、バイドゥは医療事業部を立ち上げ、「お金を燃やす」ことでも良い医療イメージを構築しようとしていた。実際、バイドゥの内部では、こうした情報や製品の責任者を担っている医療関係者や、医療に詳しい人はほとんどいない。公立の良質な資源を手に入れて「良いこと」をしようとしているが、これも専門的な能力を必要とするもので、医療事業部が発足してから現在に至るまで、医療市場の生態系を改善するような実質的なことはあまり行われていない。

終わりに

バイドゥの元社員として、会社を出るときの心境は複雑だった。バイドゥは企業として、全体的に責任を果たしておらず、中国国内最大の検索エンジンとは思えない。身の中の人は最も体得することができて、抽象的に一つの会社がよいかどうかと言うのは同じことで、体を持ってどの同僚を尊敬し、どの「同僚」を軽蔑するのは別のことだ。その歴史、現在、未来をどう見るかは別問題だ。バイドゥは私の第二大学として、私も何の恨みも感じていない。ただ、少し胸が痛いです。もし「社長」がこの文章を読んでくれたら、次の話に一理があるかどうか自問してみてください。

バイドゥにいない人には、その中のさまざまなことを知る義務はないので、ぜひ見物してみてください。今日は「侠客島」の取材を受け、不快を吐かないで、皆さんさようなら。

貧しい若者を騙していけない

二〇一六年八月二十八日
司徒格子

一

徐玉玉は九千九百元の授業料をだまし取られたことを解決できず、警察に通報して帰宅する途中で心臓が止まった。彼女が亡くなった理由については、他に何の言い訳もできない。公正な説明は、電信詐欺だけだ。戦争が始まったときのように、病気や高齢者のほうが被害を受けやすいが、死因は、被害者の身体や精神面ではなく、敵の銃弾のせいにする。

電信詐欺は浮力の大きい悪だ。あなたも私も一生だまされないくせに、一生だまされてしまう人もいる。詐欺師には下限も上限もなく、彼らの目には家財百億元の人と百元しかない人が少しも違わない。もっと情けないことに、最も騙されやすいのは、被害に耐えられない人たちだ。

二

私が振り込め詐欺に遭ったのは、電話を持った年からだ。僕のまわりにも詐欺師の成功や未遂の話がいっぱいある。数年前、私はまた熱心に電話実名制の記事を書いたことがあった。その時、世論は煩雑な実名制に耐えられなくて、しかし先見の明のある記者同僚は、記事の中でこの規定は早く来るべきだと述べた。

時が移り状況が変わった。国務院工業信息化部のホームページを見ると、二〇一五年十一月から二〇一六年四月末までに、十四万件を超える電信詐欺などの電話番号が停止している。徐玉玉の死を招いた電話は171電話番号カラムから来ており、同じく評判が悪い170電話番号カラムと同様に、「史上最も厳しい電話実名制」の後に登場したものだ。どうやら、この規定は多くの善人を制限しているようだ。

三

五年前、ある電子商取引サイトでワインを二本買ったことがある。以来、上海で奮闘している若者の中で、私が最もよく知っているのは、ワインを売り込む男女のグループだ。それぞれの訛りはあるが、やり方は似ている。私の名前と住所と携帯番号を知って、最新のワインを買う必要があるかどうかを尋ねた。おそらく何百通もの電話に出て、正直者としてのプライドを傷つけられたような気がした。怒っている午前中に、上海消費者協会、上海公安、北京公安に連絡した。好意的な案内の後、電話は地元の交番に回された。案内してくれたのはベテラン警官だった。

その時私はまだ電信詐欺といたずら電話を真剣に区別したことがなくて、そこでこの警官は私のために生き生きとした授業を受けた。

「私も苦しんでいるよ兄弟、私の110番がこんなに忙しいことを知っているが、私はあなたよりずっといたずら電話に出ている」（ずるい、弱みを見せることで、通報者の信頼を得る）

「すべてのヤクザから一言が来るから、通報してくれ。みんな警察に通報するつもりだった。最後の解決策だが、公共の安全には問題はない。どうすればいいのか」（循善に説き、難儀を説き、さらに同情を得る）

「こんなことになったら通信事業者は放っておけばいいんだけど、僕の携帯は一円の料金で停止してくれる。民法に基づいて、私はあなたのお金を支払うので、あなたは私の基本的なサービスの質を保証する必要があるか」（法を執行するには、知識があり、根拠があり、プロのイメージで人を動かす）

「記者さんですか。君にも報告したいんだけど、それを載せてくれないかな」

私は彼と友好的に別れ、再会する日を選ぶことを約束した。警察に通報する気にはなれなかった。

四

その後十日間だけで、徐玉玉事件はすでに解決し、関係者六人全員が逮捕された。事件解決のカギは、電話の実名か否かではなく、決心なのだ、と自信を得た。国務院公安部のサイトによると、八月の「各地の警務」二十八件のうち八件が電信詐欺に関するもので、三割を占めた。電信詐欺事件の数が多いことも、重大なことももわかる。

しかし、徐玉玉の個人情報がどうやって流出したのか、私は疑問に思っていた。消費社会はまだ本格的には到来しておらず、心のある人は先を見越している。小さなデータでは満足できず、ビッグデータの時代がやってきた。個体は確かにこの世界では原子のように存在し、利用価値以外に何もない。私たちには、金儲けをする人に重宝されるレッテルがある。数字が強かった時代には、下限のない価値観を持っていた。

大人になったばかりの徐玉玉は、これらを理解することができなかった。彼女は山東で高校に通っており、あの校内生活は私はあまりにもよく知っている。あなたの三年間は、本を読み、問題を解いて、成績と順位の繰り返しに苦しんでいた。君の目に映る世界は、大学に入ってからしか見えない。恋愛、音楽、小説、インターネットなど、すべてが手に負えないものだ。あなたは農村部の家庭の出身で、すべての期待を背負って一橋を渡って、大学の授業料はみんなの目には、あなたの目には、家計の数字だ。

私は多くの人のように、心の中に「もし」の遺憾を持っている。もし私が徐玉玉の生前に彼女に会うことができたら、十分な理由があって、彼女にこのすべてがそんなに悪くないと思わせることができる。

五

E・B・ホワイトは、人間は動物であり、都市には奇妙な毛羽立ちをした人間が充満して、彼らの領土権を擁護し、夕食のために三尺の土地を掘っている、と言った。

法で裁かれた六人の詐欺師は、地面を三尺掘ったところで地雷を爆発させ、九千九百元の代価で、自分の未来を台無しにした。公安部のA級指名手配書に記載されている三人はいずれも「90後」で、一番若いのは十九歳で、徐氏より一歳年上だ。今ここで、誰も僥倖を許さない。

二〇一七年七月十九日、「徐玉玉が電信詐欺に遭った事件」が山東省臨沂市の中級人民法院で判決を下した。主犯の陳文輝は詐欺罪と公民個人の信息を侵害した罪を犯し、無期懲役を言い渡され、政治的権利を終身剝奪し、また個人の財産をすべて没収した。残りの六人は詐欺罪でそれぞれ三〜十五年の懲役刑を言い渡された。

聶樹斌事件、呼格事件への反省

二〇一六年十二月二日
蔡斐

数年後の今日、聶樹斌は無罪を宣告された。

聶氏の母親である七十代の張煥枝の話から始めたい。

息子

一九九四年、当時五十歳の張煥枝は息子も娘もそろっている。息子の聶樹斌はちょうど仕事の持ち場に足を踏み入れて、学校の工場で溶接工として働く。

平穏な生活は一九九四年九月二十四日に崩壊した。この日、警察官三人が聶家に到着した——その前に、石家荘市西郊のトウモロコシ畑で、現地の油圧部品工場技術課の女性製図員・康氏が殺害された。警察は、聶樹斌に犯行の疑いがあると発表した。彼らは張煥枝を慰め、もし犯人が聶樹斌でなければ、すぐに戻すことができると言った。

その慰めは現実にはならなかった。一九九五年三月、石家荘市中級人民法院（地方裁判所）は故意殺人罪と強姦罪で一審で聶樹斌に死刑を言い渡した。同日の裁判では、張煥枝は傍聴を許可されなかった。被害者のプライバシーに関わるため、被告の家族は傍聴できないというのが理由だった。

張煥枝はあきらめず、一人で裁判所の向かい側の通りに座って待っていた。裁判が終わった後、彼女はついに息子の聶樹斌に会った。聶樹斌は当時、法廷の最前列に座っていて、法廷の入口に背を向けて号泣していた。張煥枝は前に出ようとしたが、警官に呼び止められて外に出た。彼女は泣きながら「樹斌」と叫んだ。息子は振り返って、涙で顔を上げた。

このシーンは、母と子の最後の出会いとなり、張煥枝の脳裏に刻まれた最も消しがたい場面となった。

聶樹斌は不服で、控訴を提起した。一九九五年四月二十五日、河北省高級人民法院（高等裁判所）は量刑の一部を変更したが、死刑を認める第二審判決を出した。二日後、聶樹斌は死刑に処せられた。

張煥枝は息子が人を殺すとは信じなかった。息子は「ニワトリ一羽も殺せない」という印象だった。

直訴する

張煥枝は走り始めた。彼女はインタビューで、「河北に行ってもだめだから、北京に行く。その頃は北京への行き方も分からなかったし、どこで降りるのかも分からなかった。暗やみの中で手探りをするような気がする」と話した。

この母親が二十一年間、どのように生きてきたのか想像もつかない。二十一年間連れ添いの男性が自殺未遂で下半身が不随になった。彼女も田舎の女性から法律に精通した「闘士」になった。

「彼女は大変でしたね」とジャーナリストの馬雲龍は張煥枝をこう評した。

馬雲龍は聶樹斌事件を報道した最初の記者だ。二〇〇五年三月十五日、彼と他の二人の記者は河南商報で発表した「事件には二人の犯人がいるが、真犯人が誰か」と題した記事で、王書金こそが聶樹斌の事件の真犯人であることを暴露した。

記事が発表されると、その日のうちに全国の新聞約百紙に取り上げられた。聶氏の案件も一夜にして、全国的な大事件となり、多くのマスコミ、学者、弁護士が奔走の行列に加わるようになった。

「真犯人」の王書金を言及しなくても、当時の裁判所の判決には疑問点が多かった。

例えば、犯行の時期、犯行の道具、被害者の死因などの面で多くの疑問が存在し、しかも裁判で採用された証拠の中で聶樹斌の有罪供述だけが、現場の直接証拠となっている。現場検証調書、死体検査報告、物証及び証人の証言などはすべて間接証拠であり、被害者康某の死亡事実と聶樹斌の関係を証明することはできない。

例えば、聶樹斌が逮捕される五日前の尋問調書、被害者の夫、被害者の衣服を最初に見つけた死者の同僚親友など証人の証言調書、聶樹斌が働いていた工場の勤務時間表などは、完全になくしてしまったか、明らかに怪しいものだった。

まるで不条理劇だ。

厳しい

聶樹斌事件の再審理に十一年という長い時間がかかり、その困難さは、多くの人の想像を超え、耐えられない。

二〇〇五年、馬雲龍記者の報道が出た後、現職の中共中央規律検査委員会副書記で、当時河北政法委員会書記だった劉金国はすぐに公安、検査、法院の連合会議を開き、聶樹斌事件と王書金事件の特別捜査本部を設立し、「できるだけ早く調査を終え、一カ月後に記者会見を開き、全国のマスコミに報告するように」と要求した。

興味深いことに、一カ月で結果を出すと約束した劉氏は、一週間後に国務院公安部党委委員・副部長に転任した。誰が彼を転勤させたのだか、これは聶樹斌事件の謎の一つとなった。

張煥枝の訴えも難航している。例えば、裁判所は聶樹斌の家族に判決書がないことを理由に、聶樹斌事件の再調査と再審を拒否したが、同時に聶樹斌の家族に判決書を提供することも拒否した。張煥枝は息子が銃殺された当時、自分は判決書を受け取っていなかったと主張した。裁判所は判決書を再発行する義務はないとした。

この一件だけでも、引きずると二年になる。張煥枝は二〇〇七年になってようやく、被害者家族から当時の判決書を受け取った。同年、この資料は最高人民法院（最高裁）から「上訴資料は河北省高級人民法院に移して処理する。当院に連絡してくださない。ここにご返事申し上げます」という返書を勝ち取った。

今回の「返事」は、正式な法律文書ではないが、最高人民法院の聶樹斌案に対する態度を示している。残念なことに、聶樹斌事件は河北省高級人民法院の再検査手続きの中で先送りにされた。毎月苦情を申し立てる張煥枝に、裁判官は十年変わらない「もう少し待て」という意見を与えた。

一方には裁判所の沈黙があり、もう一方には世論の高い関心がある。毎年の全国「両会」（全国人民代表大会と全国政治協商会議）では、代表委員が聶樹斌案に言及する。河北省高級人民法院院長が記者から聶樹斌事件を問い詰められたことも、一つの「風物詩」となった。

一世紀ほど前にフランツ・カフカが書いた『掟の門前』を思い出す。田舎者が衛士の守る「法」の門に入ろうとすると、衛士は「私はすごい。それに私はまだ最低の一級の衛士に過ぎない。一つのホールから一つのホールへ、一つの門の前に一人の衛士が立っていて、しかも一人は一人よりも偉い……田舎者はこんなに多くの困難に出会うとは思っていなかった。法の門は誰でも入ることができる、いつでも入ることができるって……」と言った。

転機

真の転機は二〇一四年十二月十二日、最高人民法院が山東省高級人民法院に再検査を行うよう指示したことにある。山東省に事件を移したのは、河北省が長い間「引き延ばす」をしていたからではないかと思う。最高人民法院は、再検査を開始する理由の一つは「河北省最高人民法院の申請」によるとしている。河北省最高人民法院の公式ツイッターは、「事実、法律、当事者に対して高い責任を負う精神で、多くの仕事をしてきた」とし、過去十年間の再調査を締めくくった。

「再検査」は裁判所の内部審査であり、刑事訴訟の手続きには含まれていない。しかし、これが「冤罪をそそぐ」の前提だ。

中国で一つの刑事冤罪を晴らすことは、容易ではない。一方、中国の刑事司法は長い間、公安、検査、法院という三機関の「流水作業」の線形モデルを実行してきた。いったん偏りを是正しようとすると、往々にして「一発で全身を働かして」、多くの司法・立法機関に及ぶ。一方で、事件から数年が経過し、真犯人が現れたり、被害者が「生き返った」など「やむを得ない」ことがない限り、救済の扉は開かれない。

さらに言えば、聶樹斌事件が起きた一九九四年は、ちょうど「厳打」運動[1]が最高潮に達した時で、当時の司法体系では、まだ「疑わしきは罰せず」の理念が今日のように共有されておらず、多くの場合、「有罪推定」だった。

聶樹斌が死んだ時は二十一歳で、冤罪を晴らしたのも二十一年かかった。数年前、十八年ぶりに騒ぎを起こした「呼格吉勒図冤罪事件」が沈静化した。銃殺された呼格吉勒図も十八歳だった。

呼格吉勒図冤罪事件の中で、趙志紅は自分が真犯人だと供述した後、もともと公安局に保留されていた犯人の細かいサンプルは「妙に紛失」した。趙志紅が非公開審理された時、十件の殺人事件のうち起訴されたのは九件だけで、欠席したのは彼が自発的に自白した呼格吉勒図案だった。さらに、連続した「内参」[2]でなければ、趙氏はすぐに死刑を宣告されていたかもしれず、事件はさらに泥沼化していた。

聶樹斌事件の中で、王書金は開廷時に自分が真犯人だと主張したが、検察側はこれは彼とは関係ないと主張した。さらに、外部が「刀下留人」[3]を訴え続けなければ、王書金は早くも処刑されていた。

現実は皮肉にも似ている。

問責

判決直後、馬雲龍記者をはじめ多くの人々が直ちに問責手続きを開始すべきだということがより気に

（1）犯罪撲滅のために大掛かりな集中取り締まり運動。
（2）「内部参考」の略語で、一般には公開されず一定の範囲内の幹部にのみ閲覧が許される文書・資料・ニュースなどを指す。
（3）斬罪執行に待ったをかけること。

なった。多くの人は尋ねて、いったい誰が冤罪事件の是正を妨害しているのか。落馬した河北の「政法王（司法・立法機関のトップ）」張越か、それとも周本順か。いずれにしても、「侠客島」が数年前に書いたように、明らかに、判決の誤りに気づいていながら、いつまでも正視せず、隠しつづけたいとさえ考えている者がいる。

呼格吉勒図冤罪事件の記事には、それぞれの事件を処理した担当者の名前がはっきりと記されていた。しかし、聶樹斌事件の裁判では、これらの名前は奇妙にも一貫して不明瞭だ。多くの人が「遅れた正義か、正義ではないか」と問うのも無理はない。

二〇一二年二月二十二日から、法学教授の徐昕は一二〇〇日余りの間、毎日聶樹斌の無実をウェイボーで訴えている。このウェイボーは前後にも六十万回以上リツイートされた。彼は「正義は遅れてきたが、依然として最高人民法院にいいねを与える」と考えた。

ＳＰ小説『三体』に、武闘で死んだ若者の墓地を、父親が息子を連れて通るシーンがある。二人はこんな会話を交わした。

息子は「彼らは英雄だか」と聞いた。

父は「違う」と言った。

「敵なのか」

「そうでもない」

「彼らは何だか」

息子は続けて尋ねた。

「歴史だ」

父は答えた。

道路

一九九四年、まさに「厳打」運動の時期だった。聶樹斌冤罪事件の是正も、また人々にあのまだら陸離した改革の初年を思い出させる。

しかし今日の判決は、「事件の事実や証拠の枝葉末節に絡まず、基本的事実や基本的証拠を絞り込むことを強調する」という当時の基準に照らしても、誤判決には十分だと指摘している。したがって、冤罪事件を当時の歴史的条件のせいにすることはできない。

冤罪事件はなぜ起こりやすいのか。中国法学界の多くの専門家は、これまでの「捜査」を中心とする刑事訴訟の実践のせいにすべきだと指摘している。このような構図では、裁判が捜査調書などの書面に依存しすぎて形式的なものになり、刑事訴訟が法廷審理を通じて事実を明らかにし、人権を保障する価値が低下する。

ここ数年、我々は既に多くの冤罪を見てきた。聶樹斌事件、呼格吉勒図事件、趙作海事件、佘祥林事件、浙江張氏叔姪事件、孫万剛事件……一度に冤罪が再捜査され、是正され、司法運用の弊害に対する社会の理解を刺激し、時には司法建設に改造動力と再構成の根拠を提供することさえある。些細な事件だが、正義の礎石だ。

ただ、誰にでも張煥枝という母親が冤罪を訴えるわけではないし、すべての事件に真犯人の王書金が登場するわけでもない。これらの偶然性は、根本的な問題解決にはつながらない。これをクリアするには、制度を見直すしかない。裁判を中心とする訴訟制度を改革しなければならない。そうしてこそ、個別事例の正義から制度の正義への道が開かれる。

結局、生命を進歩にするコストはあまりにも巨大で、聶樹斌たちも偶然に冤罪を申あげるしかない。個別事例は碑林を成就したが、道を成就しなかった。

張煥枝が今日言ったように、

「この無罪判決を待ちすぎた。私はこの結果に満足しているが、息子はもう帰ってこない。彼に会いたい」

辱母殺人事件、司法への信頼喪失が一番怖い

二〇一七年三月二十六日
蔡斐

穏やかな週末だったが、怒りの限界を超えたニュースに破られた。

事情は簡単だ。二〇一六年四月十四日、二十二歳の于歓という男性が母親の蘇銀霞と自分が十一人の借金返済人に一時間も侮辱された後、急いで果物ナイフで四人を刺した。このうち、刺された杜志浩は、乗用車で病院に搬送されたが、出血多量でショック死した。

杜志浩は、十一人の取り立て屋の筆頭格だ。罵声とともに、于歓の靴を脱いで、蘇銀霞の顔を覆った。彼はまたズボンを脱いで、于歓の目の前で、自分の生殖器を蘇銀霞の顔にこすりつける……

通りかかった労働者がこれを見て警察に通報したところ、警察が来て「借金取りはいいが、人を殴ってはいけない」と言って立ち去った。警察が離れるのを見て、興奮した于歓は立ち上がって外に突進し、杜志浩などの人に止められたが、一死三傷の結果になった。

二〇一七年二月十七日、山東省聊城市中級人民法院（地方裁判所）第一審は傷害罪で于歓に無期懲役を言い渡した。

世論

世論のざわつきは、聊城市中級人民法院が予想しなかったことだろう。

「法律家としてこのようなことを言うのは適切ではないが、私は言いたい。殺されていた杜志浩は、殺されて当然、最低限の人間性を失っていた。裁判官は判決に際して、法律を堅持するだけでなく、判決が大多数の人の心の中にある正義のベースラインを突破しないよう注意すべきだ。この事件の母子はまことに同情すべきもので、法律がそんなに冷たいものであってはならない」

こう書いたのは、ある大学の法学部教授だ。彼の見解は、ネット上の多くの世論を代表している。ニュースを見て、「殺すしかない」と思う人も少なくない。このような表現に比べて、あるネットユーザーは新聞を読んだ後、「彼の性器がお母さんの顔に擦り付けられたら、あなたは殺人犯を怒らないだろうか」という文章を書いた。

これは容易に想像できる共感だが、血気旺盛な若い男が、借金取りに不法拘禁されている状況で、母親が極端な方法で猥褻・侮辱され、警察がそれを制止せずに立ち去るのを目撃したとき、どのような気持ちだったのか。もしあなたが、果物ナイフを持っていたらどうするか。

激情の裏には、于歓個人の生死に対する懸念だけでなく、大衆感情の一種の焦りと不安が隠されている。公権力の保護がなければ、私たちは誰もが同じ屈辱を味わうことができる。

「私は考えたことがある。もし私が于歓だったら、法律が私と家族を保護することができなくて、私と家族がまた極端な辱めや侵害に遭遇した場合、私は彼のように、さらに断固として、それらの畜生を刺し殺して、決して許さない」

あるネットユーザーがこんな率直な言葉を書いて、何万もの「いいね」をもらった。

裁判所の判決は、ネットユーザーを怒らせた。

「裁判官は天国から落ちてきたもので、親も母もいない……」

多くの人は、「法が人々に安全を感じさせないのであれば、それは人々を侮辱するためのものだ」と考えている。

司法

故意の傷害なのか、正当防衛なのかは、本件の最大の法律論争だ。

裁判所は、于歓は多くの借金取りに長い時間つきまとっており、正確に冲突を処理することができず、刃物を持って多くの人を刺し、故意の傷害罪を構成するとみなしている。被害者には落ち度があり、自白が認められたとして無期懲役を言い渡した。

なぜ正当防衛を認めないのか。裁判所は、当時、于歓被告は自由が制限され、侮辱や罵声を浴びせられたが、道具を使う人がおらず、派出所が出動した状況で、于歓被告とその母親の生命・健康権が侵害される危険性が少なく、「防衛の緊急性がなかった」と説明した。

「防衛の緊急性がない」というのは法律上の表現で、理論的には「防衛が正当である」、通俗的には「不法侵害が行われている」という意味だ。不法侵害が行われている時だけ、防衛措置の必要性があるからだ。

不法侵害がまだ始まっていない、あるいは終わっていないのに、いわゆる防衛を行う場合は、「事前防衛」と「事後防衛」が成立し、「防衛の不適切な時」に該当し、正当性がない。

裁判所の判決に対して、ある学者は、裁判所が、于歓の身柄の自由が不法に制限されていると判断した以上、身柄の自由を不法に制限することは、すなわち「不法拘禁」の違法な犯罪行為であり、この行為は典型的な持続犯罪状態で、他人の自由を制限してから解除されるまでの間、「不法侵害が進行中」だ。これは正当防衛の前提が存在することを認めたわけだ、と主張した。

一審法院の判決も、ある程度道理にかなっているという見方もある。一つの面では、于歓の行為は一死三傷をもたらし、法律上で認定された社会的危害性が存在し、かつ重大な影響を与える。一方、杜志浩の行為は、于歓と蘇銀霞の人命の危険、すなわち「防衛の緊急性」をもたらしていない。

しかし、このような説明には納得がいかない。

大衆の認識の中で、このような不法傷害は最初から存在し、杜志浩たちは于歓とその母親の人身の自由を制限して罵り、頬を叩き、彼らにわいせつビデオを流し、男性生殖器で息子の目の前で母親をほしいままに凌辱した。生命と健康権の剝奪だけでなく、人格の尊厳に対する挑発だ。

そこで、民衆は、于歓がナイフを持ったことを支持した。特に警察の介入が無効の後……

警察

警察の姿は、この事件では、一見取るに足らないように見えたが、重要な転換点となり、于歓は我慢の限界を超えたまま、凶行に及ぶ「最后の原因」となった。

監視カメラによると、22時13分、警察車両が不法拘禁現場——山東源大工貿有限公司に到着し、警官が降りてオフィスビルに入った。

多くの現場職員は、警察官が応接室に入ってきた後、「借金取りはいいが、人を殴ってはいけない」と言って立ち去ったと証言した。

四分後、一部の職員が警察官を送り出して庁舎を出た。

三人の警官が行くのを見て、于歓の伯叔母于秀栄は婦人警官を引き、パトカーを止めようとした。彼女は「ここで警察がいなくなったら、于歓母子は死ぬしかない。私は警察車両の前に立って、于歓母子は死ぬならどうするんだ。お前たちが行くなら、私を轢死してくれと言った」と当時の状況を思い出した。

これに対して警察は、事情を聞いた後、庭の中に行って事情を把握しようとしていると説明した。（どうして部屋に人がこもっているのに、先に庭に行って事情を調べなければならないのかは説明しなかった）

いずれにしても、警察の登場は、于歓母子が暴力団性質の借金取りグループに不法拘禁されていたことからは解消されなかった。警察の実際の言動は、借金返済組織をひいきしたり、放任したりした疑いまであり、世論や専門家が警察の不作為を認める重要な根拠となっている。

警察の不作為は、杜志浩らをもっと安心させ、警察さえ彼らをどうすることができないと思った。この中途半端な処置が、于歓を絶望させ、さらに腹を立てたのかもしれない。

事件によると、于歓が人を殺したのは、母親の奇辱を耐え抜いて警察が一言置いて去った数分後だった。警察の過失、あるいは警察の過失が、于歓殺人の導火線の一つになったにちがいない。

借金取りの人が不法に債務人を拘禁すること自体が違法であり、警察がこれを放置したのは背任であり、検察は直ちに立件すべきだという意見も出ている。

控訴

于歓は控訴した。控訴代理人の殷清利弁護士は、すでに二月二十四日、控訴期の最終日に控訴したと明らかにした。

控訴理由によると、暴力団関係者のひどい侮辱に遭遇し、警察が出動しても身柄の自由が保障されない状況で、于歓の反撃は少なくとも防衛上の過当に当たる。また、于歓が警察官の要求に応じて刃物を渡して出頭したり、尋問中に供述したことなどは、自首と認めなければならない。

代理弁護士のこのような理由は、多くの同業者の共感を得ている。一方、杜志浩らの非法拘禁事実は成立しており、一審裁判所はすでに確認している。一方、警察の限られた執務行為では、「不法拘禁」を阻止する効果はなく、于歓とその母親の身の危険は依然として残っている。このような状況で、救済を求める望みのない被告人が感情的になり、侵害を暴力で制止することは、「必須限度を超える」にすぎない「やむを得ず」という正当防衛の要求に符合する。

実際、一審判決には考えものがあった。蘇銀霞が取り立てられたのは、高利貸しの罠にはまったからだ。彼女は杜志浩の雇用者である呉学から百三十五万元を借り、月々金利10％を約束した。二〇一六年四月までに、彼女は合計百八十四万元を返済し、また七十万元の住宅（一四〇平方メートル）を抵当に入れ、最後の十七万元借金は本当に払えなくなった。法律から言うと、10％の月々金利はすでに国が定める合法的な年間金利の上限36％を超えている。呉学が蘇銀霞から受け取った元利金の大部分は、ひどい不法所得だ。

次に、中国の伝統的な義理社会では、精神的な侮辱がもたらす「防衛の緊迫性」は、生命健康権に劣らない。杜志浩の行為は人倫のベースラインを突破した侮辱であることを肝に銘じなければならない。その手段の卑劣さと性質の悪さは、多くの人の想像を超え、人々の道徳性に挑戦している。なにしろ私たちには誰にでも母親がいるのだから。

再び、于歓が援助を求める希望を警察に置いた時、彼らは内心では警察側が一時的であっても彼らを脱出させることを期待していた。しかし、杜志浩らを連行せず、于歓母子の窮境を解決しなかった警察の処置の欠陥と実際の結果が、于歓殺人との因果関係になるかどうかについては、一審法院は無視を選択した。

最後に、「正当防衛」の立法精神を見ると、目的は公民が必要な措置をとって不法侵害と闘争することを奨励し、自分自身の合法的権益を保護し、それによって公的な救済の不足を補うことだ。しかし、司法の実践において「防衛の緊急性」の基準が高すぎると、市民が違法行為に対抗する勇気を失いやすくなり、正当防衛の法律制定の趣旨に反することになる。

ましてや、それは自分に対する防衛であり、母親に対する防衛でもある。アンティゴネーは、法には理があるといっている。

未来

二審はどうしたか。我々は推測するのが不適当だ。裁判の独立の原則は、何であれ尊重すべきだからだ。一つの見方は、激しい世論の圧力の下で、二審は判決を変更する可能性が高いと考えている。もしかしたら、該当の裁判所は残業をして、事件の事実や法の適用を検討しているのかもしれない。

我々は、世論が司法に関与することに賛成しない。しかし、刑事事件が社会的な公共事件となったとき、それが引き起こす議論は、間違いなく国民の知性を啓発する意味を持っており、法制度の未来に対する私たちの自信にもつながる。ソーシャルメディアには、辱母者を殺した于歓事件に関する億件以上のコメントが掲載されているが、これは法治に対する中国国民の高い関心の一つの鮮やかな注記だ。

二十二歳の于歓と、本件の中で自然正義と法的正義の間にあるギャップに直面し、私たちが言いたいのは、司法は形式的なルールの着地だけでなく、ルールの背後にある価値の訴求、人の心、倫理的人情にもかかわる、ということだ。

そうでなければ、于歓が引き受けたのは、杜志浩がもたらした辱めだけではない。

【備考】

この文章は二審の前に書かれた。本件二審の結果は、于歓が故意傷害の罪を犯し、懲役五年の判決を言い渡した。

むやみに「王者栄耀」(1)にレッテルを貼ってはならない

二〇一七年七月十一日
公子无忌

夜が冷えると、みんな穏やかに王者栄耀の話をしやすくなる。

一

登録ユーザー二億人、デイリーアクティブユーザー五千万人、単期収入六十億元という数字だけでも、今日のトピックにするには十分だ。

もちろん、このアプリゲームを巡って、今の議論はほとんどすべて「溢流」の部分だ。例えばそれはどのように未成年者に悪影響を与え、どのように両親、学校の先生を悲しませ、どのくらいの極端な事例（家族の矛盾を激化させ、両親のお金を盗んでゲームにチャージするなど）があるのだろうか。危機管理の一環としてテンセントの「中毒防止」システムも登場した。

「侠客島」のコアチームには、すでに父親になった二人がいる。ある日、私は同僚の東方秋白が王者栄耀をあそんでいるのを見て、きっと彼の六歳未満の子供が遊んでいるに違いないとわかっていた。今日の

（1）中国のテンセント（騰訊）が配信しているアプリゲーム。

午後のやりとりはこうだった――

「秋白さん、お宅のお子さん王者栄耀をやっているだろう」

「そう。彼は後裔と言うキャラクターを使っている、弓を射る奴です。遊びながら、幼稚園の先生が遊ぶのがへたと言っていた」

「一日にどのくらい遊んでいるか」

「好きなだけ遊ぼう。普通は十分だが、時には駆け引きをすることもある」

もう一人子供が好きすぎる東郭栽樹記者がいて、彼の息子を連れてくるのが好きで、私たちと一緒にグラウンドでサッカーをする。夏の真昼の日差しの中で、僕たちが試合をしていると、彼はもう一人の子供と一緒にボールを蹴ったり、もう一人のチームメイトの息子が王者栄耀を遊んでいて、グラウンドで何が起きているのか彼はほとんど知らなかった。

王者栄耀は数百万の学生ユーザーがいる事は虚ではないことを、私の周りの経験は教えてくれた。同じ経験からも、親の躾がしっかりしていれば、子どもの遊び時間はコントロールできることがわかった。もちろん、事情は変わった。携帯電話の普及率が高く、いつでもどこでもゲームを遊ぶことができるようになったことは、家庭や学校での教育にも挑戦している。正面から挑戦するのはいいが、ゲームに汚名を着せられたら、問題を論じるいい姿勢ではない。

二

私もかつては「物を弄んで志を失う」少年の一人だった。そして自分は自制心の弱い方なのだと、ずっ

と思っていた。今でも私の母は時折、「もしもあなたがゲームをしなかったなら、恋をしなかったなら、授業でサッカーをしていたなら、あんな馬鹿どもと遊んでいなかったなら、ＳＦを読んでいなかったなら、あなたの大学入試はそんなに悪くなかったかもしれない……」と囁いている。

たしかに、人生はやり直しがきかないけれど、今でも、無駄に過ごしているとは思えない。どんな経験も、最終的にはいろいろな形で養分になる。たとえば、母の叱責には、私の成長を左右するさまざまな要因があった。今の若い母親は、「お前が年になったら、王者栄耀をやらなければ、ゴチャゴチャしたネットを観なければ、鬼畜動画でも観なければ、二次元ネタでも観なければ、米・英・日・韓流ドラマでも観なければ……」と、違うやり方で叱ることがあるかもしれない。

おそらく、勉強以外の趣味は「無業」（職業に就いていない）とみなされることが多いのではないだろうか。あるいは、進学を直接支援しているようには見えない趣味の多くは、このようなものだ。これはまたあのネタがある。中国のサッカーがアジアを飛び出したいか？サッカーを大学入試の科目に入ればいい。

台湾の作詞家、鐘永豊さんの言葉を使うと、これは「進学主義」と呼ばれる——遠くに言えば、これは「万般皆下品、惟有読書高」（ただ読書のみが尊く、それ以外は全て卑しい）という考え方が、今に至るまでなお一部の人々の頭の中に残っている。これは中国社会の競争の激しさを端的に表している。

考えてみればそうだ。喧騒の世論戦で、中産層の不安は「どちら」で待ち受けように集めて、学区房（優れた学校の学区内に立てられている住宅）はもちろん、そして各種塾、各種幼稚園、英語名にも「鄙視鏈」[1]（蔑視の連鎖）がしなければならない——次世代の出世のために、父母がこんな風にがんばっているのに、子

（1）　様々な消費行動や生活様式、学校などに序列が付けられる。

供としてちゃんと勉強しないでゲームを四六時中やってるなんて。

三

オンラインゲームの炎上は新しいことではない。それから二十数年が経ち、「ゲーム」に対する「原罪」を見つけるような討伐は、それまでのパラダイムを超えたものではないようだ。不完全な統計によれば、こうした批判の中には、「物をもてあましている」「仕事をおろそかにしている」「未熟な人を毒している」といった言葉が頻出する。

中国芸術研究院当代文芸批評センター主任の孫佳山は私の兄弟子にあたる。彼はこう話した。一九〇五年に映画が誕生してから百年以上、技術とメディアの反復に伴って、ほぼすべての時期の新しいメディア、新しい芸術形式は、「原罪」を見つけることで討伐された。映画は長い間、人間の魂を魅惑するものとみなされていた。テレビは家庭に大規模に導入された時も、「ポルノ、暴力、青少年への毒」の媒介として認識された。二十世紀八十年代初めには、テレビの登場が「童年の消滅」をもたらしたとする著書がベストセラーとなった。

この観点からは、前述したように、オンラインゲームは、このようなレッテルを張って、新しくて奇妙ではない。「ニューメディアに依存したあらゆる文芸ジャンルが、それぞれの時代に受けなければならない歴史的洗礼にすぎない」と孫佳山は言う。

ここまで読んでおくといいだろう。「歴史の洗礼」は、過去二十年以上の間に、私たちは何度も見てきた。しかし、それを「ニューメディアに依存した文芸ジャンル」と見るのは、新鮮で直視すべき見方だ。

四

人間はなぜゲームが好きなのか。これは人類最古の行為様式の一つとして、カントが審美論を述べたように、「目的のない合目的性」の範疇に属するのではないでしょうか。テレビゲームが登場する何年も前から、シラーは『人間の美的教育について――一連の書簡』の中で、「ゲームにおいてのみ人は完全である」と言っていた。もう一人の哲学者・ガダメルは、「ゲームの真の本質は、参加者が現実生活の中で、いつまでも目的を追いかける緊張状態から解放されることにある」と述べた。

オリンピックでさえオリンピックの後ろには「ゲーム」がある、サッカーもゲーム、マージャンもゲーム、将棋も囲碁もゲームだ。書いてもいいじゃないか。人間が初めて壁に線を引いた時から、初めて音の調和を発見した時まで、あらゆる芸術は広義の遊びと言えるだろう。

中学生の頃、めちゃくちゃな本を読むのが好きで、その多くが今の流行ＩＰになっている。たとえばファンタジー作家がいて、彼が書いた『悟空伝』がすでに公開されている。もう一人のファンタジー作家は、のちに作家ランキングトップの富豪になった（この作家は大学で化学を専攻していたので、おそらく本業には就いていなかったのだろう）。この頃、二人の小説には、『エンパイア・エイジ』であれ、『大航海』であれ、『ファイナルファンタジー』であれ、ゲームがよく描かれていた。

二〇一六年にサントメ・プリンシペは台湾と断交し、その後中国と国交を結んだ。ほとんどの人にとってこの西アフリカの小さな島は地図上で再検索する必要がある。しかし『大航海時代』をプレイしたことのある人にとっては、この航路を通過するルートは、すでになじみのある風景だった。

事には両面がある。自制すること、主語と主語を分離すること、時間とエネルギーを合理的に配分することは、おそらく教育の必須科目であろう。さらに、遊びの中で協力を学び、貢献を学び、友情の意味を知り、降伏しないで勝つことを知ることも、家長や老師にとっては意外な「遊び」の滋養になる。

これらの意味は、単純にゲームを猛獣として弁証法的に見ることはできないだろう。

五

テンセントに問題はあるか。もちろんある。

「調査なしに発言権なし」の精神で王者栄耀をダウンロードして遊んだ。自制心の弱い「患者さん」としての私の結論は、本当に中毒になりやすいということだ。膨大な量のテンセントは、当然「王冠を戴くには必ずそれを承け」だから、自らの責任を負うことになる。

中毒を防ぐのは難しいか。いや。顔磨きなどのブラックテクノロジーは一切必要ない。以前、似たようなPC対戦型のゲームをやっていたら、何時間も続けてプレイすると強制的にダウンさせられたり、スコアがゼロになったりしたことを覚えている。技術的に言えば、中毒を防ぐのは、企業がその覚悟を持っているかどうかにかかっている。

別の非難は、歴史の歪みから来ている。荊軻は女性あり、李白、項羽、劉邦はアニメのイメージや西洋のゲームのイメージである、など。子供に歴史を教えるゲームが必要だということ自体が厳しすぎるかもしれないゲームの中で歴史の現像を「歪曲」し、抗日の神劇（ドラマ）や、歴史のドラマのようにある。ゲーマーの崇拝打賞には、生放送乱象にも「十分」が現れている。子どもがいろいろなものに「汚染」されないようにするのは、真空の中で花が育つことを祈るようなものだ。

監督・規制はついてくる必要があるのだろうか。もちろん。孫佳山はこう指摘した。現在のネットゲームの監督は、ネットゲームのコンテンツの検閲権と文化経営の審査権は文化部、著作権は広電総局、技術開発標準は工信部、Ｅスポーツのルール作りは体育総局にある。ネットゲームの法律問題も、サイバーセキュリティ法、知的財産法、広告法、そして多くの規制・条例に分解されており、これに対応する安定した上位法は存在しない。

テンセントに対する私の期待というか、苛立った批判はどこにあるだろうか。作品がまだ偉大ではないからだろう。あるいは、作品の根底にある価値観が偉大ではない。

技術的には、ケータイのゲームとして、ディテールを展開しない一点ですでにとても良いゲームだ。しかし、歴史の「歪み」についても、ある程度は内在的価値の空洞を説明しているのかもしれない。王者栄耀はリーグ・オブ・レジェンド（ＬＯＬ）を基にした変更を最適化したもので、コアのヒーロー、競技ルール、道具はすべてオリジナルではなく、「暴力的な盗作」と非難するコメントも珍しくない。更に人物まで……歴史上の人物の名前を使っているのに、どうして西洋風に描かなければならないのか。

野蛮な成長と凋落のゲームがそうであるように、内なる精神の欠乏は、その生命期の持続の核心的なアキレス腱になるかもしれない。つまり、このゲームでは激働しにくい——シラーやガダメルのような、現実から解放されるような興奮は、このゲームではなかなか手に入れられないだろう。

六

どんなワクワク感だろうか。

二〇一六年、「ウォークラフト」をゲーム化した映画が中国で公開された。映画ファンのうち、相当数がきちんとしたTシャツを着て、「部落のために」というスローガンを叫んでいる。映画を見ると、たいてい彼らに、映画中の異なる人物、異なる職種、およびチームメイトと一緒に戦っている毎夜……あの幻想的な世界を思い出させることができる。

先に挙げたトップ富豪の作家は、インタビューで自分が住みたい街はストックホルムだと言っていた。理由は、「ファイナルファンタジー」をプレイしていたときの経験のひとつだろう——

「あそこに町がある……海にもたれて、高く登れば青く見えて、遠くの方には端が見えない。そこには巨大な吊車が残っていて、長い吊手が海まで伸びていた。いつも一人のおじいさんが釣竿を持って吊手のてっぺんに座って釣りをして、足元は一面すべて海水だ。一本のとても長い海の桟橋を見て、橋の頭は風がない時には緑の旗を掛けて、風がある時には紅旗を掛けて、おじいさんは急いで竿を引っ込めて逃げる。おれはこの町に遊びにきたら居座ってうろうろしていたから、あのオヤジがうらやましい。あんな町があったらいいのに」

中学生の頃にファンタジーを読んでいて、『ディアブロ』をもとにした小説を書いた作家がいた。巻頭に、彼はこう書いた。

「ゲームの中では、傭兵の女は地下の墓場で惨殺された。正直なところ、彼女の死の間際の悲鳴を聞いて、私ははっと胸を震わせた。私は旧版をプレイしていたので、復活機能はなかったので、ただ彼女が倒れているのを見ていたのだが、それをどうすることもできず、その瞬間、私は何か言い出せないような痛みを覚えた。ゲームの中にも真情があるのか、真情がゲームにもなるのか、没入さえすれば傷つくこともあるのか、人生の後悔はどこにでもあるのかと初めて感じた」

あるいは、「オーバーウォッチ」には動かない人物がいる。宇宙服を着た中国人で、「宏宇」と書かれている。ブリザードがこのようにしたのは、呉宏宇という若い中国人プレイヤーが、このゲームを待たずに、義勇のために若い命を捧げたからだ。国境を越え、人種を問わず、多くのプレイヤーが漓江塔と呼ばれるこの場所を訪れ、この若者に敬意を表し、「この世界はより多くの英雄を必要としている」というメッセージを残した。

この観点から見ると、王者栄耀は商業的に非常に成功したゲームであって、偉大なゲームではない。私は冗談まで言って、もし私は子供がいて、もし彼が王者栄耀を打っているのを見るならば、世界にはまだそんなに多くの良いゲームが行く価値があると感じて、私は彼を教えて、あれらの奇妙な世界に彼を連れて行って、異なる風景を見て、歴史の美しさ、人物の美しさ、象の美しさを思う。

これらは、おそらく現在のゲーム業界が追求しているキャッシュフローや高粘度、さらには「課金プレイヤー」への推奨や、「ゲームモードは簡単であればあるほど良い」、「お金があればあるほど強くなる」といった業界通念や慣習では実現できないだろう。

結局、今、オンラインゲームの影響力は、私たちの想像をはるかに超えている。

孫佳山は私に一連のデータを列記した。二〇〇八年には、中国のネットゲーム産業はすでに全球規模で第一位だった。二〇一六年、中国が独自開発したオンラインゲームの海外での実質収入はさらに七十二億三千万ドルに達した。輸出分だけでも、中国のオンラインゲーム業界はすでに中国映画の国内興行規模に達している。同様に、中国の現在の八億人近くのネットユーザーのうち、80％近くの年齢が四十歳を超えておらず、90％近くが本科及び本科以上の高等教育を受けておらず、農村のネットユーザーは三分の一に近づいてきた。

言い換えれば、このような膨大な数の人々に提供されるオンラインゲームとは、彼らに提供されるコンテンツのことだ。彼らの審美的な体験、趣味の育成は、ネットゲームが提供するのは、学校教育の範疇をはるかに超えるかもしれない。

いつか、中国のゲーム業者が作った製品が、最もお金を稼ぐためにニュースのヘッドラインになるのではなく、ストーリーの素晴らしさ、体験の豊かさのために、本当に偉大な文芸作品になり、今のアメリカドラマ、日本漫画、米欧日のゲームがやっているような文化が輸出されることを期待している。

その前にまず取り除かなければならないのが、ゲームを猛獣と見る古い見方かもしれない。それにもロールモデルや偶像の役割が必要なのではないでしょうか。スヌーカー選手である丁俊暉が「世界スヌーカー殿堂」入る前は、多くの保護者が子どもがビリヤード場に入ることを、ぶらぶら遊んでまともな仕事をしていないと思っていたが……。

第五部　香港・台湾編

香港政改論争の背後にあるイギリスの影

二〇一四年九月二日
黒白自在

一九九三年、鄧小平は次のように述べた。

「イギリス人は最近、政治から始め、〝政治的民主化〟を行い、香港におけるイギリスの影響力を維持しようとしている。〝九七〟以降も、イギリスは香港をコントロールしようとしている」

「一国二制度」を作った者の先見の明が、約二十年ぶりに歴史に証明されたのだ。二〇一四年八月三十一日、中国全国人民代表大会常務委員会が香港の政改に関する決定を通過した後、イギリスのメディアは、イギリス下院が中国香港の政治改革の実態調査に着手することを決定したと報じた。その理由は「中英共同声明の実行状況について調査を行うこと」だった。

この少し前に、中国香港の反対派の陳方安生議員などがイギリスに行き「援助を求めた」のだ。さらに前に、「末代香港總督」のクリストファー・パッテン（彭定康）が出てきて久しぶりに政治タンゴを踊り、「反対派の訴えは中国の福祉を危害するものではない。中国は偉大な国家、強国として政治的挑戦に直面するときに、経済事務を処理するように巧妙な計略を練ることには遠く及ばない」と公言したのだ。

これまで、イギリスは外部に次のような印象を与えようと試みてきた――歴史的感情と正義から、イギリスは中国香港の福祉に関心を持ち、香港がより民主的になることを望み、必要な時には香港のために身を乗り出したいと願っている。こうした論調は、香港でも一定の市場があるかもしれない。何といっても英領香港政府時代に香港はなかなか良く建設されていた。イギリスは中英交渉の過程で民主化問題を取り上げ、香港の民主化が遅れていることを恐れているようだ。香港返還後、イギリスはこの分野でも頻繁に声を上げている。

しかし政治は利益のためのゲームだ。アメリカがイラクに侵攻したのが道義的な理由でないように、イギリスが香港を心配するのは自国の国益のためだ。これは決して誅心之法（心の不純を罰すること）ではない。

我々は歴史を振り返って、香港の英領時代にイギリス人が中国香港の民主主義に対して何をしたかを見ることができる。

一九五二年、香港で長らく六年も喧噪した「ヤングプラン（楊慕琦計画）」を正式宣告死産した。これは当時香港総督だった楊慕琦が提案した政制改革計画だ。当時、イギリスの各植民地では激しい抵抗運動が起きており、香港総督はこれを利用して香港の民心を挽回しようとしていたのだ。しかし、イギリス政府は最終的に、香港が「今のところ深遠な政治改革を行うことは適切ではない」「それは危険すぎるやり方だ」と却下したのだ。

歴史的事件から見ても明らかなように、当時のイギリスは、香港で民主主義を発展させることに対して、非常に慎重かつ警戒的な態度をとっていたのだ。最初の百年余り、一部の香港のイギリス商人も同様の政改案を提出したが、すべて否定されてきたのだ。

イギリスが香港で民主主義を本格的に発展させ始めたのは、中英交渉で香港の祖国復帰が確定してからだ。一九八二年から一九九七年までの十五年間は、香港の民主発展の「超スピード」の時期と言われている。十五年間、香港は総督集権・委任議局モデルから三層代議政制モデルに発展したのだ。立法局は任命制から民選制へ、間接選挙制から直接選挙制へ、部分直選制から全体直選制へと発展したのだ。

そのスピードは、イギリスが四百年かけて作った自国の議会民主制よりも早く、当時のイギリス人でさえ見ていられなかったのだ。イギリス上院のベテラン議員であるリチャード・クロスは、「イギリスは議会民主制度を創設するのに四百年を要し、今でも普通選挙で選出されない上院を維持している。香港の民主化プロセスはすでに「超スピード」だ。これ以上加速すれば、香港の未来のためには何の役にも立たない」と指摘した。

イギリス人はなぜ民主発展の「超スピード」を心配しなくなったのか

四百年以上の民主主義の経験を持つイギリス人は、民主主義の発展が速すぎることは危険であることを明確に知っている。英領の前百三十五年に香港の民主を「危険」にして、後十五年に民主を狂ったように発展させれば、危険を恐れないのはなぜなのか。

答えははっきりしていた。「私が死んだ後、洪水が氾濫するのはどうでもいいだろう」といい、危険は全て中国が引き受けたのだ。

香港の反対派は二〇一七年の特別選挙で「公民による指名」を主張しているが、パッテンは意外にも「危害はない」と言っている。イギリスを含む西側の先進国ですら使えない指名方式を、民主的経験を欠いた香港が使うのは危険でないなら、他に危険と呼べるのは何か？

返還前の十五年間、イギリスは香港の民主主義を積極的に発展させたのは何のためだったのか？鄧小平は「香港での影響力を維持するために、香港を〝統治〟し続けたい」と明確に指摘していた。今日に至るまで、一部の香港人はイギリスこそ「親切な人」だと考え、反対派はイギリスに助けを求める。イギリスの戦略は明らかに成功したのだ。

誰が心から香港のために良くしているか、イギリスそれとも中国か？答えはあまりにも明白だ。香港は中国の一部だが、中国政府はそれが混乱し、貧しくなり、悪くなることを望んでいるか？中国はもちろん、香港の普通選挙が成功することを望んでいるのだ。香港が繁栄と安定を保つことができる特別行政区長官を選出することは、香港の幸福であるだけでなく、「一国二制度」の成功であり、民主的実験の成功でもあるのだ。イギリスにとっては、香港は何か問題がなければ影響力の維持に困ってしまうのだ。

「習馬会談」は二度と聞けない言葉になるのか

二〇一五年十一月七日
東魯虬髯客

筆者がこの文章を書いているとき、「習（近平）氏」と「馬（英九）氏」はシンガポールのシャングリラで盛んに杯をとりかわして酒を飲んでいたのかもしれない。手はすでに握り、言葉はすでに話し、決まるべきこともすでに決まっている。あなたは私の言づけの馬祖老酒を味見し、私はあなたの持ってきた貴州茅台を飲んでみる。酒盛りの際、雰囲気は温かく、二〇〇五年に打ち解けて以来、両岸の交流が絶えず温められているようだ。

では、大きな意味のある問いを聞こう――

「習馬会談」は二度と聞けない言葉になるのか。

「二度と聞けない言葉になる」派の第一の理由は、馬英九が台湾地区指導者としてあと半年で辞任したことだ。昔の人は「人亡政息」（政権を握っている人が死ぬと、その政治的措置も止まってしまう）と言い、自ら当選を既成事実化した蔡英文は、退任する馬英九には約束をする権利がないし、約束をしても約束が守られるとは限らないと言う。その意味では、青空が緑地に変わり、倒してやり直せば、「習馬会談」は二度と聞けない言葉になるではないか。

事はそんなに簡単ではないのだ。「習馬会談」は合意に署名して共同声明を出していないし、わずか一時間だが、三つの政治的ハイライトは無視できず、抹殺できない。

まず、両岸交流は最高位層の直接面談の3・0時代に入った。

一九九二年の汪（道涵）辜（振甫）会談は、数十年冷凍されたの扉を開き、両岸交流の1・0版とみなすことができる。二〇〇五年の「連戦上陸」は、政党同士の交流の広い道を開き、両岸交流の2・0版と見なすことができる。その後、「張（志軍）王（郁琦）会談」や「張（志軍）夏（立言）会談」が行われたことは、バージョン2・0の深化と見ることができる。

今「習馬会談」が顔を合わせて臨み、両岸の指導者が面と向かって交流し、さらには晩餐を共にすることで、六十六年ぶりに新たな局を開くことになるだろう。このアップグレードを両岸交流の3・0版と見ることは、名実共にそうであるべきだろう。今では、会長は会長と、主席は主席と、主任は委員長と、双方が先生と呼び合っても、その深意には影響はない。

次に、「習馬会談」は中国大陸・台湾以外の第三地で成功し、全世界の注目を集め、「九二年コンセンサス」の国際的な視座を高めたのだ。

当時の「両国論」と台湾の「トラブルメーカー」で知られたのが陳水扁だ。しかし両岸の中国人を除いては、「九二年コンセンサス」という順方向の概念と「台湾独立」キラーについては、国際的な認知度はあまり高くないのだ。今では世界中のメディアがシンガポールにスポットライトを当てている。「習馬会談」が成功する鍵は、双方が堅持しているどの共通認識に由来するのだろうか。「九二年コンセンサス」とは何か。何を意味するのか。

雲山を霧で覆っている緑営の「現状維持」説は、「九二年コンセンサス」と一中の枠組みの強力な照射の下では、隠しきれない。「習馬会談」は、照魔鏡のように、少しずつ「現状維持」説の手口と本性をあばくのだ。「九二年コンセンサス」について両岸間、ひいては国際的な認識がますます高まるにつれ、両岸政策を調整せず、むなしく「現状維持」という言葉でごまかそうとすると、おそらく大きな失敗をすることになるだろう。

再び、両岸双方の指導者がシンガポールに集まったのも、常態化した面会メカニズムの構築を試みているのだ。

馬英九は、「習馬会談」の開催が可能となり、両岸の指導者会合の制度化と常態化が第一歩を踏み出すことを希望すると表明した。つまり、両岸間の暗黙の了解と構想の中で、これから開かれる会合はシステム的工程だということだ。このシステム的工程は一発売りではないが、シンガポール訪問は始まりにすぎないのだ。

両岸交流のボーナスを着実に担ぐためには、制度化するのが王道であることは明らかだ。「習馬会談」は、今後の両岸指導者の会合探索メカニズムのために、ルールを定めることを明らかにしている。大陸政治の文脈の中の言葉を借りて言えば、このようなルールを指導者の見方や注意力の変化、指導者の変化によって変えないようにする必要があるのだ。

さらに言えば、「習馬会談」は両岸関係の未来に向けた調整だ。まるで一つの「台湾独立」の身につけた束縛のする呪文のように、後任の島内指導者に当時の李（登輝）、（陳水）扁のように勝手なことをすることができなくて、海峡の両岸に波瀾を増やすのだ。悔い改めて正しい道に戻るためには、解錠の暗証番号は簡単で、「ひらけごま」ではなく、「九二年コンセンサス」だ。

シンガポールでは、習馬両氏の政治家としての責任を担う姿勢が一層見られた。馬英九が引用した北宋の大儒・張載の名言のように、「天地の為に心を立て、生民の為に道を立て、去聖の為に絶学を継ぎ、万世の為に太平を開く」――そのためには、さまざまな意見の紛擾を排除する政治的決断力と、現実の迷いを突き抜く戦略的見識が必要なのだ。

「習馬会談」は既に決まっているが、島内ではきっと違う声がするだろう。島内のリーダーとして参加するには、民意や他陣営の思惑を考慮しなければならないのだ。馬英九は既に一度ではなく、両岸関係の変化の可能性に対する懸念を公に表明している。これまで優柔不断な印象を与えてきた馬英九は、任期を半年余り残しても、何かを行うことを決意したようだ。それは、歴史の位置づけであり、更には民衆の福祉のためでもあるのだ。シンガポールに行けば、彼は島内の人々の心の中でいい印象を得れるだろう。このような民意の支持は、また「習馬会談」の制度化の大きな助力となるだろう。

現場のメディアが見ているように、習馬両氏はこれまで一度も会ったことがないが、握手から対談まではまるで旧知の友に会ったように自然だった。「九二年コンセンサス」の再確認などの面では、二人はさらに意気投合し、心が通じ合っているのだ。筆者はここで大胆かつ合理的な想像をしている。馬英九が退任しても、両岸交流に対する歴史的功績と実務的認知から、彼は落ち解ける旅をする連戦氏と同様に、大陸を訪問して習近平と再会することもできるだろう。「習馬会談」が二度も成立したのは、決して「ひらけごま」を叫んだだけのアラビアンナイト話ではないのだ。

どちらかと言えば、蔡英文が「習馬会談」をどう見ているのか、馬英九の意志を引き継ぐことができるのかが、大きな疑問だ。彼女が出した最新の答えは「蔡習会談」を排除しないということだが、これは明らかにうわべだけであり、一方的な望みであり、民意に合わせて舞い、投票を最大化する策略にすぎないのだ。

台湾の聯合報は「インターネット世論調査」をわざわざ公開し、読者に「習馬会談に賛成するか」を尋ねたのだ。その結果、十一月四日夜十時には、一万六千六百人にのぼるネットユーザーからの投票が寄せられ、そのうち「習馬会談」に賛成する人は一万五千人にのぼり、90％以上を占めた。

問題はしなければ何も得られないということだ。人が涼んで桃を摘んでいるのを見るだけ羨ましく思い、そこには樹を植える大変さがあることを考えもしないのだ。馬英九の発言は良く、両岸関係は時代とともに進んで、「習馬会談」は自然に成立したのだと言う。二つの最も重要な観察指標——「台湾独立」党綱領の廃止と「九二年コンセンサス」の受け入れ、「空芯菜」(1)はいずれも冷たく相対的で、民意と来るべき勝ち選挙に乗っ取って、中国に譲歩を迫るつもりだ。この調子で「習馬会談」に乗りこもうとする「習蔡会談」は、本当に夢物語のようだ。

習近平の会談時の姿勢をもう一度みよう。

「いかなる党派、団体であっても、その過去に何を主張したことがあっても、〝九二年コンセンサス〟の歴史的事実を認め、その核心的な意図を認めようとすれば、我々は皆その人と関わりたい。いかなる国を分裂させる行為に対しても、両岸の同胞は決して承諾しない。国家の主権と領土保全という原則を守る問題において、我々の意志は盤石であり、態度は一貫して同じなのだ」

この道理は、対岸もきっと誰でもわかるはずだ。

---

(1) ヨウサイ。ヒルガオ科サツマイモ属の野菜。茎が空洞になっている。そのうわべだけで中身が無いことから蔡英文の発言や政治的行動に実がないことを揶揄する発言として使われた。

台湾総選挙で、国民党はなぜ大敗したのか

二〇一六年一月十六日
黑白自在

報道の背景

二〇一六年、台湾は第二次政権交代を迎え、八年間政権を握っていた国民党は選挙で大敗した。なぜこのような結果になったのか。国民党の敗因を探ってみると、台湾の政治と社会を理解できるだろう。

蔡英文の得票数が六百万票を超えたとき、結果がまだ出ていないにも関わらず、朱立倫は敗北を宣言し、国民党主席を辞任した。八年後、雨の降る夜、民進党は再び政権を握り、蔡英文は台湾初の女性指導者となった。蔡英文の得票数は当選当時の馬英九に及ばなかったが、「藍営」[1]は当時よりも三百万票以上少なかった。

しかし、よく考えれば当たり前のことだ。なぜ経済貿易協議に署名し、多くの中国大陸観光客が台湾に訪れ、両岸の関係がかつてないほど良好であるときに、両岸の平和発展を支持する国民党が敗北し、「台独党綱」を掲げる民進党が勝利したのか疑問に思っている人もいるだろう。

（1）　藍連盟・国民党陣営。

トランプゲーム

批判を急がないでほしい。「両岸カード」は国民党の良いカードだったが、それを出さなかった。二人がトランプをしたときに例えると、Aさんは2枚のジョーカーを持っているが、ほかのカードはすべてつながらない3、5などしかない。Bさんはジョーカーを持っていないが、すべて三条（3枚のカードが同じ数字のスリーカード）2や三条K（キング）、順子（連番）だ。誰が勝つだろうか。

事柄はこのようなことだ。二〇〇八年に馬英九は良カードをもっていた。両岸政見は一対のジョーカー、清廉形象は三条2、周潤発のハンサムな顔はエース……その時の民進党は、陳水扁の汚職事件で苦しめられ、手元のカードは10もなかった。

しかし、二〇一二年、国民党は良カードを浪費し、「八八水害」(1)が始まり、「内政無能」のレッテルを張られた。両岸政策は「緑営」(2)に任された。人の考えは変わりやすく、これにより、「藍営」は勢いを落とし、馬英九はやっとのことで勝った。当時の蔡英文は「両岸関係の最後の一里の途上」で敗北したことを認めている。

馬英九第二任期で、状況は雪崩れのように悪化した。最後には国民党は人前に出せるものは両岸カードだけで、他のカードはレベルが低く、ほとんどが負の資産だった。

どれだけ未熟なやり方が、このような結果につながったのか。

（1）二〇〇九年八月六日から十日にかけて台湾の中南部及び南東部で発生した水害。
（2）緑連盟・民主進歩党陣営。

大まかな流れは以下だ。馬英九は優柔不断の評価を捨て、自分自身が正しいと思うことを行うと決意した。彼は大胆にも、ガソリンや電気代の値上げに取り組み、それが大きな波紋を呼んだことで、支持率が20％にも下がった。また、赤身剤が含まれたアメリカ牛肉の輸入は養豚農家の反感を買った。増税は富裕層の怒りを買った。

それにより、世論で「再任は彼ではない」という声がでてきた。特に失望したことは、「緑営」の圧力の下で、馬英九は大義親を滅し、「藍営」の支持者である軍人・公務員・教員の福利厚生を取り消した。ここから、台湾社会で批判の声が飛び交い、「挺馬派」（馬英九の支持者）は消滅した。

当然、災難が重なった事もあった。例えば、「馬（英九）王（金平）政権闘争」で、洪仲丘事件[1]、台湾第四原子力発電所凍結[2]などでは、毎回、国民党は袋叩きにされている。

最後に重大な局面がきた。違法である「ひまわり学生運動[3]」により台湾当局は何もできず、海峡両岸サービス貿易協定はしわ寄せを受け、両岸政策は初めて課題に直面し、「藍営」の士気は下がり、「九合一」選挙で大敗した。

その後、馬英九関連の出来事はほとんどなくなった。（「習馬会談」が世に現れなかったら、彼は表に出ていなかっただろう）周知の事実だが、「藍営」の男性候補陣は選挙に参加せず、勇敢に立ち向かう洪秀柱は自分の銃口の下に倒れた。かなり不利な状況下で、国民党内で陰に陽に闘争が起こっていることを、「緑営」はひそかに喜んでいた。「藍営」が憤慨していることは説明しにくい。

（1）二〇一三年七月に台湾の陸軍内で起きた下士官の死亡事件。
（2）国民党が台湾近郊で進めている第4原子力発電所の建設を凍結する方針を発表した。
（3）二〇一四年三月十八日に、台湾の学生と市民らが、立法院を占拠した学生運動から始まった社会運動。

この時点で、何をするにもすでに遅く、大局はすでに決まっていた。蔡英文は「寝ながら選挙をする」と決め、「藍営」への質問、挑発、暴露などに対して、「次の質問」という一言だけで、相手にしなかった。その後、このような得票数となった。知らないといけないことは、二〇〇八年馬英九は謝長廷にたった二百二十万票勝ったということだ。「俠客島」はこの選挙で、蔡英文は朱立倫に三百万票以上の勝利を勝ち取り、民進党は三分の二を超える議席を獲得した、と報道した。民進党が「立法院」で初めて半数を超えた。過去には民進党は立法院では少数で、国民党に太刀打ちできなかったが、今は言うまでもない。今回はどれだけ酷いことか。

言い換えると、四年前と比べると、蔡英文の得票数はたったの数十万票だった。一方で「藍営」は三百万票以上減った。蔡英文は世論からの支持を受け、国民党は失望された。

悔しさ

哀れな人には恨みがあるに違いない。しかし、国民党は多くの騒動を引き起こしたが、国民党の表現は酷く、実際に得た得票数のレベルに値しない。客観要素として影響はかなり大きい。

陳水扁政権の八年間で台湾経済は不況に陥り、民衆は馬政権に高い期待をしていた。しかし、馬が政権を握ると、台湾の経済柱である電子工業の利益は薄れ、経済構造的な問題が浮き彫りとなった。国際経済の不景気と大陸経済の減速に加え、外向き型経済の台湾としては、両岸経済貿易や台湾へ訪れる大陸の観光客がいたとしても、勢いをとり戻すことは難しい。そのため、島内の人々は「物は高くなるが給料は上がらない」と感じ、両岸経済貿易の利益がないと、台湾当局に対して不満を持つようになった。

馬英九はどうか。彼はイギリス経済誌では「不器用（Ma the bum-bler）」と呼ばれている。多くの物事の処理はできていないが、勤勉で清廉な性格で、両岸平和発展フォーラムを開いた。全体的に陳水扁より評価は高いが、やはり批判された。

その原因として、台湾独特の政治生態と民衆の心理が関わっている。

島内社会は「藍営」と「緑営」に偏っており、経済周期の振り子作用が現れている。政権を握る期間が長いほど、嫌われ、野党の期間が長いほど期待される。陳水扁政権の八年間で、民衆の生活は困窮し、汚職事件はなかったが、支持されなかったことから、馬英九は「万人迷(1)」となった。馬英九は「八年の我慢」を迎え、蔡英文は民衆にとって完璧ではないが、評価される人物となった。現実的に考えて、昔の台湾経済の栄光を取り戻すことは誰にもできない。現在の馬英九でも、将来の蔡英文でもできない。そのため、島内民衆は国民党に対して嫌悪感を感じており、一、二年内に、民進党も同様な結果を受け入れなければならない。

島内には「総選挙」は有権者の「頭家（当家）カーニバル」という表現がある。有権者は鞭をふり、「藍営」と「緑営」は争い、民衆の機嫌を取る。これは台湾の大衆迎合主義だといえる。台湾は二〇〇〇年から「総統」直接選挙が始まり、二回の八年政権交代を経てたことで、民衆は既に要領を得た。独裁政治に対して危機感を持ち、互いに競争してこそ進歩でき、政権を定期的に交代することで投票に価値があると感じている。朱立倫は選挙討論の際、「良い指導者は民意を聞かず、確かな方向性を堅持すべきである」と発言した。すると間髪入れずに蔡英文が「もう一度おっしゃってください、民衆の意見を聞くことが怖いので

（1）　誰もがファンになるアイドル。

しょうか」と問いただした。

これにより、ここ数年で、台湾人の政治家への批判が増えた。批評者は民主自由の気概を表現し、批判される者は「謙虚に意見を聞き入れる」広い度量を誇示する。批判されて何度も上手くいくなら、喜んでするだろう。

敗因

ここでは民主主義の誤解が関わっている。政治家はポピュリズムと対立すべきか、それとも迎合するべきか。国民党はポピュリズムを攻める権利はない。なぜなら、民進党は「ポピュリズムの製造機」であるにも関わらず、国民党は成り行きに任せ、波風が立つような出来事もしてきたからだ。

洪秀柱は選挙期間にこの問題を提起した。彼女は国民党が長期にわたって民進党に対し、「ただの真似事しかできない」や「迎合のようなレベルの低いやり方は新しいものを生み出さない」、「誹謗中傷を恐れ、自分で自分を抑えるので、両岸の安定した道を前に広げられない」、「〝売台〟の帽子で容易に本党をつぶすようなものだ」、「正しい道を進む勇気のない弱者になった」などの批判をした。残念なのは国民党はしらをきり、相手にしなかったことだ。

「侠客島」から見ると、ポピュリズムに対抗するのは、利益は高いが、リスクも高い。対抗が成功すれば、大きな経験値を得ることができ、出世もできる。対抗に失敗すれば、その場で打ち破られる。洪秀柱が出て来た時はすでに遅く、島民の心は替わり、取返すことは難しかった。国民党は二〇〇八年の追い風の時から洪秀柱の道を続けるべきだった。

馬英九は最初の選挙で常に「最終統一」を強調し、台湾の多くの人は称賛した。しかし、選挙前になると、馬は「不統（統一の話はしない）、不独（独立をしない）、不武（武力で問題を解決しない）」の六文字を提唱しはじめた。「不統」を最初に強調したのは、「緑営」の有権者を引き寄せることを意味している。しかし、現在振り返ってみると、これは目先のことだけ考え、後の結果を顧みないやり方だ。優位な局面で自ら譲歩することは、相手の士気を高め、自滅に繋がってしまう。

馬英九政権期間に「全民大統領」（つまり「緑営」の民心を獲得することだ）の思想を貫き、その結果として、「緑営」から「藍営」に支持者が流れていった。最も深刻なことは、国民党が党魂と理念を失ったことで、競争力も喪失したことだ。国民党の言う両岸「先経後政」は「経済だけで政治を顧みない」というものに替わっていた。馬当局は両岸平和発展を主張したが、ただ「平和」の政策を推進するだけで、「平和」の論議は成立しなかった。両岸経済の利益のみを話すだけで、両岸の和解による政治的配当は話し合わず、両岸平和協議合意などの政治議題は避けた。両岸への主張を鮮明にした洪秀柱は手続き的正義に反してもそれを取り替えた（事実が証明し、換わっても選ばず、更に酷くなった）。

これにより、台湾社会は国民党が民進党の理念を認め、大陸を防ぐことが重要で、両岸では金銭の往来のみが求められ、文化交流や政治対話が求められず、平和的統一が恐ろしい話題だと徐々に感じはじめ、国民党ですら触れたくないと考えた。

国民党はもう一つ重要な失態を犯した。制限の最盛期に中学の歴史科目の要項を改めず、今ごろ、「脱中国化」教育を受けた世代が「首投族」[1]になった。「藍営」と「緑営」の基盤の構造が変化したが、後悔

（1）選挙権を得て初めて投票する若者を指す。

してもう遅かった。「藍営」「緑営」の戦いの始まりは、岳飛（南宋の武将）が金国の金兀術（完顔宗弼）と戦い、金国の黄龍府を直撃しようとしたが、南宋の皇帝は彼を呼び戻し、喜んで金国と不平等条約を結んだ物語に似ている。八年前の国民党は「不統」という発言をした時に今日の敗北の種をまいたのだ。

変遷

蔡英文が政権を握ると、両岸関係に対してどう動いていくだろうか。

筆者の予想では、就任一～二年以内は、蔡英文の大きな「台独」の動きは見られないとのことだ。陳水扁は二〇〇〇年の就任後、最初に「四つのノー、一つのない」を承諾し、両岸関係を和らげた。ただ、その後、台湾経済は不況に陥り、彼の支持率も下がり、「迎合精力剤」を飲むだけで、大陸を仮想の敵として「緑営」を固めた。蔡英文は選挙期間中、両岸政策の内容は曖昧だったが、実際には調整をしていた。少なくとも発言の内容は耳障りではなかった。「両岸の現状維持」、「挑発はしない」、「一九九二年両岸会談の基本事実に戻る」というのは、当時の台湾の主な民意として両岸の平和発展という認識があることを説明している。蔡英文の就任後、基本的な民意は変わらず、彼女が短期間で大きな変化をもたらすこともないと決めた。

しかし、馬英九が両岸経済貿易を促進しても台湾経済を救えなかったのに、蔡英文ではなおさら無理だろう。蔡英文は「空心菜」という名前がある。これは彼女の両岸政策に対する曖昧な態度に関係がある。彼女は経済政策上で「空心」なのは確かだ。蔡英文は地方首長での経験が足りず、彼女が打ち出す「世界から中国大陸へ」や「廃核」などの主張は全て望みがない。選挙討論で話題に上がった財政経済は蔡英文の浅はかさと朱立倫の高い専門性を対比している。

筆者は、蔡英文が就任後、もし外の環境が好転しなければ、台湾経済は悪化するだけで、彼女の支持率も下がり、その時に彼女が切羽詰まって浅はかな行動をするかは言い難く、再び「台湾独立」の政策目標を挙げると予想している。

蔡英文は「両国論」の主要な起草者であり、台湾独立の主張は陳水扁よりも固かったが、彼女は陳水扁の「破壊」の草莽さが足りなかった。選挙後はどこに向かっていくのか。我々はかなり警戒し、期待を高めた。結局、形態は人間より強いのだ。彼女は他人の意見を受け入れるか、酷い目に合うか、最終的には大陸の仏の手から逃げられない。

付き合い

では、大陸はどのように蔡英文とつきあっていくのか。

全ては蔡英文の行動を見てからになる。大陸は台湾のどの政党やどの政治家に対しても、「台湾独立」には反対し、「九二年コンセンサス」を認め、両岸関係が平和発展の道を歩むことを期待している。もし、蔡英文が「九二年コンセンサス」を拒み続ければ、海峡両会と両岸事務首長のホットラインのパイプは中断され、両岸当局は対話ができず、新協議の討論、調印が不可能になる。両岸間の経済貿易文化交流は特別な状況でなければ、影響は受けないだろう。

蔡英文が台湾独立の法理を推奨すると仮定すると、大陸の究極の手段として、「反分裂国家法」を発動し、武力で独立を阻止する。もちろん、このような状況は基本的に起こりえない。陳水扁は「台湾独立は実現できない」と述べた。誰が台湾の政権を握ったとしても、この線に触れるほど悪い状況にはならない。

要するに、状況に応じて柔軟に対応し、島内で誰が政権を握っても、大陸は台湾に対する政治方針は変わることはなく、様々な変数に対する対応策がある。蔡英文が何を思っていようと、「緑営」は立法部門にいくつか席があっても、両岸平和発展大局が基盤を固めれば、大きな打撃を受けることはないだろう。両岸関係の未来に自信を持つべきだ。

過去二年の島内情勢の変化は、台湾社会の「恐中」の感情が深まっていることを反映している。これは正常であり、両岸問題は百年の葛藤が形成され、「下関条約」から日本植民地統治まで、「二・二八事件」から国民党の反共教育、「緑営」の「脱中国化」まで、両岸の大きなしこりは、過去の八年間で完全に解けたものではない。そのため、自信だけでなく、根気も必要になる。

リー・クアンユー（李光耀）は、「台湾でどれくらいの人が自分が中国人という認識があるかという世論調査は意味がなく、両岸は必ず統一するだろう。これは両岸の実力比較により決まる」と言った。筆者はこの推論に同意している。大陸が台湾問題を対処するにはまず、自己の発展問題を解決する必要がある。大陸がある程度強くなった時、台湾に魅力を感じるようになり、時機が熟せば物事は自然に成就するだろう。

二〇一六年七月二十二日
東魯虬髯客

蔡英文の公開状

台湾民進党創立三十周年に、兼任党主席の蔡英文は公開状を公布した。声明の中には、「民進党は中国の圧力に対抗し、他国との関係を発展させる。中国への過度の依存から脱し、健康で正常な経済関係を形成する」と書かれていた。

これに対し、国務院台湾事務弁公室スポークスマンの馬暁光は、以下の返答をした。民進党が「九二年コンセンサス」のキーポイントを拒むということは、両岸が中国に属することを認めず、「両国論」、「一辺一国」の立場を捨てきれていないことを意味している。台湾当局トップとして蔡英文は「双十」談話を発表し、この時点での公開状の公布は更に挑発的な印象が生まれた。

このような露骨な騒動は蔡英文就任後初めてだった。周知のとおり、両岸は常に交流が必要で、「九二年コンセンサス」を基礎とし、「九二年コンセンサス」は「台湾独立」の政策目標の照魔鏡であるべきだ。その正体を続けて現せば、公開状の挑発的な「中国」の字は善意的な「中国大陸」を意味しないかもしれない。蔡英文の「独立」という思想、イデオロギーと政治立場は本音といえる。

手の内を見せるという選択は、蔡英文の外柔内剛の性格に合わなかった。しかし、彼女は我慢できずに突き進んだ。

蔡英文が民進党に加入してまだ日が浅い。戦功が輝かしく、高い地位もあるが、民進党の「四天王」と比べると、蔡英文はベテランとは言えない。彼女に「老台独」というのは、蔡英文の策略は手落ちがなく、「台独」に対する認識もかなりの水準に達したからだ。

両岸の関係において、蔡英文には前科がある。陳水扁の就任期間、「九二年コンセンサス」を互いの基本として受け入れた。当時、大陸委員会の委員長に就任した蔡英文は確固とした態度で、陳水扁を制止させた。これは蔡英文を政界に引き入れた李登輝の「先見の明」があることを証明した。二人の思想伝承は言うまでもない。公開状でも蔡英文が「台独」の仲間に入るのが遅くとも、その思想は「深独」の同類だ。

実際、この公開状は元々民進党の「党内回覧」で、蔡社長が三十年間、会社の社員に対し腹を割って話をするようなものだ。流暢に話す様は自然で、口が塞がらなかった。しかし、その後、インターネットで再び公開した際は性格が変わり、公開状を通して、外部にメッセージを送ることを決めた。彼女は民進党の「創党DNA」を受け継ぎ、民主旗印の「打藍反中」を掲げた。

中途半端な責任者ほど、自分の血統の純正と強固な態度を証明しなければならない。なにしろ、「蔡総統」と蔡主席は一人が二役買うことだ。関係者からすると、この二つの役割は衝突を避けられない。「蔡総統」が就任前、中庸を取ったのは選挙と中間有権者のためだった。権力を握ったとしても、「総統らしい」が必要になり、全島民の責任を持たなければいけない。以前は当選するために、「台湾共通認識」という奇胎を作り出し、中華民国の名と「台湾独立」の間で折衷を図ると、この「似て非なるもの」は島内有権者ではよく思われなかった。これはアメリカや中国大陸でも認められず、自分で討論することに意味はなく、終わってしまう。

そのため、「蔡総統」はこれに憚る心があり、あまりわがままをすることもできず、いつも様子を見て「藍営」の支持者をなだめなければならない。しかし、イデオロギーの根源は深く、絶対的な権力は絶対的な傲慢さを引き起こす。現在の「蔡主席」は気が重いようで、ベールで隠された本音を明るみにしなければいけない。

では、「蔡総統」は蔡主席の言うことに従うべきなのか。蔡主席は「台独」理念を固持し、「蔡総統」はナイチンゲールの言葉を特技とする策略家だ。これが分かると、我々は以下の判断を理解できる。蔡英文は就任期間に、中国大陸と表面上での付き合いをし、調子よく、「現状維持」や「善意の交流」を提唱するが、実際は見せかけの行動で、中身が伴っていない。

蔡英文の前任はすでに最も急がれていた両岸の事務、例えば飛行機の直行便や貿易協議の締結、「馬習会談」などを達成したが、彼女がそれよりも功績を残すとは思えない。同時に彼女は、多くの台湾人が中国大陸に統一されることを憂慮し、「遠中」政策が必要だと信じている。また、大陸は台湾に対し、台湾の産業品の輸入や観光客、留学生を制限し、台湾に国際組織に参加させないように脅しているだけで、それに対して島内に反発があっても我慢すれば済んでしまうと彼女は考えている。

蔡英文の思想論理と政治判断によって、「九二年コンセンサス」を受け入れることにメリットはなく、拒否することで政治的利益がある。「緑営」の票田はそこにあり、「九二年コンセンサス」を受け入れることで民進党の選挙に不利となる。利益がないのに、重視する必要があるのか。「その〝九二年コンセンサス〟」

という呼び名は、彼女の態度を明確に表している。

蔡英文は当選から政権に就くまで、自らの両岸政策を「予測可能、挑発せず、不測の事態は起こらない」と何度も約束した。しかし、この公開状の本当の考えは、「抵抗し、脱出する」というものだ。現在、彼女は表情が穏やかな「善意」のベールが脱がされ、殺気のある本性が現れた。いわゆる現状維持は嘘だったのだ。

蔡英文の公開状のもう一つの背景に、彼女は先ほど、第三十九回国際民間航空大会に参加するという「国際空間の開拓」で門前払いを食らったばかりで、心の中には怨念があった。この公開状は大陸からの圧力に対する怒りが見られる。こうなれば、いっそのこと本音を話し、冒険をしてみようか。何といってもまだ任期を待っているのだから。

支持率のピークがすぎると政権が上手く行かなくなった蔡英文は、台湾当局トップとして全島民に責任を終えないとわかった。理由は簡単で、民は食をもって天とするからだ。経済に責任を負うべきだが、彼女は上手くできていない。「九二年コンセンサス」は両岸平和の錨で、先に錨を決めるべきだが、彼女は認める勇気がない。政治実践上で最も現実的で実りのある方法は、「台独」の基本教義派に近づき、「モッズコート（緑営の支持）」で暖を取ることだ。

問題は、蔡英文が無理して「抵抗論」を四年間固持しても、基本教義派の力をかりれば、彼女が順調に再選し、「台独」を実現できるということだろうか。現在、中国大陸は両岸関係の主導権を握っており、「台独」は束の間の夢だ。「寝たふりをする人は起こしても起きない」という。己一人・一党の利益のため、最終的には台湾の経済がもっと萎縮し、島民の生活がもっと苦しくなることを代価にする横暴なやり方は、まさに「民主優等生」を自称する社会への皮肉だ。

アメリカの前ＡＩＴ（アメリカ在台協会）所長・リチャード・Ｃ・ブッシュは、「蔡英文の〝双十〟演説はかなり重要で、両岸交流が曖昧から明確になるチャンスだ」と述べたが、このようにすれば、ワシントンに顔に泥を塗られ、アメリカからは陳水扁と同じような視点で見られるだろう。つまり、中米関係は重要で、様々なことに関係しており、もし台湾がこのリズムを乱し、「武力で台湾を守る」ことになると、アメリカのエリートたちはあれこれ考えても耐えられない。

島内のネットユーザーは、やるべきことを民進党がやっていないことがわかっている。司法改革、兆豊、年金の労働改革も資本家側に偏っており、みな良い言葉だけを言っていると考えている。次回の投票では、私は二度とこのような酷い政党を選ばない。あなた達は誰をだましているのか、大衆はバカなのか。

民意を脇に置くには、一心一意で成長させるのではなく、ゆるぎない決心で対抗することだ。いくら政治的計算をしても、飲鴆止渇[1]の運命から逃れられない。

（1）後のことを考えずにその場しのぎの行動をすること。

やれやれ！国民党は滅ぼされてしまう

二〇一六年七月二十六日
黒白自在

二〇一六年七月二十五日、中国国民党と民進党は台湾の立法府で夜遅くまで争った。「不当党産条例」(1)が可決された後、大勢の敗北を目にした国民党の党員たちは議場前で記者会見を開き、「今日は台湾民主の最も暗い日だ」と痛烈に批判した。その後、議場からは民進党の党員たちが一斉に拍手をして歓呼する声が聞こえた。

「肉体から国民党を滅ぼす」と形容される法案が成立した。これにより、一九四五年以降に国民党が取得した財産は、清算される運命にある。国民党の友人は二十五日夜、「侠客島」に「国民党は滅ぼされるだろう」というウィーチャットを送ってきた。

条例

過去八年間、馬英九の指導下にあった国民党は民進党に対して非常に遠慮しており、各議題で「从善如流」（よい意見を聞き入れることまるで水が流れるようである）と批判されただけでなく、立法府が多数

(1) 野党・国民党が戦後に不当に取得した資産を国や元の権利者などに移行することを定めた条例。

を占める状況下で、多くの重要法案が民進党によって身動きが取れなくなった。今は乾坤が逆転して、政権を握っている民進党が立法府の絶対多数になったが、「緑営」は決して仁義を装ってはいない。権力を握っていれば、命令を実行に移し、強引に「不当党産条例」を出して、病気のうちに死になさいというやり方だ。

二十五日に可決された条例は、名前を「政党及びそれに付随する組織の不当取得財産処分条例」という。同条例によると、政党およびそれに付随する組織が一九四五年八月十五日から取得し、またはその日から受託管理人に交付、移転または登録された財産は、党費、政治献金、選挙経費補助金を除いて「不当党産」と推定され、移転して公に充てるべきで、つまり民進党当局に任せるということだ。

なぜ一九四五年八月十五日なのか。国民党が台湾を日本から接収した日だからだ。この日から、国民党が手にしたすべての財産が「不当な党産」と認定される可能性が高い。

誰が成るか成らないと認定するのか。条例では「不当党産処理委員会」という組織が認定している。組織は台湾の行政主管部門に属し、委員は十一～十三人で、任期は四年で、台湾の行政主管部門の責任者が派遣する。台湾の行政主管部門は民進党の行政主管部門であり、委員会ももちろん民進党の委員会だ。国民党の人々が「成る」や「成らない」は「太上皇」の「太上決定」だと抗議するのも無理はない。

国民党の帳簿上の財産だけでなく、国民党の附随組織、例えば中投公司や「救国団」、婦人連合会などを含めて、今回の精査・追討の対象になった。これに加えて、国民党は当時「党政一体」であり、党庫が「国庫」の形で大量の公営単位に投資していたため、ＴＳＭＣ、聯電、テベンゼンなど台湾の代表的な大企業を含むすべてが「連座」を受ける可能性がある。国民党の「中山奨学金」を手にした個人でさえ、独りよだつことはできなかった。国民党関係者によると、民進党前主席許信良を含む民進党関係者の多くは、当年この奨学金を受給したことがあり、国民党は彼らをすべて申告する予定だという。

今の国民党は、本当に「心の中は苦いが、言うことができない」苦しみがある。

闘争

台湾地域で政権が交代するまで、国民党は立法部門の多数党であり続けたが、肝心の法案は民進党によってしばしば足止めされた。民進党は勝負上手で、議長席を占拠し、門を逆に施そうとする手法を使ったほか、当時の国民党籍立法部門の責任者だった王金平が警察権を使わなかったことも関係している。

少数党になった国民党は、「忠実な反対党」を宣言し、決して壇上を占拠しないと誓った。民進党の立法部門の責任者も、国民党を助けることは本来ありえない。勢いの激しい「不当党産条例」を前にして、国民党にできることは多くなかった。抵抗する構えを見せるほかには、「人為刀俎、我為魚肉」[1]の覚悟しかなかった。

したがって、今回の「不当党産条例」の可決は、国民党が前回採決した時にも技術的な妨害をしたが、全体的な表現は「半推半就」[2]と形容することができる。

今回の立法部門臨時会では、国民党・民進党両党とも甲級動員を行なった。民進党は早くも、五日百二十時間以上採決を続けても、草案を通過させると公言しており、今日零時まで夜戦を行う準備を整えている。会議では、民進党の「立委」がカメゼリー（亀苓膏）を用意し、食べながら「党産はゼロに帰す

（1）今、彼らは包丁とまな板で我々は魚肉のような立場である。生殺の権が他人に握られ、自分が屠殺される立場にあることのたとえ。
（2）表面では断わりながら内心では望んでいる。その気があるようなないようなふりをする。

る」と高らかに叫び、「国民党を死地に追いやる」という顔をしていた。一方、国民党側は、遅かれ早かれ殺されると口にしていたが、二十五日には激しい抵抗はしなかった。午前から夜まで十一時間、六十七回の票決を経て、三回目の可決となり、予想をはるかに上回るペースで進められた。

当時の国民党主席洪秀柱は同日夜、フェイスブック（Facebook）を通じて、国民党の「立委」たちが最善を尽くしたことを明らかにした。彼女は、「国民党の〝立委〟は、議事ボイコットを通じてこの法案を阻止することができるが、そうはしなかった。〝やらないのであり、できないのではない〟。国民党が手をあげて捕まえようとするのではなく、立法部門にこれ以上無駄使いをさせないことを選択したのだ」と述べた。

「藍営」と「緑営」の両党の、片方は革靴、もう片方は草履というスタイルの違いが、今回の事件で改めて浮き彫りになった。「緑営」は手段を選ばずに政治的に追い討ちをかけ、「藍営」は心太のようにあとから押されて自然に前へ進む。ただ、台湾では日に日に濃くなっていくポピュリズムの空気、両立できない政治構図のもと、理知的な秀才は、おそらく本当に「兵」にはかなわないだろう。民進党は、国民党を徹底的に打倒し、もう片方の足を踏み込み、永遠に寝返りを打つことはできない。だから薄情な島内のネットユーザーは、これは「鞭尸」（死体を鞭で打って辱める）であると言っている。

国民党はこの法案の成立を民主の後退だと訴え、民進党は民主の勝利だと主張している。国民党の党産問題は十年以上も放置されており、当分の間、世論戦で優位を占めることは難しい。国民党の現在の対応策は、法に則ったものだ。国民党はこれまで、自分が「憲法」を護って党産を護らず、抗争するのは、すべて正義のためであり、息を吐くためであり、決して財産を保護するためではないと言ってきた。国民党の詹啓賢副主席は、「釈憲」が成功するかどうかにかかわらず、党産を寄付すると明らかにした。国民党は台湾司法に希望を託しているが、台湾司法は政治に目を向けているので、果たして国民党が公義を求めることができるのか疑問だ。

実は、民進党の動きは止まらない。国民党は五十億元（新台湾ドル、以下同じ）を清算したが、民進党はまだ五百億元があると言う。十件の土地を返還しても、民進党はまだ百件あると言うことができ、「あるかもしれない」という罪名で国民党をばらばらにして殺し、終わりがない。党産清算は第一歩にすぎず、今後も民進党が国民党を追い討つのは止まらない。

この十年間、国民党の党産問題は、民進党の「政治的キャッシュディスペンサ」と言える。国民党内では、党産の風呂敷を取り除いてこそ、国民党が生まれ変わるという声が出ている。これは少し楽観的すぎるようだ。これから先も追いつめられていく国民党が、社会的な同情を得るのか、それとも民進党の三寸法師の舌で盗品の支払いを拒否する悪玉にされ続けるのか、それはまだ分からない。

国民党政権の「党政一体」時代には、「党庫」と「国庫」の区別がつかなかった。その党産がどれくらいなのかは誰も知らないが、外部から見ればさらに謎だ。二〇〇〇年、国民党が野党に転落すると、連戦氏は党産清算に着手し、「党産交付信託」を国民党改造の重要な措置の一つとした。国民党が一党独裁から「緑営」との競争に転じたことで、国民党の党資産時価総額が縮小するのは避けられないと信じられている。

李登輝時代の一九九八年、国民党の総資産は九百十八億元に達したが、その後何度も縮小された。二〇〇〇年に連戦が国民党主席に就任した時、党の資産は八百八億元を残した。馬英九が党主席だった二〇〇五年、党の資産は三百十一億元に激減した。二〇一六年三月、国民党が発表した党の資産額は百六十六億元だった。

しかし民進党は、国民党の総資産額は二つの帳簿があり、実際の帳簿は表面申告の数倍で、投資資産は一千億元以上と推定される、と指摘した。

成も党産、敗も党産。かつて、党産は国民党の勝利の宝だったが、ここ数年は民進党に追われる風呂敷となっている。国民党が党産を完全に失うことになれば、肩の荷が下ろされることになるが、生きていくための資源が底をつくと、衝撃の大きさは想像もつかない。ただでさえ金のために来た国民党の一部が次第に散り散りになるだろう。これは国民党の試練であり、解党の契機でもある。

「不当党産条例」が成立したことで、民進党はこれでライバルの肉体を消滅させて安心したのだろうか。実は、すべては過ぎたるは及ばざるなり。民進党がこれだけ力を入れても、実は民進党自身も大量の「不当な党産」を持っているから、反撃に遭うかもしれない。

陳水扁の娘、陳幸妤氏は当時、「おまえたち、お父さんからお金をもらったことがない人はいない」と公言した。陳水扁の金は横領であり、陳水扁が民進党に渡す金は、もちろん本物の「不当党産」だ。民進党にも「小英基金会」など、さまざまな付随組織があるが、調べれば同じように問題が出てくる。民進党は不当党産処理委員会を支配し、条例制定の過程で技術的な回避を行ってきたが、口をそろえるのは難しい。

もし、ＴＳＭＣなどの大手企業まで巻き込んでしまうと、台湾経済は動揺する。そもそも今年の台湾の経済成長は「１％を守る」ことが難しくなっており、このようなことに内輪もめを起こすと、ますます萎縮してしまう。与党民進党にとって朗報ではない。さらに、民進党自身も李登輝氏の「金援」を手に入れたことがあり、多くの人が国民党の奨学金まで手に入れたことがあり、その時に火をつけられることは予想できた。

よい芝居は法案の成立から始まる。党産の追討は容易ではないはずで、今後数年の間に訴訟が絶えないだろう。国民党は自分の党産を守るために努力するだろう。党産を追討する「ストーリーがどんどん長くなっていく」と、当局が負ければ民衆は忍耐を失い、民進党は蜂の巣をつついてしまうケースもある。

蔡英文は政権発足後、「藍緑和解」を宣言したが、今は完全に空念仏になったようだ。両者は闘えば戦うほど激しくなるだろう。このままでは、台湾の前途はさらに悪くなるばかりだ。

更にこれが続くと、台湾は蔡英文の手の中で滅ぶだろう

二〇一七年六月二十二日
黑白自在

数年後、蔡氏が過去を回想する時、彼女は二〇一七年のあの苦悶と雨の多かった六月を思い出すかもしれない。

今月、一夜にして、パナマと台湾は「国交断絶」した。民進党内のライバルは「〝九二年コンセンサス〟は問題ではない」と叫び、抗議する人々はスリッパを投げつけた。今月、郭台銘は「二度と台湾に戻って投資する必要はない」と述べ、陳水扁は「蔡氏が馬英九よりも悪い」と批判した。日本は「一帯一路」に参加しようとしている……。

隠されたすべての真相と矛盾が一斉に爆発した。

一発

これらの出来事が起こる少し前に、蔡英文はまだすべてがコントロール可能な範囲内にあると感じていたかもしれない。「両岸は現状を維持する」とごまかし、「未完成の答案」への回答を拒否しても仕方がな

いその間に徐々に「脱中国化」と「新南向政策」[1]を推進した。

しかし、テバの「断交」はすべての幻想を打ち消した。

パナマは、中南米における台湾の最も重要な「国交国」であり、テバには一〇七年間の「邦の友情」があったという。パナマを失った後、台湾は二十の「国交国」になったが、そのうちの十一国が中南米にあった。台湾当局が最も恐れたのは、後続の骨牌効応だ。（注――二〇一八年五月二十四日現在、ブルキナファソは台湾と「国交断絶」しており、台湾当局の「友邦」は十八に減少している）

なぜ「国交」が重要なのか。ある台湾人の友人が筆者に、「世界の誰もあなたのことを認めてくれないとしたら、あなたは誰ですか」と言ったことがある。島内の政治家からすれば、「国交国」の消滅は、彼らのいう「国家」の消滅を意味する。だから呂秀蓮は「台湾は蔡英文の手に〝滅ぶ〟と言った。

最も「緑営」を絶望させたのは、中国大陸が台湾とパナマを奪い合っていないことだ。ただもう国交樹立を拒否しないだけだ。台湾の元外交部門責任者の欧鴻錬が述べたように、台湾のほぼすべての「国交国」は中国大陸と国交を結びたいと考えている。馬英九政権時代、パナマは中国と国交を樹立しようとしたが、大陸は両岸関係のために拒否した。「国交を断絶する」は二つの真相を明らかにしている。第一に蔡英文の両岸の曖昧な戦略はもはや後戻りできなくなり、第二に両岸の実力の巨大な落差はもはや回避できなくなった。

今もなお、蔡英文が「大陸弾圧」、「決して屈服しない」と叫び、極端「台独」派が「台湾当局の〝国交国〟が少なくなると、台湾当局の〝国交国〟が現れる」と夢見るが、多くの人があの格言「時勢を知る者

（1）東南アジア諸国との関係を重視する政策。

は俊傑だ」を思い出すだろう。

内部からのナイフ

台湾当局の後ろ盾となっているアメリカと日本が、「時勢を知る」とは何かを示したばかりだ。アメリカと日本はともに北京で行われた「一帯一路（シルクロード経済ベルトと二十一世紀海上シルクロード）」サミットに代表団を派遣し、日本の安倍晋三首相は後にＡＩＩＢと「一帯一路」に参加する意向を表明した。民進党当局は当初、アメリカ主導のＴＰＰ（環太平洋パートナーシップ協議）への参加を望み、「一帯一路」を敢えて捨てなかったが、ＴＰＰはもはや流れを失った。「一帯一路」サミットで、台湾当局が東南アジアで最も重視するベトナムと中国は「共同コミュニケ」に署名した。日米までもが変わり、経済の中心を東南アジアに変えようとする台湾当局の「新南向」政策は崩れた。世界保健機関（ＷＨＯ）大会に参加できず、「一帯一路」は手を袖にして見ている。「国交断絶」の潮流は随時爆発し、後ろ盾の日米が頼りないのは蔡英文当局の「外困」だ。内部からのナイフの方が致命的かもしれない。台南市長（現在は台湾行政主管部門の責任者）の頼清徳は「親中愛台」を投げたのに続き、十八日にはアメリカでさらに「民進党の党綱領の廃止は問題ではなく、〝九二年コンセンサス〟を受け入れるも問題ではない」ともっとすごい話を言った。

これがあからさまな挑戦だ。蔡英文の支持率が三割に落ち、百衰が共に起こると、内外の対立が重なったとき、民進党の「明日の星」が手を出した。

頼清徳の話には依然として「台湾独立」の内容が含まれており、ここで細かく評するひまはない。要は頼清徳が「〝九二年コンセンサス〟は問題ではない」と言ったのは、蔡英文にとって大きなプレッシャーだった。市長であるにもかかわらず両岸を語るのは、明らかに大きな地位を志向している。「九二年コンセンサス」が蔡英文の両岸政策のベースラインであることを認めない。頼清徳の判断は、上に進むためには、これを突破しようと試みる必要があるベースラインだ。

頼清徳の動きは、蔡英文両岸政策の不時宜と持続不可能性を際立たせている。民進党の基本的な考え方のある変化もうかがわれる。結局、台南の漁民は街に出て民進党の党員証を燃やし、台南財界の民進党幹部も皆で集団で民進党を脱退すると公言している。蔡英文は「国交断絶」のプレッシャーを必死に担い、台湾全体の利益を意に介さないことはできるが、支持者に見捨てられることを受け入れる方法は絶対にない。

頼清徳が「親中愛台」を投げかけた時も、蔡氏は「これまで意見が一致していた」という一言で気まずい雰囲気を解消した。しかし、頼氏がアメリカで言った言葉に対して、蔡氏のスポークスマンは二十日、「これは頼市長の意図ではない」と弱まらざるを得なかった。国民党文伝会は二十日午前、記者会見を行い、民進党スターの両岸政策「それぞれの表現」に迫り、蔡英文はすでに「片方の足に障害」があった。

禍福は門なし

二〇一七年六月十九日、蔡氏は宜蘭県を視察した際、年金改革に抗議する民衆からスリッパを投げつけられた。人気の如日天から初めて飛ぶ靴をもらうまで、その時間は短く、台湾地区指導者の新記録も樹立した。

十三カ月間政権を執った蔡英文当局は、国民党追討に躍起になっているほかはない。施政はほとんど成功しなかった。年金改革は軍事教育と警察の権益を剝奪し、絶えざる抗議を引き起こした。大陸離れは観光客の激減を招き、観光業者がバスを運転して蔡英文事務室を囲んでいる。「一例一休」は労働者に多くのお金を稼いで多くの休みを与えることができなかった、さらには企業オーナーの悲鳴を上げて苦しんでも、アメリカ商工会議所でさえも「理解できない」と直言した。「非核家園」は当初「私は人間であり、私は反核である」と叫び、台湾は決して電力不足にならないと約束していたが、今では老朽化した原子力第一、原子力第二の発電所を再開し、人間はすべて顧みなくなったのか。「前瞻計画」は「金につける計画」といわれるが、高雄ライトレールはすでに蚊を飼っているが、全台八県市でライトレールを整備し、必要な洪水防止や浸水防止は後回しにしている。

政府の行政効率があまりにも低いため、台湾のトップ富豪である郭台銘は、「必要がなければ台湾に投資しない」と公言している。もともと民進党を最も支持していた台湾の若者は、現在では蔡英文に対する不満足率が六割を超え、最も支持率の低いグループになっている。彼らは給料が上がらないことに気づき、悩みが変わらないからだ。陳水扁も蔡英文を非難し、「馬英九氏よりも悪い」と、特赦をしないと騒ぎを起こすことを示唆した。

「外交の躊躇は大陸を責め、内事の迷いは馬英九を罵る」という台湾のネットユーザーの冗談交じりの発言は、民進党がいかに上手に責任を回避するかを表している。しかし、蔡氏が今直面している「乱矢穿心」の局面は、誰を恨むことができるだろうか。禍福に門はなく、ただ人が自ら招いて、この難局を周到に構築したのは蔡英文自身だ。

二〇〇一年、台湾の経済総量は大陸の約四分の一だったが、二〇一七年にはその総量が二十二分の一になった。蔡氏が直面した両岸情勢は、陳水扁時代とはまったく異なる。陳水扁がなんとか大陸に立ち向かうことができたとすれば、蔡英文はもはや対抗の道を歩む資本はなかった。しかし蔡英文は当初、「九二年コンセンサス」を認めず、「未完成の答案」の提出を拒否すると決心し、すでに「対抗」に賭けていた。民進党も内政面では、政敵との対抗に才能と知恵を用いるが、建設面では空洞で近視眼的だ。

蔡英文が登場した当初から、「九二年コンセンサス」は問題ではなくと言っていたら、両岸関係は凍りつかないだろう。また、台湾は経済法則に反して「捨近求遠」（近くを捨てて遠くを取る）の「新南向政策」を進める必要もなく、「一帯一路」とアジアインフラ投資銀行に加入できる。日米の機嫌をうかがうのではなく、建設に集中できるはずだが、残念ながら、期待通りでなかった。

蔡英文の前に置かれている道は二つある。一つは後の禍を顧みず急場しのぎに危険な手段を採り、両岸の対抗態勢を高めることだ。二つ目は、方向をすっかり変え、実務的に「九二年コンセンサス」に直面することだ。民進党が長年経営してきた「台湾独立」の理念を放棄することは容易なことではないが、放棄しないことは死の道であり、放棄すれば生きていくかもしれない。

香港における習近平の演説は興味深い

二〇一七年七月一日
湖海遊魚

香港が中国に復帰して二十周年を迎えた。この日、習近平国家主席は香港祖国復帰二十周年祝賀大会及び香港特別行政区第五期政府就任式に出席し、重要演説を発表した。演説の中で、習近平主席は今回の復帰二十周年大会を香港の「成人式」に例え、さらに「松竹の蕾茂」を比喩し、香港の発展を形容した。発展というと、「どうするか」という問題があるのだ。習近平主席は演説の中で「一国」と「二制度」の関係を常に正確に把握しなければならないと強調した。

どうやって把握するのか。まず、「一国」と「二制度」を矛盾の二方面と見なければならないのだ。両者は互いに補完しあっていて、どちらも欠けてはいけない。中共中央は「一国二制度」の方針を貫徹し、二つのことを堅持している。一つは確固不動で、変わらず、動揺しないこと、第二は全面的に正確で実践を行い、本来の姿をを失わず、変形しないことを確保するのだ。このようにしてこそ、香港問題を全面的かつ正確に把握することができ、「以偏概全」[1]の誤りを犯さないことができるのだ。

弁証法的思考といえば、さらに重点論を述べたい。「一国二制度」では、「一国」が根本であり、矛盾の主要な側面でもある。「二制度」は枝葉であり、矛盾の副次的な側面である。はっきり分かれば、ようや

(1)　ただ単に事実の側面から全体を説明して誤った結論を引き出す。

く本末を転倒したり切り離されたりして見ることはなくなるのだ。

本末を把握できてこそ、真の「一国」の根本を守りながら、「二制度」の利をうまく使え、対立が統一し「三つの結合」を実現するのだ。すなわち、「一国」原則の堅持と「二制度」の差異の尊重、中央権力の維持と香港特別行政区の高度な自治権の保障、中国内地の強力な後ろ盾の役割の発揮と香港自身の競争力の向上を有機的に結びつけ、いかなる時も偏廃してはいけないのだ。

習近平主席は演説の中で、「香港は国家の主権、安全、発展の利益を守るための制度を更に完備する必要があり、国家の歴史、民族文化に対する教育と宣伝を強化する必要があり、社会は一部の重大な政治や法律問題においてまだ共通認識が不足しており、経済成長も少なからぬ挑戦の壁に直面している」と率直に述べた。

確かに、情報化、グローバル化の今日、香港問題に関わる様々な矛盾が絡み合っており、新たな問題が次々と発生している。もはや二十年前の香港と二十年後の香港を同じように考えることはできないのだ。

一九八二年の中英交渉以来、中国の総合国力はすでに「呉にいた時の阿蒙」[1]ではない。香港のもとの資本主義制度と生活様式は変わらないが、外的環境、内的地位はすでに日進月歩の変化を遂げているのだ。現在、香港での「一国二制度」の実践は、いくつかの新しい状況や問題に遭遇しているが、これも正常なことだ。例えば、香港は選挙社会に入り、直接選挙の立法会議員の割合がますます高くなっている。選挙社会の運営の特徴をどのように把握し、「一国二制度」の実践を持続的に成功させるかは、香港に関わる

(1) (呂蒙が呉にいた時は全く無学であったが、後に学問に精進して「呉にいた時の阿蒙」ではなくなったと言われたという話から) 呉下の阿蒙=学識の浅い人、学問の未熟な人。

各界が真剣に考え、真剣に取り組まなければならないことだ。

先駆的な事業として、「一国二制度」の香港での実践も確かに絶えず探索して前進する必要がある。中共十八大以来、香港の新情勢に対して、習近平を中心とする中共中央は一連の新しい論述を提起したのだ。習近平主席が演説の中で「一国二制度」のよりよい実施について述べた四つの意見は、まさに時代とともに進んでいくことの最良の体現だ。香港社会の発展に伴い、論述は革新と深化を続けていくことが予想されるのだ。

習近平主席は「調和のとれた安定した社会環境を終始維持しなければならない」と述べた。「一国二制度」は中華文化の中の「和合理念」を含んでおり、体現する一つの重要な精神は大同を求め、大異を存在させることだ。大同とは、皆が国家の一員であることだ。大異とは、香港が資本主義制度を実施していることにほかならない。これは伝統文化における「和合」の考え方と相映ずるもので、異なるものが共に存在することを求め、さらには異なるものに変化することを求めることだ。「香港が良いと、国が良い。国が良いと、香港はもっと良い」は、初代香港特区行政長官・董建華の名言だ。これは調和の考え方の最も良い解釈ではないだろうか。

周知のように、「一国二制度」は、最初は台湾問題を解決するために考案されたものだ。両岸関係の発展と変化に伴い、大陸の台湾関連の理論と実践も絶えず進歩しているのだ。例えば、習近平主席は「両岸の経済と社会の融合発展を深化させ」、「運命共同体に対する認知を強める」ことを強調している。このような「融合発展」の理論は、同様に香港にとっても非常に指導的意義があるのだ。これによると、香港は自ら国家の発展の流れに入り、「一帯一路」建設、粤港澳大湾区建設、人民元の国際化などの発展戦略の中で優位性を発揮することができるのだ。

「和合」の理念を強調するには、表面化・分断化・対立化に反対することだ。習近平主席が述べたように、香港は多元的な社会であり、具体的な問題に対して異なる意見が重大な相違を持つことは当然だが、もし人為的に対立、対抗のものを作り出すのであれば、それは何の役にも立てないだけでなく、経済や社会の発展を深刻に阻害することになるのだ。香港は内部の対立・紛糾・軋轢には耐えられない。「二制度」だけを強調し、「一国」を無視して、内地と香港の血縁を切り離す人々は、ともにウィン・ウィンの知恵からはかけ離れている。

習近平主席は演説の中で、国家主権の安全を害し、中央権力と香港特別行政区基本法の権威に挑戦し、香港を利用して内地に浸透・破壊を行ういかなる活動も、原則ベースラインへのタッチであり、決して許されないものだ、と述べた。原則のある思考を続けてこそ、確実に仕事ができるのだ。問題に関して言えば、原則は「一国二制度」を堅持し、それが汚名を着せられ、曲解され、さらには具体的な実践において形を変えられることを防止することだ。

この数年、この原則ベースラインはしばしば試され、衝撃を受けてきた。例えば、香港の急進反対派は他の反対派立法会議員に強制し、主流の民意を無視して政改案を直接扼殺しているのだ。「中環を占領する」、旺角での暴動、暴力による客の追い出し、「香港独立」の宣伝、辱国の誓い、原則ベースラインに触れる一幕一幕の茶番劇が続いたのだ。適切に対応しなければ、香港社会の安定に大きなマイナスインパクトを与えることになるのだ。

もちろん原則ベースラインの考え方は単なる制限ではなく、開放性と包容性のためのスペースを確保しているのだ。習近平主席は談話で同様に、中央からすれば香港を愛し、「一国二制度」方針と香港特別行政区基本法を誠心誠意擁護すれば、いかなる政見や主張を持っていようと、私たちは意思疎通したいと表明した。つまり、「汎民」陣営の開明派には、常に門戸が開かれていたのだ。ここで原則と柔軟性が統一されたのだ。

習近平主席は談話の中で、今後五年間、特別行政区政府が各界を幅広く団結させ、「一国二制度」の方針を全面的かつ正確に貫徹し、「一国」という本を守り、「二制度」の利を有効に活用し、着実に各仕事をしっかりと行うことを希望する、と述べた。五年というのは都市の生命にしては短すぎるため、向こう五年は計画の起点にすぎない。万世を謀らない者は、一時を謀るに足らないのだ。中国返還二十周年を迎える香港社会にとって、香港はどうなるのか、これからどうなるのかを考えるべきだ。

遠き慮りなければ、必ず近き憂えあり。事実、香港は返還当初、海運センター、金融センター、中継貿易センターなどの経済的支柱や地位を持っていたが、現在は金融センターにある程度の優位性があることを除けば、他の競争力が著しく低下し、世界的なテクノロジー革命とは無縁のように見えるのだ。具体的な政策をどう調整するのかは、香港人の国民待遇を確実に実行し、国民の待遇と発展の成果を分かち合うことによって国家のアイデンティティを徐々に強化し、国家観念を形成させ、香港を愛する有権者の基礎を急速に拡大させ、「港独」思潮の生存空間を縮小し、「港独」の繁殖土壌を除去することは、香港の未来発展にとって極めて重要であると言えるだろう。

これをかんがみて、習近平主席の演説では依然として「発展と法治」を強調した。発展は永久不変のテーマであり、香港の立身の本であり、香港の各種問題を解決するための鍵でもあるのだ。法治は香港の核心的価値であり、社会安定の保証もである。「一国二制度」が礎だとすれば、彼らは香港の未来の安定した動きの両翼だ。平穏な時にあっても災難を予想して備え、遠くを見据えてこそ、香港は安定して遠くの未来まで行くことができるのだ。

著者紹介

「侠客島」（シア・コァダオ）中共中央機関紙「人民日報」海外版が2014年に創刊した時事・政治評論ソーシャルメディア。登録ユーザー数は2021年5月末時点で1000万人だった。

中国の時局を読む：話題の背後にある中国のロジック

2021年7月10日　初版第1刷発行

著　　者　人民日報海外版「侠客島」
訳　　者　崎本宗瑞　村上隆一
監訳・発行者　劉偉
発 行 所　グローバル科学文化出版株式会社
〒140-0001 東京都品川区北品川1-9-7 トップルーム品川1015号
印刷・製本　モリモト印刷株式会社

ISBN 978-4-86516-068-0　C0031
定価3278円（本体2980円＋税10%）